CLA[...]

Claude Michelet [...] à Brive-la-Gaillarde, en Corrèze. En 1945, la famille vient s'installer à Paris pour suivre son père, Edmond Michelet, nommé ministre des Armées dans le gouvernement du général de Gaulle. S'étant destiné dès 14 ans au métier d'agriculteur, Claude Michelet s'installe dans une ferme en Corrèze, après avoir effectué son service militaire en Algérie. Éleveur le jour, il écrit la nuit. Il publie en 1965 un premier roman, *La terre qui demeure*, suivi de *La grande Muraille* et d'*Une fois sept*. Parallèlement, il collabore à *Agri-Sept*, hebdomadaire agricole. En 1975, *J'ai choisi la terre*, son plaidoyer en faveur du métier d'agriculteur, est un succès. La consécration a lieu avec le premier volume de la tétralogie retraçant l'histoire de la famille Vialhe, *Des grives aux loups*, qui fait l'objet d'une adaptation télévisuelle. Comme en témoignent ses romans ultérieurs, son goût pour la vie paysanne, qu'elle ait ses racines en France ou au Chili (*Les promesses du ciel et de la terre*, 1985-1988), est pour lui une source d'inspiration romanesque sans cesse renouvelée.

Comptant parmi les fondateurs de l'école de Brive qui a réuni plusieurs écrivains autour d'un amour commun pour le terroir, Claude Michelet est aussi l'auteur du livre le plus lu dans le monde rural, *Histoires des paysans de France* (1996).

# DES GRIVES AUX LOUPS

# CLAUDE MICHELET

# DES GRIVES
# AUX LOUPS

ÉDITIONS ROBERT LAFFONT

© Éditions Robert Laffont, S.A., Paris, 1979

ISBN 978-2-266-17236-3

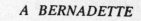
*A BERNADETTE*

Il y a deux choses auxquelles il faut se faire, sous peine de trouver la vie insupportable : ce sont les injures du temps et les injustices des hommes.

SÉBASTIEN CHAMFORT

# PREMIÈRE PARTIE

## LA MAISON VIALHE

# 1

ILS abandonnèrent le chemin encaissé et l'abri de ses ronces épaisses. Le vent d'est leur sauta au visage, griffa leurs joues et cingla leurs jambes nues ; des larmes froides et piquantes perlèrent entre leurs paupières plissées.

Les trois enfants bifurquèrent vers l'extrémité du plateau et se coulèrent entre les genévriers. La neige couinait sous leurs pas, s'accrochait aux clous de leurs sabots et leur faisait de grosses et lourdes semelles blanches ; ils s'arrêtaient souvent, choquaient leurs pieds l'un contre l'autre pour décoller les blocs glacés, puis reprenaient leur trottinement.

L'aîné ouvrait la marche ; il allait sans hésitation et aussi vite que le lui permettaient les broussailles, les congères et les rochers. Derrière lui venait un jeune garçon qui tirait, à bout de bras et d'une main ferme, une petite fille au visage rougi par le froid. Elle reniflait bruyamment et devait presque courir pour soutenir l'allure.

— C'est là, indiqua le plus grand.

Ils s'approchèrent du genévrier.

La grive était raidie, gelée, dure comme une pierre. La bise lui donnait un semblant de vie en la faisant tournoyer autour du collet de crin suspendu à une branche basse. La litorne avait dû se prendre tôt le matin, à l'heure où un pâle soleil avait percé entre deux nuages de neige. Appâtée par les baies noires d'un laurier-sauce habilement disposées dans une petite tranchée de neige damée, elle avait picoré jusqu'au fruit fatal, celui devant lequel Léon Dupeuch avait disposé le lacet. A douze ans, Léon était déjà un redoutable tendeur. Même les lièvres les plus retors ne décelaient pas ses collets.

— C'est une belle tia-tia, dit-il en décrochant l'oiseau, avec les autres, ça m'en fait sept et elles valent bien quinze sous pièce. Ça fait...

Il hésita, fronça les sourcils puis, découragé, se tourna vers son camarade.

— Cinq francs vingt-cinq, dit Pierre-Edouard Vialhe en se rengorgeant un peu.

Pierre-Edouard Vialhe passait pour un des meilleurs élèves du bourg et le maître avait assuré qu'il obtiendrait un jour son certificat d'études. Il n'avait que dix ans et demi et encore le temps avant d'affronter cet examen; mais il s'y préparait déjà.

— Miladiou! Comment tu fais? grogna Léon avec envie. Moi, je n'y comprends rien à tous ces chiffres!

Pierre-Edouard haussa les épaules.

— Dépêche-toi, il est tard; il faut rentrer, dit-il en scrutant le ciel.

— On va se faire disputer, gémit sa sœur, et elle se mit soudain à pleurer sans bruit. Elle s'en voulait d'avoir insisté pour les suivre.

— T'es ben trop gamine, la Louise! avait raillé Léon. Qu'est-ce que tu veux qu'on fasse de toi là-haut!

— J'ai neuf ans et je suis plus une gamine, je veux y aller!

— Bon, viens, avait tranché son frère.

Il était gentil, Pierre-Edouard, il faisait presque toujours tout ce qu'elle voulait. Mais, cette fois, il eût été mieux inspiré en ne cédant pas à sa demande.

Elle avait peur et froid. Qu'allaient-ils dire à leur mère pour justifier cette escapade? D'abord, leurs parents ne voulaient pas qu'ils quittent le bourg, ensuite ils n'aimaient pas les savoir avec Léon Dupeuch. Il était pourtant amusant, Léon, mais on disait qu'il n'avait pas de bonnes manières, qu'il fréquentait plus volontiers les buissons que l'école, que tout ce qu'il trouvait — même une poule égarée — devenait sa propriété, que son braconnage le conduirait un jour en prison, et surtout que ses parents ne valaient pas grand-chose.

On ne savait pas trop d'où ils venaient, ils n'étaient pas du pays. On les avait vus débarquer huit ans plus tôt, ils arrivaient, paraît-il, de la région de Brive, à plus de trente kilomètres de là. Des étrangers... Métayers, ils exploitaient tant bien que mal les trois hectares d'une des fermes du notaire : deux vaches, six moutons, un porc et quelques volailles. Ils vivaient très pauvrement, parlaient peu, et ne se mêlaient pas à la vie du bourg de Saint-Libéral-sur-Diamond. Aussi tout le monde s'en méfiait.

— Il faut partir, insista Pierre-Edouard.

— Fous la paix! Laisse-moi préparer ma tendue pour demain. Avec un temps pareil, sûr que d'autres tia-tia descendront du nord; mon père m'a dit que ce froid allait tenir toute la lune.

— Je sais, mon grand-père aussi me l'a dit. Allez, viens, partons, il va faire nuit et nous, sûr qu'on va se faire corriger!

Sans se presser, Léon attacha délicatement un nouveau collet au milieu d'une branche de genévrier qu'il courba jusqu'au sol et l'y maintint avec un gros bloc de neige gelée. L'anneau de crin se trouvait ainsi à bonne hauteur. Qu'un oiseau y passe la tête et il était refait; la moindre secousse libérerait la branche et la victime serait pendue avant même d'avoir avalé l'appât. Léon se redressa enfin, souffla dans ses mains gourdes.

— J'espère qu'il ne fera pas vent et qu'il ne reneigera pas, ça détendrait tout. Tu pleures encore, toi?

Louise renifla violemment, serra sa cape autour d'elle et prit la main de son frère.

— Viens vite, insista-t-elle. Sûr qu'ils nous ont déjà appelés!

Pierre-Edouard acquiesça et se mit en marche. Ils n'étaient pas très loin du village; ils en apercevaient les fumées, en bas, à flanc de colline. En temps normal, ils l'auraient atteint en un petit quart d'heure de course. Il suffisait de dévaler en louvoyant entre les arbres pour rejoindre le chemin et les premières maisons. Mais la neige rendait impossible une allure trop rapide. Par endroits, le vent l'avait drossée sur près de cinquante centimètres d'épaisseur; ailleurs, le gel avait pétrifié les longues coulées d'eau que déversaient, à flots, toutes les terres du plateau. Autant d'embûches qu'il fallait aborder avec prudence et qui rendaient la progression difficile et lente.

Le froid mordait depuis quinze jours. Il était venu d'un coup, sans prévenir.

— Tu vois, petit, c'est pour finir le siècle, avait dit à Pierre-Edouard son grand-père paternel. L'a pas été bien fameux. Il meurt comme il a vécu, pas gentiment...

Tout avait commencé le 10 décembre, un dimanche. Le

vent qui, jusque-là, se tenait dans l'humidité de l'ouest avait, d'une virevolte, sauté d'abord au nord. Il n'y était pas resté, ou à peine, mais suffisamment pour changer la couleur des nuages. Ce n'était plus de l'eau qu'ils brassaient, mais de la neige. Et puis, aussi vite qu'il avait fui l'ouest, il s'était installé plein est et s'y plaisait depuis. Le thermomètre de la mairie avait marqué moins dix ce dimanche-là, puis moins douze le lendemain, et enfin, le mardi, moins seize. C'est alors que la neige était arrivée ; pas un flocon ne s'était perdu sur un sol aussi froid. Depuis, gelée à cœur par quelques nuits terribles, elle tenait. « Elle en attend d'autre ! » assurait le grand-père.

Pierre-Edouard trébucha, faillit s'étaler et lâcha la main de sa sœur.

— On va se faire disputer, répéta celle-ci entre deux hoquets.

Elle pleurait toujours, en silence, et deux longues chandelles de morve coulaient jusqu'à ses lèvres gercées.

— Mouche-toi ! ordonna son frère. Non, peut-être qu'ils n'auront rien vu aujourd'hui...

Il avait misé sur ce jour-là pour accepter cette escapade avec Léon. En d'autres circonstances, jamais il n'aurait osé s'absenter si longtemps, et si loin ; il redoutait trop la ceinture paternelle, cette terrible lanière de cuir qui sifflait et venait s'abattre sur les jambes et les cuisses nues.

Mais aujourd'hui, c'était différent. D'abord, on était dimanche, et surtout à la veille de Noël. Les adultes préparaient le réveillon et la fête du lendemain. Avec un peu de chance, personne ne se serait aperçu de leur disparition.

Ils étaient partis vers deux heures et demie et avaient tout de suite grimpé vers l'immense plateau qui surplombait le bourg. En passant à côté de la source du Diamond — le ruisseau qui dévalait vers Saint-Libéral et qui jaillissait d'une grotte à flanc de colline — ils n'avaient pas résisté à l'envie de briser les grosses stalactites de glace qui pendaient de la voûte. Puis ils étaient repartis, chacun suçant une chandelle de glace, délicieuse et tellement froide qu'elle en coupait le souffle et brûlait la langue.

L'escalade à travers bois les avait réchauffés et leurs capes leur avaient paru trop chaudes et presque inutiles. Déjà, Léon avait rabattu son capuchon et déroulé son cache-nez.

Mais une bise glaciale les attendait sur le plateau. Là-haut, rien n'arrêtait le vent ; seul le chemin bordé de haies et quelques bosquets assuraient de précaires abris.

Pierre-Edouard aimait cette grande étendue de terre, il s'y sentait chez lui, dans ses champs. Il les connaissait tous par leur nom, du moins ceux qui appartenaient aux Vialhe. Ici, la pièce Longue et ses vieux noyers, là-bas, à côté du puy Caput, la pièce du Peuch, plus loin, celle des Malides — une terre à froment — plus loin encore, celle du Perrier, et enfin, tout au bout, cachée par le puy Blanc, la Grande Terre, semée en seigle.

Le jeune garçon savait aussi à qui appartenaient les autres champs, l'emplacement de toutes les bornes, et il connaissait tous les propriétaires et tous les métayers ou fermiers qui travaillaient là. Presque tous habitaient Saint-Libéral, et presque tous aussi avaient d'autres parcelles disséminées sur le versant où s'accrochait le village. Là-bas, les Vialhe possédaient encore des prés, des bois et aussi, en pleine pente, exposée au levant et bien abritée des gels tardifs, une toute jeune vigne et un grand morceau de terrain à primeurs. L'escarpement y était tel qu'il fallait tout travailler à la main, mais les récoltes justifiaient ce labeur. Avec quinze hectares, huit vaches, douze brebis, deux chèvres et trois truies, les Vialhe étaient parmi les plus importants propriétaires de la commune. Au-dessus d'eux, il n'y avait que les terres du notaire, celles du château et quelques métairies appartenant à des gens de Terrasson, d'Ayen ou d'Objat.

— On va se faire disputer, dit de nouveau Louise.

— Ta sœur, on dirait mon geai ! plaisanta Léon. Elle répète toujours la même chose !

Pierre-Edouard ne releva pas, non à cause de la comparaison, dont il se moquait, mais pour ne pas mettre ce sale oiseau dans la conversation. Tout le monde savait que la seule phrase que ressassait le geai des Dupeuch était : « Cochon de curé ! Cochon de curé ! »

— Une honte ! disait la grand-mère Vialhe. Voilà pourquoi, mes petits, il ne faut pas aller avec le fils Dupeuch !

Pierre-Edouard savait bien que ce n'était pas Léon qui avait inculqué cette grossièreté à son volatile ; c'était son père. Mais il était gênant d'aborder le sujet. Pierre-Edouard allait au catéchisme et à la messe, un jour il ferait sa première communion. Léon, qui ne faisait rien de tout cela, s'en flattait parfois et cette attitude peinait Pierre-Edouard ; elle l'embarrassait aussi, parce qu'elle donnait raison à ses parents qui lui interdisaient de fréquenter son ami.

— On va arriver à la nuit ! constata Pierre-Edouard.

La nuit montait, vite, épaisse. Elle grimpait de la vallée et noyait déjà le bourg. Là-haut, sur le plateau, il faisait encore presque jour, mais le bois où s'engageaient les enfants s'assombrissait de minute en minute. Pierre-Edouard pressa le pas.

— Arrête de pleurer, quoi ! On arrive, dit-il en secouant sa sœur.

— On en a pour dix minutes, au moins, assura Léon, et encore !

Ils étaient en plein milieu du bois lorsque le hurlement les figea. Il semblait parvenir du plateau, et plus exactement de l'endroit où Léon avait tendu son dernier collet, tout à côté du puy Blanc. Le cri, long et modulé retentit de nouveau.

— Un loup, souffla Léon. Nom de Dieu, un loup !

— Vite, vite ! chuchota Pierre-Edouard, il faut courir. Toi, tais-toi ! ordonna-t-il à sa sœur.

Elle ne disait rien, d'ailleurs, paralysée par la panique.

— Non ! dit Léon, faut faire du bruit au contraire ! C'est mon père qui me l'a dit. Faut faire beaucoup de bruit. Il aura peur de nous !...

Sa voix était à peine audible.

— Faut courir, s'entêta Pierre-Edouard.

Et il s'élança gauchement dans la neige.

Un autre hurlement les atteignit, et celui-ci ne provenait pas du plateau ; il montait de la vallée, jaillissait de l'obscurité et résonnait sur les flancs de la colline. Un long appel qui n'en finissait pas et qui glaçait le sang.

— Vite, vite, balbutia Léon, courons et faisons du bruit. Ils sont là, ils nous cherchent ! Ils nous ont sentis ! Fais du bruit, Pierre, fais du bruit, miladiou !

— Avec quoi ?

— Parle, parle fort, supplia Léon dans un souffle.

— Je sais pas quoi dire..., marmonna Pierre-Edouard.

Il affermit cependant sa voix et balbutia sa dernière leçon de géographie :

— La Corrèze, chef-lieu Tulle, sous-préfectures Brive et Ussel... La Corrèze est un département qui... qui appartient au Limousin. Il est arrosé par trois rivières, la Dordogne, la Vézère et la Corrèze. Il, il... Je sais plus !

— Continue, continue ! supplia Léon. On arrive !

Ils atteignaient le chemin lorsqu'un nouveau hurlement s'éleva du plateau et les poussa dans leur course.

— Dis quelque chose ! On n'est pas encore aux maisons, peuvent encore nous bouffer ! hoqueta Léon.

— Jette tes grives ! C'est ça qu'ils sentent, ordonna Pierre-Edouard.

— T'es pas fou, non ? J'en ai pour plus de cinq francs !

— Jette-les, je te dis, insista Pierre-Edouard en le secouant, autrement ils vont nous attraper !

— Bon, grogna Léon.

Il ouvrit sa musette, sans ralentir, y puisa à pleines poignées et jeta les oiseaux par-dessus son épaule.

— Parle, Pierre-Edouard, parle !

— Je vous salue Marie, pleine de grâce, le ... Oh ! je peux plus, ça m'empêche de courir, sanglota le garçon.

— ... Seigneur est avec vous, claironna soudain Louise. Elle renifla et, tout en pleurant, poursuivit sur un ton suraigu : Vous êtes bénie...

Ils arrivèrent enfin à la première maison du village, mais ils galopèrent encore jusqu'à la place de l'église.

— Salut ! lança Léon en bifurquant dans la ruelle qui conduisait chez lui.

Pierre-Edouard et Louise ralentirent, reprirent leur souffle et marchèrent vers leur demeure, située au bout de la grand-rue, à la sortie du bourg. C'est d'un pas tranquille et après s'être mouchés qu'ils se glissèrent dans la réconfortante tiédeur de l'étable.

La traite avait déjà eu lieu et les bêtes mangeaient. Ils distinguèrent leur père qui rattachait un veau dans le coin le plus sombre de la grange, celui que n'atteignait jamais la faible lueur de la lampe à pétrole.

— Où étiez-vous ? demanda Jean-Edouard.

— Par là..., dit Pierre-Edouard en ébauchant un geste vague.

Il prit une fourche et arrangea la litière.

— Rentre, chuchota-t-il à sa sœur, tu diras que t'étais ici avec moi. Et moi, tout à l'heure, je viendrai avec père. Mère pensera qu'on ne l'a pas quitté.

— Et avant, où on était ?

— On jouait sur la place, à faire des glissades au trop-plein du lavoir...

Louise poussa la porte à double battant et se coula dans la pièce principale. Le chien, affalé au plus près du foyer, le nez dans la cendre tiède, tourna vers elle ses yeux dorés par les flammes et remua doucement la queue.

Assis dans le cantou, le grand-père pelait méticuleusement des châtaignes.

— Te voilà, petite. Viens faire la bise.

Elle s'approcha, posa ses lèvres gercées sur la joue rêche et piquante de l'aïeul et s'installa à ses côtés ; elle tremblait encore.

— T'as froid ?

— Un peu. Où est mère ?

— Elle soigne les cochons.

— Et mémé ?

— A l'épicerie, elle voulait t'amener mais tu n'étais pas là.

— Et Berthe ?

— Avec mémé.

Berthe n'avait que sept ans ; elle était trop petite pour suivre les grands. « Heureusement qu'elle n'était pas avec nous, songea Louise, on n'aurait pas pu courir et les loups nous auraient rattrapés... » Elle frissonna à cette pensée.

— T'as pris froid ? D'où tu viens ?

— J'étais avec Pierre-Edouard... Dites, vous me faites griller des châtaignes ?

— Tiens, dit le vieux.

Il se pencha vers le foyer, écarta la cendre chaude du bout des doigts et découvrit une quinzaine de châtaignes rôties dans leur peau.

— Je savais bien que tu en réclamerais !

Il prit quelques fruits, bouillants, les frotta entre ses mains jointes pour faire tomber l'écorce carbonisée et craquante et les tendit à la petite, tout dorés et fumants. La pendule sonnait six heures lorsque Jean-Edouard entra, son fils derrière lui.

— Vous savez la nouvelle ? lança Jean-Edouard en s'approchant du feu. Les loups sont là !

« Il a fait parler Pierre ! » pensa Louise, et sa gorge s'asséxcha. La punition était imminente.

— Qui a dit ça ? interrogea le vieillard.

— Sortez dans la cour, on les entend d'ici !

Jean-Edouard descendit la lampe à pétrole et l'alluma. La lumière blanche et crue remplaça la faible et chaude lueur du foyer.

— C'est Delmont qui est venu me trouver à l'étable, expliqua-t-il. Il venait de croiser le docteur qui revenait d'Ayen et qui en a vu un qui traversait la route, juste devant lui. C'est alors qu'on les a entendus.

— Combien ?

— Au moins trois. Deux sur le plateau, vers les puys et un autre grand gueulard vers Yssandon. Pour moi, ils viennent du nord. Avec ce froid ça n'a rien d'étonnant.

— Trois, c'est rien, dit le vieux. Souviens-toi, en 78, en février, tu en avais au moins quinze qui sarabandaient tous les soirs, même qu'ils ont bouffé le chien des Marjerie de Perpezac !

— Je sais, je sais, mais je croyais qu'on les avait calmés depuis la grande battue d'il y a deux ans, non, trois ans, c'était en 96. Va falloir qu'on s'occupe de ceux-là, j'aime pas ces bêtes.

On entendit des pas à l'extérieur, puis le choc des sabots contre les marches. La grand-mère entra, serrant contre elle sa petite-fille.

— Vous savez ?

— On sait, trancha le grand-père. Tu ne vas pas me dire que trois loups te tournent les sangs. Tu en as entendu d'autres, non ?

— Oui, acquiesça-t-elle en se débarrassant de sa limousine, mais la petite a eu peur. Va te chauffer mignonne, tu ne risques rien, va.

Louise jeta un coup d'œil vers sa sœur. Berthe suçait une racine de réglisse offerte par sa grand-mère. Elle aspirait avec de longs chuintements baveux.

— J'ai entendu les loups ! crâna-t-elle, j'ai entendu les loups et pas toi, tralala !

Louise haussa les épaules et croqua une châtaigne. Un jour, un jour, elle lui dirait à cette petite morveuse qu'elle n'avait pas fait que les entendre, les loups, mais qu'elle avait failli être dévorée, et Pierre-Edouard et Léon aussi ! Parce que leur escapade sur le plateau et le puy Blanc, c'était quand même autrement sérieux qu'un aller-retour chez l'épicier !

21

Elle tira la langue à sa sœur et dégusta une nouvelle châtaigne.

Pierre-Edouard luttait douloureusement contre le sommeil. Déjà, la multitude des cierges qui entouraient la crèche lui apparaissait comme un gigantesque et unique soleil, une boule énorme et chaude. A côté de lui, parmi la trentaine d'enfants du catéchisme, certains dormaient déjà, se soutenant mutuellement sur leurs bancs. Ils vacillaient, penchaient, se redressaient soudain, puis reprenaient leur somme.

Pierre-Edouard frotta ses paupières et envia ses sœurs restées à la maison sous la garde du grand-père. Elles devaient dormir ; il se vit dans le lit et s'assoupit quelques secondes. Le grondement des chaises retournées l'éveilla ; déjà l'assemblée était debout pour la Préface. Il se leva d'un bond, calcula mentalement qu'il fallait encore subir au moins une demi-heure d'office, dix minutes pour arriver au terme de cette seconde messe et, si tout allait bon train, environ vingt minutes pour la troisième et dernière messe de cette nuit de Noël.

Trois messes, c'était vraiment trop long ; d'autant que la première avait été chantée et que le prône avait duré une éternité ! Le curé profitait toujours des grandes fêtes, celles qui faisaient le plein des paroissiens, pour tancer vertement ses ouailles qui, selon lui, ne fréquentaient pas assez souvent la maison du Seigneur. Il s'en prenait surtout aux hommes qui préféraient passer leurs dimanches au bistrot, à la chasse ou, faute mortelle, au travail, plutôt qu'à la glorification du Père !

Pierre-Edouard n'aimait pas ce genre de remontrances ; il se sentait solidaire des hommes. Certes, son père n'allait pas à la messe tous les dimanches, loin de là, ni son grand-père, mais eux au moins ils faisaient leurs Pâques. Ce n'était pas comme certains qui non seulement ne pratiquaient jamais, mais n'entraient même pas à l'église pour les enterrements.

Il se retourna, chercha son père dans l'assistance ; il était bien là, au troisième rang, avec sa mère et sa grand-mère. Devant eux, dans la stalle qui lui était réservée, le châtelain, sa femme, ses deux filles et leur gouvernante. Il aperçut aussi la femme du docteur, le notaire et sa famille, l'épouse et les enfants du boulanger et tous les visages connus des habitants de la commune.

Il remarqua soudain que son père fronçait les sourcils dans sa direction et s'empressa de regarder devant lui. Ce n'était pas le moment d'attirer l'attention.

Il osait à peine croire à la chance fabuleuse qui leur avait permis de rentrer sans dommage de leur expédition. La moindre bévue pouvait cependant révéler qu'il n'avait pas la conscience tranquille. Il aimait bien son père, mais il le craignait. D'abord, il l'impressionnait par sa grande taille, sa forte carrure, ses mains énormes et son visage sévère que coupait une épaisse moustache noire. Ensuite, il lui semblait vieux, pas aussi vieux que le grand-père, mais presque. Il ignorait l'âge exact de ses parents et ne se souvenait pas avoir jamais osé le leur demander.

Il constata avec plaisir que la deuxième messe venait de s'achever et que, déjà, l'abbé Feix recommençait les prières au bas de l'autel.

— Le petit dort, dit Marguerite en rassemblant les assiettes.

Ils venaient tous de réveillonner de bon appétit, sauf bien sûr les deux filles, que rien ni personne n'avait pu réveiller. Tête sur la table, Pierre-Edouard dormait à côté de son assiette où se figeait une moitié de boudin.

Les hommes se levèrent, passèrent au coin du feu en emportant le pot à tabac de grès rouge ; ils roulèrent leurs cigarettes qu'ils allumèrent à un tison.

— T'as parlé aux autres ? demanda le grand-père.

A soixante-neuf ans, malgré une vie de travail uniquement consacrée à la terre, sept ans de service militaire et un an de guerre, et malgré les rhumatismes qui le courbaient maintenant vers le sol, Edouard Vialhe tenait toujours d'une main rude la destinée de sa ferme et de sa famille. Rien ne lui échappait, et s'il lui était de plus en plus difficile de participer aux travaux, il avait l'œil à tout.

Fils unique de Mathieu-Edouard et Noémie Vialhe, il avait hérité d'eux les bases de la propriété actuelle ; huit hectares, regroupés patiemment par toute une lignée de Vialhe qui, de génération en génération, se transmetaient les terres, le savoir et le prénom Edouard, apanage des aînés. A ses huit hectares, il avait pu en accoler un de plus au retour de son service. Sa femme, Léonie, avait apporté deux hectares de bonne prairie dans sa corbeille de noce, en 1859. Né l'année

23

suivante, leur fils unique, Jean-Edouard, les avait bien aidés dans le travail de la ferme, et surtout il avait eu bonne main en épousant, à vingt-huit ans, la petite Marguerite, de dix ans sa cadette, jolie comme une mésange, et qui tenait en dot quatre hectares d'excellentes terres.

Le seul reproche qu'on pouvait faire à la bru, c'était d'avoir eu trois enfants, à croire que ce grand couillon de Jean-Edouard ne savait pas semer au vent ! Un jour, ces trois gamins risquaient de se battre et de couper la terre. A Dieu ne plaise que l'aïeul soit encore là pour contempler un pareil dégât !

— Alors, tu leur as parlé ?

— Oui, on va faire une battue.

— Quand ?

— Demain.

— Demain, c'est Noël, protesta sa mère. Vous ne pourriez pas rester là, non ?

— Ecoutez, plaida Jean-Edouard, on ne va pas laisser les loups se réinstaller au pays ! J'ai des enfants, moi, et des bêtes. Tous ceux du bourg sont d'accord pour demain, enfin pour tout à l'heure plutôt. D'ailleurs, c'est le maire qui l'a décidé !

— Ce mécréant ! grommela la grand-mère.

Elle ne reprochait pas au maire sa totale indifférence envers la religion et il lui importait peu que le premier personnage de la commune aille un jour rôtir en enfer. Mais ce qu'elle ne lui pardonnait pas, c'était d'avoir entraîné son fils dans le conseil municipal.

Très fière, en secret, de cette promotion, elle se refusait cependant à admettre que le maire, libre penseur, ait fait preuve d'une belle tolérance en invitant sur sa liste un homme qui allait à la messe au moins trois fois par an. Elle redoutait toujours quelque méchante ruse, quelque traquenard dans lequel le maire et autres athées républicains précipiteraient un jour son fils.

Elle ignorait naturellement que, si le maire avait choisi Jean-Edouard comme premier adjoint, c'était d'abord parce qu'il savait lire et écrire et aussi parce que c'était un excellent agriculteur, un de ceux avec qui il serait possible de mettre sur pied ce syndicat d'achat dont il rêvait depuis longtemps.

— Il est peut-être mécréant, mais c'est un bon maire, trancha le vieux. Allez, au lit.

Tous se levèrent et Marguerite, aidée par son époux, dévêtit Pierre-Edouard devant le feu. Il ne s'éveilla même pas quand elle lui enfila une chemise tiédie aux flammes ni lorsqu'elle le coucha dans le grand lit où dormaient déjà ses deux sœurs.

— Peut-être ... Mais ... Je voudrais, tâcher que nos enfants
deviennent Pierre-Edouard sentit ... ...

# 2

JEAN-EDOUARD avala la dernière bouchée de pain et de rillettes de son casse-croûte matinal et vida son verre de vin. Puis, il essuya méticuleusement son couteau contre son pantalon de gros velours noir, le referma et le glissa dans sa poche.

— Le vent est toujours à l'est, prévint son père assis en face de lui, de l'autre côté de la cheminée. Il vous faudra les attaquer par la pinède du château, autrement, par vent derrière vous serez bourrus.

— Je sais. De toute façon, rien ne dit qu'ils sont encore là-haut. Ça voyage, ces bêtes...

Il quitta le coin de l'âtre et plongea dans l'obscurité de la pièce. Il n'avait pas jugé utile d'allumer la lampe. Il ouvrit le tiroir du bahut, tâtonna, trouva la boîte qu'il cherchait, y prit une poignée de cartouches, puis revint s'asseoir au coin du feu.

— Qu'est-ce que t'attends ?

— Jeantout et Gaston. Ils doivent passer me prendre.

Le jour pointait lentement ; des nuages, denses et bas, se traînaient au ras du plateau, cachaient les puys. La porte claqua et Marguerite entra.

— T'es encore là ?

Elle venait de soigner les vaches et une odeur d'étable flotta dans la salle. Elle posa le seau de lait sur la table.

— Aide-moi à porter la baccade des cochons sur le feu.

Il se leva, empoigna l'énorme récipient rempli de tous les déchets alimentaires de la maison, de raves, de son et d'eau, et le suspendit à la crémaillère.

26

— Je croyais que vous faisiez cette battue, insista-t-elle.

— J'y vais. Tiens, les voilà, dit-il en apercevant ses voisins par la fenêtre.

Il enfila sa lourde veste de chasse, décrocha son fusil.

— Tâche au moins d'être là pour midi, c'est Noël, rappela-t-elle. Et puis… fais attention.

Une quinzaine d'hommes, groupés devant la mairie, tapaient du pied pour tenter de se réchauffer. Jean-Edouard et ses compagnons se joignirent à eux, serrèrent les mains.

Le village s'éveillait et, de toutes les étables, celles donnant sur la grand-rue et celles des sept ruelles, provenaient les bruits familiers : meuglements sourds des vaches appelant leur veau, chant du lait dans les seaux, raclement des fourches sur les dalles, criaillement des cochons affamés, caquetage des volailles déjà en quête sur les tas de fumier chaud, douces plaintes des brebis et des chèvres.

Les maisons s'ouvraient en de grands claquements de volets et de lourdes volutes de fumée sortaient des cheminées ; l'air sentait le feu qu'on rallume, la bourrée et le genêt sec.

Les chambres de l'auberge s'allumaient une à une et, dans la grande salle du bas, on voyait déjà quelques clients attablés, trois colporteurs bloqués par la neige, un marchand de bois et un matelassier.

Seuls sommeillaient encore ceux que leur profession dispensait du soin aux bêtes et les commerçants qui, en ce jour de Noël, n'ouvriraient pas leur boutique.

L'horloge de l'église indiquait huit heures moins deux lorsque le châtelain apparut au bout de la grand-rue. Emmitouflé jusqu'aux oreilles, son fusil à l'épaule, il marchait prudemment sur la neige gelée. Derrière lui, retenant à grand peine quatre chiens de belle taille, venait Célestin, l'homme à tout faire du château. Le châtelain se mêla au groupe, serra les mains, plaisanta.

— L'heure, c'est l'heure ! claironna-t-il, monsieur le maire est en retard, il a trop réveillonné !

Portant bien ses quarante ans, heureux vivant et d'un abord facile, Jean Duroux se complaisait volontiers dans son rôle de châtelain. Il était né au pays et tutoyait tous les hommes de sa génération.

Fils et petit-fils d'armateurs, le décès de son père l'avait laissé propriétaire du château, des quatre-vingt-dix hectares de bonnes terres et futaies qui l'entouraient et de quelques immeubles de rapport à Brest, Rouen et Paris. L'argent ne lui manquant pas, il estimait inutile de s'ennuyer à en gagner davantage. Il coulait des jours paisibles entre sa femme, ses deux filles et leur gouvernante, Célestin, plus quelques domestiques. Deux fois l'an, il rassemblait sa maisonnée, chargeait tout son monde en gare de Brive ou de Terrasson et partait pour deux mois à Paris ou à Biarritz.

Il n'y avait qu'une ombre au tableau : son nom manquait de la plus élémentaire noblesse. Il palliait astucieusement cette carence en se présentant toujours comme Jean Duroux de Saint-Libéral ; et sa joie était grande lorsque, à Paris ou à Biarritz, il arrivait qu'on l'annonçât comme Monsieur de Saint-Libéral !

Qui irait donc jamais vérifier que Saint-Libéral-sur-Diamond était un bourg rural de basse Corrèze et que lui, Jean Duroux, n'était qu'un parmi les 1 092 citoyens de la commune susceptibles de revendiquer ce titre ? Il eût été choqué d'apprendre qu'en foire de Tulle, de Seilhac, de Brive ou de Turenne, tous les hommes usaient du même stratagème, non par crânerie et vanité, mais simplement pour donner leur adresse et situer leur lieu d'origine.

Mais ceux du bourg ignoraient sa petite supercherie et si, à leurs yeux, il était un Monsieur, un personnage d'un autre monde, tous reconnaissaient qu'il n'était pas fier.

— Vous avez un fusil tout neuf, remarqua Jeantout qui louchait sur l'arme depuis l'arrivée du châtelain.

— Ah ! oui, reconnut le propriétaire en retirant le deux-coups de son épaule. Il le présenta, le retourna, puis bascula les canons. Belle arme, hein ? C'est ce qu'on fait de mieux en ce moment, je l'ai acheté à Londres. Regardez, hammerless, système Anson et Deeley, calibre douze, percussion centrale naturellement. Fermeture à triple verrou, *choke-bore* au canon gauche, crosse anglaise. Il est peut-être un peu lourd, mais c'est quand même une merveille ! Et surtout, je tire avec ça des cartouches à poudre B, plus de fumée et une puissance incomparable. Quant au groupement...

Ils buvaient ses paroles, et si les termes techniques leur échappaient, ils n'en mesuraient que mieux à quel point leurs propres flingots étaient archaïques. Les plus récents n'étaient que des Lefaucheux à chiens apparents et cartouches à broche. Certains même arboraient encore des fusils à piston à chargement par la gueule, et tous employaient de la poudre noire, dont le moindre inconvénient était l'épais nuage qu'elle dégageait à l'explosion.

— Il doit coûter chaud, murmura un des admirateurs.

— Un peu... Cinquante louis.

La somme les laissa sans voix. Mille francs pour un fusil ! Le prix de trois belles vaches ! C'était fou !

— C'est pas possible, fit Jean-Edouard incrédule.

Il ne parvenait pas à comprendre que l'on pût dépenser une telle somme pour un fusil, aussi beau fût-il.

— Moi, plaisanta Jeantout, j'aimerais pas. J'arriverais pas à viser. Avec les chiens apparents, au moins, ou encadre le gibier, dit-il en épaulant sa pétoire et en suivant en plein ciel un perdreau imaginaire.

Mais personne ne l'écoutait ; ils étaient subjugués par l'énormité du prix. Lorsque le maire arriva, il les trouva qui se passaient respectueusement de main en main l'arme que Jean Duroux leur avait charitablement prêtée.

— Beau fusil, admira-t-il à son tour.

Il le soupesa, l'épaula, puis le rendit à son propriétaire en sifflant doucement lorsqu'on lui eut révélé le prix.

Elu maire à l'âge de quarante-deux ans, Antoine Gigoux exerçait son mandat depuis plus de vingt ans. Il gérait sa commune avec autant de soin que sa ferme. Aimable avec tous, il usait, lorsque besoin était, d'une paisible mais solide autorité de bon père de famille. Il grimpa sur l'escalier de la mairie et leva le bras pour réclamer le silence.

— Avant de partir, je vous rappelle que la chasse est interdite par temps de neige. Alors, pas de blague. Je ne veux pas entendre de coup de fusil sur les lièvres qu'on prend pour des loups... Le tir au loup est seul toléré, éventuellement le renard. Et encore, pour bien faire, il m'aurait fallu une autorisation préfectorale, mais je le prends sur moi. Tulle est loin, le préfet n'entendra pas ! Bon, on fait deux groupes, combien on est ?

Il compta rapidement puis désigna le garde-champêtre :

— Octave, tu en prends cinq qui veulent te suivre, les bons tireurs, et vous allez aux passages. Mettez-vous trois à la tranchée et trois aux Combes. Partez tout de suite, vous n'êtes pas rendus. Nous, avec les chiens, on fait le rabattage par les puys et le plateau. Si tout va bien, et s'ils sont encore là-haut, vers onze heures ça devrait tirer ferme. Allez, et vous fusillez pas entre vous !

— Et ne tirez pas non plus sur mes chiens ! recommanda Jean Duroux en flattant ses bêtes.

— Ils n'ont jamais vu de loups, tes chiens ? demanda le maire en se mettant en marche.

Jean Duroux ne pouvait, sous peine de ridicule, s'opposer au tutoiement du maire et encore moins, vu la différence d'âge, user de la même familiarité ; mais il tentait de maintenir les distances en exagérant la préciosité de son langage. Son ton faussement enjoué ne trompait pas grand monde, et surtout pas Antoine Gigoux.

— Pas vu de loups, mes chiens ? Voyons, mon cher, souvenez-vous de notre battue d'il y a trois ans. Je possédais déjà Trompette et Tambour, et ils en voulaient ! Les deux autres sont plus jeunes, mais ils sont très mordants sur le renard.

— Et ils s'appellent comment, Clairon et Fifrelin ? railla le maire.

— Mais non ! La lettre de leur année était A, donc lui c'est Ardent et...

— Et l'autre, c'est Hargneux, suggéra un farceur dans son dos.

— Et lui c'est Aramis, poursuivit Jean Duroux en ignorant les rires.

Il avait la passion de la chasse, des chiens et des armes et il était intarissable lorsqu'il abordait l'un de ces sujets. On l'écoutait volontiers, car nul n'ignorait qu'il était un des meilleurs chasseurs de la contrée, peut-être même du département, un dresseur hors pair et excellent tireur.

— Oui, continua-t-il, ce croisement fox-hound et chien du haut Poitou est vraiment une réussite. Regardez-moi cette croupe, cette arrière-main solide, ces aplombs ! Et attendez de les voir à la quête ou au lancer...

Tous les chasseurs s'étaient groupés autour de lui et réglaient leur pas sur le sien.

— Vous n'avez plus l'autre, demanda l'un d'eux, ce grand gueulard qui marchait presque sur ses oreilles et faisait pitié avec ses yeux de femme battue ?

— Tu parles sans doute de Faraud, mon saint-hubert ? Si, je l'ai toujours, mais il est presque aveugle. Quinze ans, c'est beaucoup pour un chien. Je le regretterai, il n'avait pas son pareil sur le lièvre.

Ils quittèrent le village et s'engagèrent dans le chemin abrupt qui serpentait dans la pinède du château. On apercevait ce dernier accroché à flanc de coteau. Protégé du nord par la falaise sur laquelle il s'appuyait, il dominait tout le bourg et toute la vallée.

De là-haut, par temps clair, la vue portait à près de cent kilomètres ; on distinguait les Monédières, les contreforts du Cantal et, au premier plan, une grande partie de la vallée de la Vézère.

Construit au début du siècle par un lointain cousin du maréchal Marbot, il avait été érigé sur les vestiges d'une place forte médiévale. D'importance moyenne, et plus proche de la grosse maison bourgeoise que du château, il devait ce titre beaucoup plus à son site et à l'importance de ses terres qu'à son architecture.

Solidement façonné en pierre de taille de grès clair, flanqué d'une aile qui, de loin, imitait un donjon, chapeauté d'un solide toit d'ardoise et bien mis en valeur par une succession de jardins en terrasses, il avait fière allure.

Le grand-père Duroux l'avait acquis pour une bouchée de pain dans les années 1825. Les propriétaires, repliés à Paris au moment de la terreur blanche des années 1815 et 1816 — terreur particulièrement active dans toute la région — n'avaient jamais osé revenir affronter une population qu'ils supposaient toujours hostile. Ils ignoraient que nul ne leur voulait le moindre mal. La flambée de colère des gens du bourg n'avait été qu'un feu de paille, aussi éphémère que le passage à Saint-Libéral de la poignée de meneurs venus du Périgord pour déclencher des représailles qui, là-bas, étaient réellement sanglantes.

Une fois les revanchards repartis à la recherche d'autres victimes, le village avait retrouvé son calme habituel, et nul, pendant dix ans, n'avait même eu l'idée d'aller casser les carreaux ou vider la cave de la bâtisse inhabitée.

Le grand-père Duroux n'avait rien dit de tout cela aux vendeurs et payé l'ensemble un prix dérisoire. Ce coup de maître, connu de tous, lui avait assuré une indiscutable considération dans ce milieu rural où l'argent était rare. On respectait toujours ceux qui savaient acheter — ou vendre — avec le maximum de profit.

Le prestige du nouveau propriétaire avait rejailli sur sa descendance et assurait toujours à Jean Duroux le respect dû à l'homme le plus riche de la commune. Seules quelques vieilles personnes, comme le maire, le curé, le docteur ou même le père Vialhe, le traitaient un peu légèrement, mais la déférence de tous les autres lui était acquise.

Jean-Edouard frissonna ; le froid le gagnait. Il se surprit à penser à une bonne flambée accompagnée d'un grand bol de vin chaud.

Arrivé depuis plus d'un quart d'heure à l'un des postes désignés par le maire, il s'était installé contre un gros châtaignier et faisait corps avec l'énorme tronc. Il distinguait, à trente pas de lui, la silhouette immobile de Jeantout et, plus loin, celle de Gaston. Oreille tendue, il attendait les hurlements des chiens annonçant le lancer.

Les loups devaient toujours être sur le plateau, car il n'avait relevé aucune trace dans la neige au cours de son long périple depuis le bourg. Or, les loups avaient des passages bien établis, tant pour grimper sur le plateau que pour en redescendre, guère plus de cinq ou six, qu'ils empruntaient en fonction du vent. Ce qui étonnait toujours Jean-Edouard, c'était que les lièvres, les renards et même les sangliers, suivaient presque les mêmes sentes. A croire qu'une impérieuse obligation les attirait là de génération en génération.

— Bon Dieu, pensa-t-il, qu'est-ce qu'ils foutent ? Ils ont quand même eu le temps d'arriver là-haut !

Il imagina les chasseurs débouchant à l'autre extrémité du plateau et se déployant en tirailleurs après avoir découplé les chiens. Le groupe de droite ratisserait le puy Blanc, les terres et la châtaigneraie qui le cernaient, celui de gauche battrait le puy Caput et toute l'étendue du plateau où se trouvaient les terres des Vialhe, en gros trois bons kilomètres de marche pour arriver à la tranchée qu'il surveillait.

Cette tranchée, vestige d'une vieille carrière de minerai de fer, mordait dans le plateau comme un coup de hache de trente mètres de large sur quarante de long. Pas un seul des arbres poussés dans cette cuvette n'était indemne. Tous, sans exception, avaient reçu la foudre, certains plusieurs fois. Attiré par ce sol rouge de fer, le feu du ciel dégringolait dans la tranchée à chaque orage.

Jean-Edouard se souvenait encore de la panique qui l'avait

rendu presque fou, alors que, tout gamin, comme il gardait les bêtes avec Jeantout et Gaston, ils n'avaient rien trouvé de mieux, un jour d'orage, que d'aller précipitamment s'abriter dans un boyau aux trois quarts effondré de l'ancienne mine. Muets de terreur, ils avaient subi pendant une demi-heure l'incessant déferlement de la foudre. Il se souvenait encore des monstrueux jets de feu qui rebondissaient de pierre en pierre avant d'exploser en immenses gerbes d'étincelles aveuglantes. Tapis dans leur trou, les trois gosses s'étaient crus au fond de cet enfer dont les menaçait si souvent le curé.

— Mais qu'est-ce qu'ils foutent ! maugréa-t-il.

Maintenant, non seulement il se gelait, mais il avait envie de fumer, et cela il n'en était pas question. Autant tirer un coup de fusil pour prévenir les loups qu'on les attendait là !

La petite troupe de rabatteurs franchit la crête du puy Blanc, puis redescendit vers la châtaigneraie qui commençait au pied des pentes escarpées.

Le puy Blanc, et son jumeau le puy Caput, portaient encore les traces des espaliers qui, vingt ans plus tôt, les recouvraient jusqu'au sommet. L'épaisse couche de neige ne parvenait pas à effacer les ondulations du sol modelé par les multiples billons où, jadis, croissaient les vignes.

Buttes témoins, au profil accentué, au sol blanc sale, caillouteux, lourd d'un calcaire épais, curiosité géologique perdue dans ce plateau de bonne terre rouge, les puys étaient rebelles à toute autre culture que celle de la vigne. Mangés par la friche depuis que le phylloxera avait ravagé les cépages français, ils ne toléraient plus que les genévriers, les buis et les genêts d'Espagne.

Avant l'attaque du mal américain, les vignes des puys assuraient pourtant un estimable revenu à la majorité des agriculteurs du bourg. Aussi, chaque fois qu'ils revenaient en ces lieux désormais incultes, tous ressentaient une sourde tristesse entretenue par les multiples échecs par quoi s'étaient soldés tous les essais de replantation en cépages américains.

Le sol les refusait. C'était lui le seul responsable. En effet, plantée dans les autres terres de la commune, la vigne réfractaire ou parasite se développait convenablement et donnait un vin qui se révélait buvable. Certes, il ne valait pas l'ancien, loin de là ; il manquait de force, de bouquet, de tenue, il était neutre. Mais il était abondant et les jeunes vignes croissaient bien.

Ici, inexplicablement, les plans de Riperia ou de Rupestris s'étiolaient dès la première année, végétaient, mettaient un bois malingre et des feuilles chétives, puis crevaient. Personne n'avait pu parvenir à conserver un de ces ceps au-delà de trois ans.

Lassés de s'échiner en vain, les hommes avaient peu à peu abandonné la culture de ces pentes. Les murettes non entretenues des multiples terrasses avaient très vite cédé à la pression des terres, au ravinement des pluies d'orage, à l'insidieux minage du gel. Disloquées, renversées, elles n'avaient pas retenu longtemps un sol jadis maintenu par le seul travail des hommes qui, chaque année, couffin par couffin, remontaient dans les terrasses ce que le ruissellement de l'hiver avait entraîné.

Désormais, les puys étaient stériles et les enfants du village ne comprenaient plus que l'on baptisât ces lieux de noms aussi invraisemblables que Vigne haute, Belles Vignes, les Treilles, ou Vignes basses... Pour les moins de vingt ans, ces appellations étaient vides de sens et, déjà, fleurissaient de nouveaux noms : champs de la Carrière, les Pierres drues, Tournepierres, la Genévrière...

Les rabatteurs arrivaient à la châtaigneraie lorsque l'un d'entre eux héla Jean Duroux, toujours suivi par Célestin qui avait de plus en plus de difficultés à retenir les chiens.

— Ici ! appela l'homme, qui fut bientôt entouré par le reste de la troupe.

Les traces étaient là. Elles provenaient de la pente la plus abrupte qui, partant de l'extrême bord du plateau, chutait jusqu'à la vallée à travers bois et éboulis rocheux.

— Un jeune, commenta Jean Duroux, pas plus de deux ans. A propos, j'aimerais savoir quels sont les gamins qui sont venus traîner là. Vous avez vu ? Trois gosses, et pas vieux, à la taille des sabots !

— J'ai remarqué ces empreintes, dit le maire. Ce sont sans doute les gosses de la Séraphine qui sont passés par là, ils fouinent partout !

Séraphine vivait à deux kilomètres de là, dans une masure, au lieu-dit le Calvaire. Veuve depuis quatre ans d'un journalier agricole, elle subsistait, tant bien que mal, grâce au bon accueil qu'elle recevait dans la majorité des fermes de la

34

région. Suivant la saison, et pour lui éviter le déshonneur de la mendicité, on lui confiait quelques toisons à laver dans le Diamond ; elle aidait aussi au rouissage du lin et au teillage du chanvre. Maniant bien la faucille, elle participait aux moissons et les propriétaires fermaient les yeux sur les tiges qu'elle oubliait parfois ; il fallait bien que ses trois gosses, qu'on laissait glaner, trouvent quelques épis... Vifs comme des écureuils, ils étaient dehors par tous les temps, ramassant ici une rave oubliée, ailleurs quelques châtaignes.

— Sont courageux, ces gamins, commenta le châtelain... Bon, notre animal file droit dans la châtaigneraie. Je lâcherais bien les chiens, mais avant j'aimerais savoir où sont les deux autres...

— Ici ! lança un des chasseurs qui, suivant la trace, s'était avancé vers le bois.

Ils le rejoignirent.

— Ça, c'est un grand vieux loup, expliqua Jean Duroux. Pas jeune, l'animal, regardez-moi ces pattes ! Il vient de la même direction et va au même but. Tenez, le jeune rattrape la piste du vieux et il n'a pas aimé ça ! Voyez comme il a pissé pour essayer de masquer l'odeur !... Vous voulez mon avis ? On va trouver la voie de la louve un peu plus loin. C'est le début des chaleurs, je mise que cette bête est veuve et qu'elle appelle le mâle.

Ils pénétrèrent dans la profonde châtaigneraie.

Les chiens, à bout de chaîne, gémissaient douloureusement.

— Paix, mes tout beaux, paix ! Un peu de patience.

Ils trouvèrent enfin la troisième trace.

— Et voilà notre coureuse, annonça Jean Duroux.

Il flatta ses chiens, puis les détacha. Ils bondirent, fous d'excitation.

— Faudrait peut-être se mettre en ligne ? suggéra le maire.

— Si vous y tenez..., concéda le châtelain. Ecoutez, je ne voudrais pas vous décevoir, mais la chasse est terminée...

Ils le regardèrent, attendant une explication. Personne ne doutait qu'il eût raison, ils voulaient simplement comprendre

— Cette femelle en chasse, vous l'avez peut-être à cinquante kilomètres d'ici, expliqua Jean Duroux. Tenez, voyez ses traces, elle est en pleine course. Pas un détour, tout droit, et je parie qu'elle a traversé le bois à la même allure, elle file vers la forêt de Cublac et elle a dû quitter le plateau en descendant par mes taillis d'acacias.

— Et pourquoi elle n'a pas attendu les autres ; elle les appelait bien pourtant !

— Oui, mais ici, ce n'est pas son secteur, elle n'est là que par accident. Je vous dis, c'est une veuve récente, décantonnée et qui ne sait plus où s'installer. Ce n'est pas ici qu'elle le fera ! Ah ! si nous avions eu affaire à un couple et ses louvards, avec un peu de chance nous pouvions les trouver ici : le bois est calme, giboyeux ; ils pouvaient y séjourner quelques jours. Mais là, avec cette gueuse qui a le feu au cul... Allons, avançons quand même. Il faut bien aller prévenir les autres qui doivent se geler, là-bas, aux postes !

Jeantout et Gaston, bleus de froid, avaient rejoint Jean-Edouard. Furieux de s'être morfondus pour rien, ils fumaient rageusement en sautillant sur place pour se réchauffer un peu.

— Va savoir ce qu'ils foutent, les autres, là-haut ! Ils devraient être là, maugréa Gaston. Les loups ne sont sûrement plus là, alors, qu'est-ce qu'on attend !

— Ils vont bien arriver, dit Jean-Edouard en s'envoyant de grandes claques sur les flancs.

Le jappement des chiens leur parvint soudain

— Merde ! Aux postes ! lança Jeantout en jetant sa cigarette.

Il s'élança, suivi par Gaston de plus en plus furieux.

— Jamais vu ça ! Qu'est-ce que c'est que ce travail ! Ils leur ont fait la causette, à ces loups, avant de les lancer ?

Il trébucha contre une racine, s'étala de tout son long.

— Miladiou de miladiou ! marmonna-t-il en se relevant. Oh ! merde ! dit-il en regardant ses vêtements et son fusil couverts de neige.

Ecœuré, transi, il haussa les épaules en direction de ses deux compagnons dont lui parvenait le fou rire étouffé. C'est alors que l'animal déboucha à quinze pas de là.

Le maire et le châtelain progressaient côté à côte lorsque les chiens donnèrent de la voix.

— Eh bien, toi et tes explications ! jeta le maire.

— Mon cher, vous ne connaissez pas mes chiens, dit Jean

Duroux avec un calme agaçant. Ecoutez Trompette, vous l'entendez ?

— Oui ! Et avec notre train de promeneur et nos fusils à l'épaule, nous avons laissé partir la bête. Bravo ! Je m'en souviendrai de tes explications sur les loups !

— J'espère bien ! Voyez-vous, cher ami, ce qui vous manque c'est une bonne connaissance des canidés. Je vous rappelle que les loups et les renards font partie de cette noble famille, et les chiens aussi naturellement, sans oublier les chacals et autres coyottes, mais là n'est pas notre propos...

— Et alors ? grogna Antoine Gigoux furieux.

— Eh bien, ce brave Trompette ne donne pas au loup, mais au renard, nuance de taille, n'est-il pas vrai ?

— C'est un goupil qu'il mène ?

— Naturellement, que voulez-vous que ce soit ! Avec le bruit que nous faisons depuis que nous les avons dépistés, aucun loup n'aurait tenu. Ce renard, il est du coin, il a dû se raser dans quelques buissons en espérant que nous passerions outre sans l'éventer, mais avec Trompette il n'avait aucune chance ! J'espère que les tireurs aux postes ne le manqueront pas.

— Sauf s'ils sont partis, marmonna le maire. Parce qu'avec le temps qu'on a mis avant de nous faire entendre !

— A toi ! A toi ! hurla Gaston. Tire, miladiou ! Là ! là !
Jean-Edouard épaula, mais il ne voyait toujours rien.
Et brusquement il découvrit le renard qui, faisant demi-tour à toutes pattes, regrimpait vers la tranchée. Il tira et le nuage de fumée lui cacha sa cible.

— Double ! Double ! encouragea Gaston.
Mais la bête était loin ; ils l'aperçurent qui atteignait la crête, la longeait un instant, puis disparaissait dans les taillis.

— Et pourquoi t'as pas tiré, toi ? lança Jean-Edouard.

— Je tiens pas à me faire péter la gueule. Regarde ce travail. Ça vous a fait rigoler que je tombe, mais jette un coup d'œil à mes canons. Bourrés de neige, qu'ils sont ! C'est arrivé une fois à mon père, mais lui, il a tiré, et d'un peu, sa tête partait avec !

— Tu l'as touché ? demanda Jeantout.

— Penses-tu ! Il était trop loin ! Et lui, il me dit : «A toi, à toi ! » et il me dit pas où, cet âne !

— Eh ben, les autres vont rigoler ! Té ! voilà les chiens.

Vingtdiou, comme ils mènent, ces bêtes ! Peuvent pas pister dans cette neige, ils mènent au vent.

— Il m'aurait fallu le fusil de Duroux, murmura Jean-Edouard, c'est pas avec ma pétoire... Il était vexé et se cherchait des excuses. C'est vrai, insista-t-il, il était à plus de quarante mètres ! Et toi, t'avais bien besoin de te casser la gueule !

— Pardi, j'ai fait exprès, tu penses bien ! Et toi, si tu vois pas clair, t'as qu'à mettre des lorgnons !

— Allez quoi, vous fâchez pas ! dit Jeantout.

Il cligna de l'œil en direction de Jean-Edouard, mima gauchement la scène de la chute et partit d'un énorme rire sous l'œil courroucé de Gaston.

# 3

LÉON se leva le plus délicatement possible et prit grand soin de ne pas faire crisser le foin. Il se glissa hors du trou chaud et odorant où dormaient, blotties l'une contre l'autre, trois petites formes emmitouflées dans une vieille couverture.

Il savait très bien ce qui se passait à la maison ; il n'était pas l'aîné pour rien, et il avait tout de suite compris, en voyant arriver le docteur vers neuf heures du soir, que cette nuit de la Saint-Sylvestre verrait la famille Dupeuch s'agrandir d'un nouveau membre. Mais il fallait pour cela libérer d'abord l'unique chambre à coucher de la maison.

La plus proche voisine, appelée à la rescousse par le docteur, avait proposé à Léon d'aller s'installer chez elle, au coin du feu, mais le jeune garçon détestait cette femme qu'il trouvait plus méchante et garce qu'une truie malade. Plutôt que d'accepter son offre, il avait préféré entraîner ses trois petites sœurs jusqu'à l'étable. Là, il faisait bon. Il avait creusé un nid dans la grosse meule de foin préparée pour l'affouragement du lendemain, dans l'aire qui séparait les deux vaches des brebis. Les petites s'étaient tout de suite endormies, rassurées par le souffle paisible des bêtes.

Léon entrebâilla la porte de la grange et tendit l'oreille. Il se souvenait de la dernière naissance, deux ans plus tôt, et savait que le bébé serait là dès que cesseraient les gémissements de sa mère. Mais il était impossible de percevoir le moindre cri à travers les grondements du vent déchaîné et de la pluie.

Il pleuvait à seau depuis l'avant-veille ; la pluie, d'une tiédeur qui n'était pas de saison, avait noyé toute trace de neige. Mais le bourg était saturé d'eau et le Diamond, alimenté par tous les ruissellements du plateau et des pentes, grossissait d'heure en heure. On assurait que le meunier avait dû se réfugier à la hâte dans son grenier; il est vrai qu'il habitait tout au fond de la vallée.

Léon referma la porte et la grange redevint noire comme un four. Il se dirigea à tâtons vers le tas de foin et s'installa dans sa chaleur, bien décidé à attendre la naissance et à veiller aussi longtemps qu'il faudrait. Cinq minutes plus tard, il dormait.

— En voilà encore une qui ne finira pas curé! lança le docteur en brandissant à bout de bras le petit corps tout potelé et luisant. Il tenait l'enfant par les pieds et sourit en observant le faciès furieux du bébé qui hurlait à pleins poumons.

— Lavez-la, ordonna-t-il en tendant l'enfant à la voisine. Et vous, débarrassez-moi de ça, fit-il en poussant vers le père une brassée de linges sanglants.

Puis il se pencha vers la mère, toujours écartelée en travers du lit et l'apaisa d'une longue caresse; le ventre, encore contracté et tendu se relâcha sous le massage.

— Si toutes les femmes accouchaient aussi bien que toi..., murmura-t-il en appuyant doucement sur l'abdomen. Attends, je te délivre et ce sera fini.

A soixante-cinq ans, et malgré trente-huit ans de pratique, le docteur Fraysse ressentait toujours une grande joie — et même de l'émerveillement — à chaque naissance. Dieu sait pourtant s'il en avait vu, et de toutes sortes!

Comme c'était un excellent médecin, on lui pardonnait volontiers la familiarité dont il usait avec les parturientes — il les tutoyait du début à la fin de l'accouchement. Et aux quelques maris qui s'en étaient parfois offusqués, le châtelain par exemple, il avait expliqué en souriant : « Il est possible, cher ami, que vous l'ayez mise dans cet état en la voussoyant; chacun ses goûts et sa méthode. Mais moi, pour finir votre travail, et croyez bien que ce n'en est pas la phase la plus attrayante, j'ai besoin d'intimité, de tendresse et de confiance. J'ai besoin de dire des mots doux à votre femme, ou de l'engueuler si besoin est! Et ce n'est pas possible avec des : Madame, voulez-vous bien, s'il vous plaît... Mais si ça vous gêne vraiment, je peux me passer de vous. Et maintenant, ma petite, à nous deux, voyons si ce bougre progresse. Et puis ne t'inquiète pas, tout ira très bien si tu m'écoutes. »

Il avait pris cette habitude du tutoiement dans l'hôpital de campagne où la guerre l'avait rappelé. Là-bas, sous la tente, alors qu'on lui amenait les blessés par pleines charrettes et qu'il fouaillait, sondait, tranchait et sciait dans tous ces corps broyés, il avait constaté à quel point l'agonie et l'accouchement se ressemblent ; même anxiété, mêmes râles, mêmes convulsions, même souffle haletant, même transpiration, même attente de la délivrance. Et, dans un cas comme dans l'autre, même soulagement apporté par la voix familière et calme, le geste paternel, la caresse.

— C'est terminé, dit-il en déposant le placenta dans une cuvette. Voilà ma petite, tout est en ordre. Tu as été très courageuse. Je vais te bander le ventre avec ces deux serviettes, ensuite tu pourras te reposer. Pas dormir, hein ? Tu te souviens, ne dors pas tout de suite. Il faut que tu surveilles qu'il ne vient pas de gros saignements. Mais ne t'inquiète pas, je vais rester un peu, il faut que je fasse le pansement de ta fille. Au fait, comment s'appelle-t-elle ?

— Mathilde, murmura la mère.

— Beau prénom. Tenez, Emile, soutenez votre femme le temps que je lui attache ces serviettes. Et puis, dites, entre nous, cinq, c'est déjà pas mal, hein ? J'aimerais autant ne pas avoir à revenir l'année prochaine… Enfin, c'est votre affaire.

— J'aurais bien aimé avoir un autre gars, dit Emile en installant les oreillers.

— Bah, vous aurez des gendres !

— Ben, oui… Dites, vous voulez un bol de vin chaud ? C'est tout ce que je peux vous offrir.

— Sors aussi à manger, suggéra faiblement sa femme. Tu oublies que c'est réveillon à cette heure !

— Miladiou, c'est vrai ! On change de siècle ! s'exclama Emile.

— Mais oui, sacrebleu ! lança le docteur Fraysse en palpant son gousset. Il sortit son oignon : Minuit et demi ! Voilà ma première cliente du siècle ! Mais, dites donc, ça s'arrose ! Et c'est moi qui arrose ! Emile, vous filez chez moi, ils sont en train de réveillonner. 1900, c'est pas rien ! Vous dites à ma femme de vous donner un panier bien rempli et une bouteille de champagne. Demandez-lui aussi une bordeaux pour votre femme, ça la remontera. Et surtout, dites-leur de m'attendre, je serai là-bas dans une heure. Qu'est-ce qui ne va pas ? demanda-t-il devant l'air effaré du père.

— J' peux pas, dit Emile, j'oserai jamais aller réclamer ça. Déjà qu'on vous a empêchés de réveillonner... Non non, j' peux pas !

— Non, on peut pas accepter ça, renchérit sa femme, on aurait trop honte. On n'est pas riches, on pourra jamais vous le rendre, alors...

— Ah ! nom de Dieu, vous me fatiguez tous les deux ! Madame Lacoste, vous avez fini avec la gamine ?

— Je vous l'amène, lança la voisine qui finissait de baigner l'enfant dans la pièce à côté.

— Vous avez entendu ce que j'ai demandé à Emile ?

— Dame, la porte est ouverte...

— Donnez-moi cette gosse, je m'en occupe, et filez chez moi puisque ce grand benêt fait des manières. Allez, et faites bien remplir le panier, j'ai tellement faim que je boufferais un bœuf tout cru !

— N'y va pas, Germaine ! supplia la mère. Tu sais bien qu'on peut pas le lui rendre !

— Vous, ça suffit, reposez-vous. Allez, madame Lacoste, il faut toujours obéir au médecin ! Faites vite, et dites-leur bien de m'attendre !

Le chien aboya méchamment en entendant revenir la voisine, puis il la reconnut et s'apaisa. Léon s'éveilla en sursaut et écouta. Il pleuvait toujours. Il faillit se rendormir, puis s'aperçut soudain qu'il n'était pas dans son lit. Il repoussa doucement une de ses sœurs, blottie contre lui, se leva et tâtonna pour retrouver ses sabots.

Le froid humide le saisit dès qu'il fut dans la cour. Il courut jusqu'à la maison, plaqua l'oreille contre la porte. Rien, plus de cris, le bébé était né. Il appuya sur les loquets, poussa d'abord le vantail du haut, hésita un instant.

— Entre ! dit son père.

La lumière le surprit et l'éblouit. Pendant un bref instant, il ne reconnut pas la salle : la grosse lampe tempête du docteur dispensait une clarté à laquelle il n'était pas habitué. Elle éclairait tous les recoins que le caleil familial et sa maigre mèche à huile était bien incapable d'atteindre en temps normal.

Il vit ensuite les victuailles et les bouteilles sur la table, et se demanda d'où diable son père avait pu les sortir. Sûrement pas du bahut ni de l'armoire, il en connaissait trop bien le contenu.

Enfin, par la porte ouverte, il aperçut sa mère. Il s'approcha, intimidé. Elle non plus, il ne la reconnaissait pas. Il s'était habitué à la voir grosse et alourdie, il la retrouvait toute menue et maigre.

— Regarde au moins ta petite sœur, dit sa mère.

Il jeta un coup d'œil déçu en direction du berceau ; il aurait préféré un frère. Trois sœurs, c'était déjà beaucoup.

— Allez, viens manger avec nous, lança le docteur, et tu boiras bien un coup aussi ! Tu es un homme, maintenant, tu es du siècle passé, c'est pas comme ta sœur !

De cette première nuit du siècle, Léon conserva toute sa vie un souvenir émerveillé, et la première chose qu'il raconta à Pierre-Edouard, lorsqu'il le rencontra le lendemain, fut ce mémorable réveillon.

— Et j'ai même bu du champagne, ouais !

Il dut expliquer à son camarade ce qu'était le champagne, son goût, sa couleur, la bouteille à la forme bizarre et le mystérieux bouchon qu'on ne pouvait pas remettre après l'avoir enlevé.

— Le docteur m'a dit que c'était fait exprès pour qu'on ne rebouche pas la bouteille et pour qu'on la boive tout entière ! C'est ce qu'on a fait avec le docteur et la mère Lacoste. Mon père a pas voulu boire.

— Pourquoi ?

— Il avait trop honte.

— Et c'est bon ?

— Ça pique et c'est plein de mousse qui fait roter... Et puis c'est cher ! Mon père m'a dit que ça valait peut-être plus de dix francs la bouteille ! Il en est malade ! Et puis, tu sais, le docteur a pas voulu qu'on le paye pour son travail.

— Qui c'est qui était fatigué ?

— Personne, il est juste venu pour faire naître ma sœur. Il a dit que c'était gratuit parce que c'était sa première cliente du siècle. C'est quelque chose, ça !

La naissance de Mathilde Dupeuch alimenta toutes les conversations du village pendant les semaines qui suivirent. Madame Lacoste, participante privilégiée du fameux réveillon, relata à sa façon toutes les péripéties de cette nuit de la Saint-Sylvestre.

Elle n'aimait pas les Dupeuch, aussi transforma-t-elle leur pauvreté en misère et le geste du docteur en magnificence de seigneur. Elle fit tant et si bien que beaucoup finirent par croire que Dupeuch avait imploré la pitié ; on ne l'appréciait pas beaucoup jusque-là, désormais on le méprisa.

On le méprisa en le jalousant lorsqu'on apprit que le conseil municipal avait décidé d'honorer la première-née du siècle en lui ouvrant un livret de caisse d'épargne de quinze francs. Beaucoup assurèrent qu'Emile les aurait bus avant que la petite ait atteint ses trois mois ; ce qui était pure calomnie, car chacun savait qu'il était sobre.

Pour faire bonne mesure, la femme du notaire, dont Emile était l'un des métayers, se proposa comme marraine, ajouta dix francs sur le livret et fit porter chez les Dupeuch un tas de vieux vêtements ayant jadis appartenu à ses filles.

Puis, une lettre de la préfecture annonça que Mathilde était la première-née du département ; le conseil général, à l'unanimité, venait de déposer cinquante francs sur le livret tout neuf.

Pâle de honte d'être ainsi le point de mire de toute la communauté et le sujet des chuchotements qui naissaient dans son dos, Emile se persuada que toutes ces largesses avaient pour seul but de rendre sa pauvreté plus évidente.

Cette pauvreté, il pouvait l'assumer, seul. Que faisait-il d'autre depuis qu'il avait charge d'âmes ? Il travaillait, ne buvait pas et ne devait rien à personne, avant cette maudite nuit. Oui, il gagnait peu, très peu ; mais les quelques sous qui lui permettaient de faire vivre les siens, il les devait à son seul travail, et sa famille ne mourait pas de faim. Personne chez eux n'avait jamais mendié.

Sa fierté lui interdisait d'accepter passivement tous ces dons ; il aurait dû, pour préserver son honneur, offrir en retour aux donateurs, sinon l'équivalent, du moins une grande partie des biens reçus. C'était impossible. Il comprit que, sa vie durant, et quoi qu'il fît, il serait, pour ceux de la commune, celui qui s'était fait nourrir par ses gosses, celui qui avait tout accepté sans rien rendre...

Léon se heurta aux jambes de son père lorsqu'il entra dans la grange au soir du 16 janvier. Pendu à la corde à foin attachée à la poutre faîtière. Emile était mort depuis deux heures.

On trouva à ses côtés le livret de caisse d'épargne lacéré, le tas de vieux vêtements offerts par la marraine et une bouteille de bordeaux encore intacte.

— Et qu'est-ce qu'elle va devenir avec ses cinq petits ? interrogea Marguerite en déposant la soupière au milieu de la table.

Jean-Edouard fit un geste évasif ; ils en avaient discuté au conseil municipal et personne n'avait trouvé de solution.

— Elle n'a qu'à retourner chez elle ! décréta la vieille Léonie.

Pour elle, l'affaire était claire ; elle avait toujours dit que Dupeuch était un bon à rien, il venait de lui donner raison en se détruisant comme un païen.

— Le notaire lui laisse la ferme, annonça Edouard, il me l'a dit ce soir. Avec Léon, elle peut se débrouiller : c'est pas pour s'occuper de deux vaches !

— Vous auriez pu me le dire, remarqua son fils. Déjà qu'au conseil on voulait faire une collecte...

— Manquerait plus que ça ! s'indigna sa mère. Avec tous les sous que la petie a touchés juste pour naître ! Et la femme du notaire qui est sa marraine !

— Et en plus, poursuivit Edouard avec un geste agacé en direction de sa femme, le docteur va prendre Léon pour travailler son jardin, ça lui fera quelques sous.

Le vieux commença à manger sa soupe en aspirant bruyamment les fines tranches de pain trempé puis, s'essuyant les moustaches d'un revers :

— Il est bizarre, le docteur. Il dit partout que c'est sa faute...

— Quoi, sa faute ? interrogea Jean-Edouard.

— L'histoire d'Emile.

— Et pourquoi ça serait sa faute ?

— Va savoir...

— Peut-être que la petite lui ressemble trop, ironisa la vieille sans lever la tête de son assiette.

Elle ressortait là un ragot vieux de plus de vingt ans. A l'époque, le docteur était encore célibataire et quelques bruits avaient couru sur son compte. On le disait assez empressé avec certaines de ses jeunes clientes, et deux ou trois s'étaient même vantées d'avoir reçu — et refusé, naturellement ! — des avances sans équivoques.

Le docteur avait fini par apprendre l'histoire et en avait ri comme d'une bonne blague. Il jugeait l'affaire tellement banale — et stupide — qu'il n'avait jamais cru utile de faire taire cette médisance qui refleurissait périodiquement. « Surtout au printemps ! assurait le docteur. J'ai quelques clientes qui auraient bien besoin d'une bonne décoction de rhizomes de nénuphars, c'est souverain pour calmer les chaleurs... »

— Tais-toi donc ! ordonna Edouard, les petits t'écoutent ! Qu'est-ce que tu racontes encore là ! Avec la femme qu'il a crois-tu qu'il a besoin de l'Amélie Dupeuch ! Ce bout de rien, maigre comme un rateau et qui sent l'étable ! Allez, tais-toi donc !

— Alors, pourquoi il dit que c'est sa faute ? insista Jean-Edouard.

Le vieux haussa les épaules.

— Moi je sais, dit la bru, oui. C'est Germaine Lacoste qui me l'a dit...

Elle se tut, hésita à cause des enfants. Puis elle pensa qu'il était bon de les mettre au courant ; prévenus, ils éviteraient plus tard de renouveler l'erreur — et même la faute — des Dupeuch :

— Oui, reprit-elle, la Germaine l'a bien vu, elle était à la naissance... La petite est marquée du malheur, juste sous le sein gauche, une tache, comme un croissant de lune... Et en plus, elle sera aveugle, elle a ouvert les yeux tout de suite !

— Et alors ? fit Jean-Edouard ironiquement.

— Alors, elle porte le malheur avec elle. Déjà son père... Mais c'était normal que ça arrive, rappelez-vous de la chasse volante...

— Ah ! oui, murmura sa belle-mère, celle du mois de mars, vers le 25, ça fait juste le compte...

Ils se souvenaient tous, même Pierre-Edouard. Ce soir-là, le bruit de la chasse volante l'avait réveillé ; un bruit terrible, pleins de cris et de hurlements qui tombaient du ciel. La chasse passait sur le bourg et les lamentations résonnaient si proches qu'il s'était précipité dans le lit de ses parents. Sa mère lui avait alors expliqué qu'il entendait l'appel de tous les damnés de la commune ; ils revenaient tourner autour du cimetière pour maudire tous ceux qui ne priaient pas assez pour les trépassés, et elle avait aussitôt récité son chapelet.

— Tout ça, c'est des bêtises ! protesta violemment Jean-Edouard.

— Ne dis pas ça, ordonna la vieille, ta femme a raison ! Si ce soir-là les Dupeuch avaient prié au lieu de... ils n'auraient pas eu cette punition neuf mois plus tard ! Et la marque de la gamine, elle vient de là, c'est celle du péché et du malheur !

— Bêtises ! s'entêta Jean-Edouard. Et en plus, pourquoi ce serait la faute du docteur, hein ?

— Tu sais bien qu'il ne veut pas qu'on mette de sel dans l'eau du premier bain, ni de buis béni. Il dit que c'est sale ! Pourtant, c'est le seul moyen d'enlever les mauvais sorts ! Voilà pourquoi c'est sa faute !

Jean-Edouard se servit une pleine assiettée de choux au lard et regarda son père, mais le vieux ne voulait pas prendre parti.

— Des bêtises, redit-il. Moi, la prochaine chasse volante que j'entends, je sors et je vous la descends à coups de fusil !

— Tu feras pas ça ! supplia sa femme.

— Je le ferai si vous continuez à raconter toutes ces sornettes devant les enfants. C'est juste bon pour leur faire peur ! Ne crois pas tout ça, dit-il en regardant son fils, c'est des racontars de vieilles femmes !

— C'est bien ce que nous a dit le maître, dit Pierre-Edouard d'une petite voix.

Pris entre deux feux, entre deux croyances, il ne savait trop où se situer ; il hésitait à choisir franchement son camp.

— Et qu'est-ce qu'il vous a dit, le maître ? questionna sa grand-mère.

— Ben... C'est juste après la dernière... chasse volante, là, en automne... Il a dit qu'il fallait pas croire que c'étaient les damnés...

— Pardi ! triompha la vieille, il ne croit ni à Dieu ni à Diable !

— Laisse-le parler, marmonna le grand-père. Raconte, petit, qu'est-ce qu'il a dit le maître ?

Pierre-Edouard regarda craintivement sa mère, puis sa grand-mère et se tint prêt à esquiver la claque qu'il sentait imminente.

— Il a dit que ce sont des oiseaux qui passent, des oies sauvages et des... je ne sais plus quoi, dit-il d'un trait.

— Le païen ! gronda la grand-mère. Des oiseaux ! Les oiseaux honnêtes ne volent pas dans la nuit ! Il n'y a que les oiseaux de malheur, comme les chouettes ou les dames blanches, qui volent et crient la nuit ! Alors, même si c'étaient des oiseaux, ça porterait quand même malheur. Mais ce ne sont pas des oiseaux !

—Si ! coupa Jean-Edouard, à moi aussi on a dit que c'étaient des oiseaux, et je le crois.

— Qui te l'a dit ? interrogea sa femme.

— Le châtelain. Et il s'y connaît, lui !

Les deux femmes restèrent sans voix. On ne pouvait accuser le châtelain d'être hérétique ; il accompagnait sa femme à la messe tous les dimanches, sauf quand il allait à la chasse ou à la pêche, mais il faisait ses Pâques et invitait le curé à déjeuner au château deux fois l'an, à la Fête-Dieu et au 15 août !

— Eh bien, il se trompe ! s'entêta la vieille. D'ailleurs, espérez un peu, vous verrez qu'il arrivera d'autres malheurs à cause de cette petite...

L'abbé Feix était curé de Saint-Libéral depuis trente-cinq ans. Fils de petits paysans, originaire d'un proche hameau, il connaissait parfaitement la mentalité, les vices, les défauts et les qualités de tous ses paroissiens. Sévère avec lui-même, il ne transigeait pas lorsqu'il sentait menacée l'autorité de l'Eglise qu'il représentait. D'une moralité implacable, il menait son troupeau d'une main ferme et lorsque, après avoir longuement réfléchi et prié, il lançait un anathème, nul n'osait ouvertement passer outre.

Ainsi avait-il interdit à ses ouailles de fréquenter l'épicerie de Jean Latreille. Ce dernier, depuis son veuvage, vivait en concubinage notoire avec une petite servante dont il aurait pu être le père. Interdit aussi le bistrot de la mère Eugène, cette débauchée dont le lit était ouvert à tous. Interdits, enfin, les bals du samedi soir qu'organisaient depuis quelque temps dans leur auberge les époux Chanlat. Les danses qu'on pratiquait là ne pouvaient que pervertir la jeunesse en exacerbant chez elle la concupiscence et l'impureté.

Malgré cette rigidité, l'abbé Feix se savait soutenu et aimé par tous les fidèles. Certes, depuis quelque temps, une tendance anticléricale, venue des villes, se développait dans le bourg. Mais on n'en était pas à la guerre ouverte et les quelques athées de la commune l'étaient sans effronterie, ni méchanceté ; d'ailleurs, tous lui marquaient encore la déférence due à son état. Seuls ceux dont il avait ouvertement condamné la vie dissolue se détournaient à son passage et gardaient leur chapeau sur la tête. Mais les autres, le maire, par exemple, le docteur ou le couple d'instituteurs ne refusaient pas, à l'occasion, de converser avec lui.

Le suicide d'Emile Dupeuch l'attrista profondément, et n'eussent été sa soutane et sa charge, il aurait été parmi les premiers à apporter son soutien à la famille du défunt. Mais le caractère peccamineux de cette mort appelait une réprobation sans faille ; il laissa donc passer quinze jours avant de se rendre auprès d'Amélie Dupeuch.

Malgré le froid encore très vif de ce mois de février, il la trouva dans le petit jardinet derrière la maison. Aidée par Léon, elle plantait des oignons. Il savait qu'Amélie était bonne chrétienne. Du vivant de son mari, et bien que ce dernier fût indifférent aux choses de la religion, elle venait aussi souvent que possible à la messe, faisait de bonnes confessions et avait fait baptiser les deux petites nées au village. Elle s'était même excusée pour le geai et sa phrase insultante ; elle s'était également excusée pour Léon qui, calquant son attitude sur celle de son père, cultivait un mépris condescendant envers toutes les bondieuseries. Grâce au ciel, Emile était tolérant et il lui importait peu que sa femme pratiquât, à condition toutefois que cela n'entravât en rien le travail quotidien.

Il s'avança dans la plate-bande bêchée, s'arrêta et sourit tristement.

— Eh bien, ma pauvre Amélie, quel malheur, quel grand malheur ! J'aurais voulu venir plus tôt, mais vous savez ce que c'est...

Elle savait. Elle connaissait la rançon du suicide. Emile avait été enterré comme un chien et, outre le refus des obsèques religieuses, le curé se devait d'afficher toute sa réprobation et son indignation. S'il était venu plus tôt, on aurait pu croire qu'il absolvait tacitement la faute. Dans le même temps, et pour éviter toute provocation, Amélie s'était abstenue de se rendre à l'église.

— Enfin, poursuivit-il, le temps efface tout... A ce propos, j'espère vous revoir bientôt à la messe. Autre chose, j'ai parlé à cette bonne M^me Lardy, elle est toujours d'accord pour être la marraine de votre petite. Bien sûr, il faudra faire cela le plus discrètement possible, vous comprenez, n'est-ce pas ?

Elle comprenait. Du vivant d'Emile, leur situation les contraignait déjà à l'effacement et à la discrétion. En se détruisant, il lui avait à jamais interdit d'échapper à sa condition ; elle serait toujours la veuve du suicidé, et ses enfants les orphelins du pendu.

— Et puis, continua l'abbé Feix, il va falloir maintenant m'envoyer ce garçon au catéchisme. Vous ne voulez pas qu'il reste un petit païen ! N'est-ce pas, Léon, tu viendras ?

— Non, j'irai pas, jamais ! grogna l'enfant.

— Parle pas comme ça à monsieur le curé, dit vivement sa mère. Tu iras au catéchisme dès dimanche !

Mais elle savait bien qu'il n'en ferait rien, que personne ne l'obligerait à céder. Depuis qu'il était chef de famille, Léon prenait son rôle au sérieux et n'en faisait qu'à sa tête. Elle avait trop besoin de lui pour courir le risque de le buter. Il n'avait que douze ans, mais, en se cognant un soir contre les jambes de son père, il était devenu aussi dur et froid qu'un homme forgé par un demi-siècle d'épreuves.

— Tu feras bien ce que ta mère te commande, n'est-ce pas ? insista l'abbé.

— Je ferai ce que j'ai à faire, dit le gamin sans baisser les yeux.

Il cracha entre ses dents, se détourna et reprit son travail.

# 4

PIERRE-EDOUARD Vialhe se présenta à l'examen du certificat d'études le 11 juillet 1902. Paralysé par le trac, gauche dans ses habits du dimanche, il eut besoin de toute son énergie pour affronter l'épreuve.

Parmi les cinq candidats de Saint-Libéral-sur-Diamond qui défendaient ce jour-là l'honneur de la commune, il était celui dont on attendait le plus. Et se savoir ainsi dépositaire de tous les espoirs n'était pas pour le tranquilliser. C'est à peine s'il profita des à-côtés passionnants qui découlaient de cette aventure : d'abord un voyage dans la patache du père Lamothe, ensuite un déjeuner au restaurant.

Accompagnés par le maître, M. Lanzac, qui représentait les parents accaparés par leurs travaux, les cinq candidats grimpèrent et s'installèrent dans le véhicule qui assurait la liaison jusqu'au chef-lieu de canton. Pierre-Edouard et ses camarades connaissaient bien ce parcours de quinze kilomètres, ils l'avaient tous fait à pied pour accompagner leurs pères aux marchés ; mais seuls Jacques Bessat et Edmond Vergne pouvaient se flatter — et ne s'en privaient pas ! — d'avoir déjà emprunté la patache.

Le premier était même un habitué ; ses grands-parents habitaient Ayen et il allait les voir plusieurs fois par an. Quant à Edmond Vergne, non seulement il n'ignorait rien du périple, mais pouvait brosser le programme complet de la journée, y compris le menu qui les attendait au restaurant : potage au vermicelle, saucisson et petit salé aux lentilles.

Il n'avait aucun mérite à jouer les devins, puisque c'était la deuxième fois qu'il se présentait au certificat. Son père, postier à Saint-Libéral, tenait beaucoup à ce qu'il décrochât ce diplôme qui lui ouvrirait les portes de l'administration.

Pierre-Edouard fut très impressionné par la dextérité avec laquelle le père Lamothe guidait ses chevaux, deux magnifiques bêtes, à la croupe énorme, aux épaules lourdes de muscles, aux sabots plus larges que des assiettes à soupe, surmontés de paturons aux crins luisants et bien brossés. Mais il ne profita pas pleinement de son voyage, il ne parvenait pas à oublier que chaque tour de roues le rapprochait de la redoutable épreuve.

C'est d'un regard angoissé qu'il contempla le paysage. C'était partout la même désolation qu'à Saint-Libéral, partout le même carnage ; rangées de petits pois couchées et maculées de boue, céréales et fourrages roulés, plaqués au sol, comme écrasés par les immenses pieds d'un géant, arbres fruitiers arrachés, aux feuilles déjà fanées, aux fruits encore verts, mais ternes et flétris.

Partout, hommes, femmes et enfants, s'affairaient ; ratissant ici foin jauni et poussiéreux qui sentait encore l'eau et déjà le moisi, moissonnant là, à grand-peine, des céréales aux épis déchiquetés, à la paille broyée, essayant ailleurs de récupérer quelques gousses de petits pois ou quelques prunes épargnées par la grêle.

L'année était à l'orage. Les premiers étaient venus fin avril, donnant raison, une fois de plus, au grand-père Vialhe qui avait prédit, dès le mois de mars : « Regardez les ageaces, elles bâtissent bas ; c'est signe d'orage... » Et en effet, les pies ne construisaient pas leurs nids à la cime des peupliers ou des chênes, mais plutôt à mi-hauteur, et parfois même dans les gros buissons de prunelliers, à deux mètres du sol.

Après les coups de semonce de la fin avril, la chaleur avait sévi tout le mois de mai, une touffeur suffocante et moite. Chaque soir, les orages grondaient au loin, tournaient, roulaient et partaient s'écraser sur les monts d'Auvergne ou du Cantal ; les nuits étaient pleines de lueurs. Au matin, le soleil émergeait d'une brume sale, délavée, où se distinguaient déjà de sournois et blêmes cumulo-nimbus.

Juin venu, il avait bien fallu s'attaquer aux foins et faucher malgré la menace permanente qui, dès midi, planait sur les têtes. Le 12 au matin, il pleuvait ; une eau chaude de queue d'orage, qui avait fait fumer la terre et chargé l'atmosphère d'une humidité épaisse et malsaine.

Tout le monde sentait grandir la menace ; les bêtes et les gens s'énervaient sous la piqûre des taons et, malgré la canicule, le foin séchait mal.

Au soir de la Saint-Jean d'été, une chape obscure, poussée au grand galop par un vent bouillant, avait déferlé sur toute la vallée de la Vézère. Du bourg, épargné, on voyait pendre des nuages les longues cordes noires et torsadées des colonnes de pluie.

Mais ce déluge n'avait pas suffi pour purger le temps et, dès le lendemain, tous savaient que l'orage était toujours là. On le devinait, on l'apercevait à l'affût au ras de l'horizon. Il avait refait ses forces pendant presque huit jours ; il déferlait, chaque soir, lointain mais oppressant.

Dans les champs et les prairies, c'était la lutte contre le temps, les journées harassantes, sans repos. Debout deux heures avant l'aube, les hommes fauchaient, moissonnaient, les femmes, les vieillards et les enfants s'affairaient au fanage ou au liage.

Aux heures les plus brûlantes, où il était impossible d'imposer cette cadence et cette température aux vaches de travail, on regroupait les gerbes bouillantes que l'on serrait en meules, on rassemblait le foin en gros pateauds ventrus qu'on chargerait plus tard, dans la soirée, lorsque les bêtes auraient pris un peu de repos et qu'elles pourraient traîner jusqu'aux fenils, chauds comme des fours, les charrettes surchargées.

Le lundi 30, le soleil se leva dans un bain de cuivre. Déjà, à l'ouest, grossissaient des nuées aux reflets purulents que brassait un vent chaud aux sautes permanentes. Pas de grondements annonciateurs, rien ; un silence compact dans lequel le moindre bruit familier — chant des faux ou grincement des charrettes — prenait un volume effrayant. Vers midi, les grillons se turent, les poules se serrèrent dans les granges et le ciel se vida soudain de sa myriade d'hirondelles.

A Saint-Libéral, on attendait. Un pressentiment, une peur, avaient ramené les hommes chez eux. Debout sur le pas des portes, ils scrutaient le monstrueux chapeau de nuages mordorés aux franges endeuillées qui coiffait les puys. Ils étaient prêts au pire, mais l'ampleur et la soudaineté de l'attaque les transirent.

Un coup d'une violence inouïe explosa au-dessus du village. En même temps, une gerbe d'étincelles embrasa le plateau dans la direction de la tranchée, là où le sol ferrugineux drainait la foudre. Presque aussitôt, comme éventrés par la zébrure de l'éclair, les nuages de grêle vomirent à flot. De véritables cailloux de glace, aussi gros que le poing, chutèrent en hurlant comme un torrent en crue, et le bruit était tel qu'il couvrait le son de la cloche que le sacristain, en sueur, balançait à tour de bras pour éloigner l'orage.

En quelques secondes, tout fut blanc. Un chat, fou de terreur, s'échappa de quelque cave, s'élança dans la grand-rue en quête d'un abri ; des grêlons d'une demi-livre le plaquèrent au sol, le hachèrent, l'ensevelirent.

La grêle dégringola pendant trois longues minutes. Elle brisa tout, mâcha les arbres jusqu'à l'aubier, réduisit la vigne en squelette, roula et martela toutes les cultures. Au bourg, seuls les toits de chaume résistèrent à cet assaut sans précédent qui fit éclater les plus solides couvertures d'ardoise ; chez les Vialhe, on décompta plus tard, dans la toiture mutilée, cent quarante-huit ardoises de Travassac, presque aussi épaisses que le doigt, brisées comme du verre.

Le nuage s'éloigna enfin, aussitôt remplacé par une nuée opaque, lourde de pluie et toute irisée d'électricité. L'obscurité écrasa Saint-Libéral et, dans toutes les maisons, on se regroupa autour du cierge béni allumé dès le premier coup de tonnerre.

Après la grêle, vinrent le déluge et le feu. Un éclair éblouissant se tordit parmi les trombes d'eau, toucha d'une de ses griffes la grange des Peyrou et l'incendia en quelques secondes. Le bâtiment, lourd de foin encore chaud, flamba comme un fagot de genêts en poussant vers le ciel des flammes de trente mètres. Il fallut que le gendre des Peyrou assomme son beau-père pour l'empêcher de se précipiter dans le brasier. Le vieux voulait détacher ses bêtes ; on les retrouva plus tard, quatre vaches et six brebis, carbonisées.

L'enfer dura une heure, puis transporta ailleurs son sabbat. Le silence revint enfin et dans l'air, presque froid, tinta le tocsin, lugubre, lancinant.

La grange des Peyrou n'était plus qu'un tas de cendres fumantes, et il eût été vain d'employer son temps à dégager les décombres. En revanche, partout ailleurs, ce n'était que caves inondées, toitures arrachées par le vent ou crevées par la chute des arbres et des grêlons. Au tocsin se mêla le tambour du garde-champêtre, battant le rappel.

Un à un, silencieux et hagards, tous les hommes valides se groupèrent sur la place; même le curé et le châtelain proposèrent leurs bras pour dégager les gravats, vider les sous-sols, travailler, travailler encore, et jusqu'à la nuit, pour ne pas rester passifs devant une telle catastrophe.

Ce ne fut que le lendemain que les hommes se hasardèrent aux champs, et les désastres étaient tels que plus d'un, seul, au milieu du verger, du maïs ou du tabac dévasté, pleura en silence. Pour certains, c'était la ruine, complète, sans appel, la fin d'une vie consacrée à la terre. Cette seule heure d'orage allait les pousser loin du village, inexorablement. Ils allaient devoir fuir, s'éparpiller, qui vers Terrasson, qui vers Brive ou Tulle, mais tous vers la ville qui leur offrirait, peut-être, de quoi ne pas mourir de faim.

La propriété des Vialhe était durement touchée mais, par chance, et parce que la grêle avait suivi un étroit couloir, certaines de leurs terres étaient indemnes; certes, tout y avait souffert des trombes d'eau et du vent, mais les pertes étaient moins irrémédiables qu'ailleurs.

Pour parer au plus pressé, le maire réquisitionna tous les corps de métier, maçons, charpentiers, couvreurs, et les affecta aux réparations les plus urgentes. Paysan lui-même, il savait que les agriculteurs devaient avant tout sauver ce qui pouvait encore l'être des récoltes sur pied; et il fallait faire vite, car la moisissure menaçait. De plus, d'autres orages pouvaient venir.

La patache grimpa allègrement la dernière longue côte avant la descente sur Ayen. Pierre-Edouard, l'œil vague, sentit la panique le saisir quand il s'aperçut qu'il était incapable de se réciter la table de multiplication par sept. Il se vit perdu, faillit sombrer dans le désespoir.

— Nous allons bientôt arriver, prévint le maître. Souvenez-vous bien de mes conseils.

Pierre-Edouard ne les avait pas oubliés. D'abord, des copies bien présentées et d'une calligraphie sans défaut; pas de taches ni de ratures, une ponctuation scrupuleuse et, lorsque besoin serait, de belles et gracieuses majuscules. Ensuite, une attitude modeste, réservée; pas de mains dans les poches ni de doigts dans le nez, se mettre debout pour répondre aux questions, croiser les bras dans le dos pour bien dégager la voix et ne pas couper la respiration ; toujours réfléchir avant de répondre et se défier des pièges du genre : « Ainsi, vous êtes certain que la révocation de l'Edit de Nantes eut lieu le 18 octobre 1685. Vous êtes sûr ? » ou encore : « Vous m'avez bien dit que six fois sept font quarante-quatre ? » Après avoir mûrement réfléchi dire : « Oui » ou « Non, monsieur l'examinateur. »

Enfin, et c'était là une des armes secrètes révélées par le maître, ne jamais hésiter, chaque fois que l'occasion en serait donnée, de faire allusion à l'Alsace et à la Lorraine. C'était très facile, surtout en histoire et en géographie. Rien n'interdisait, par exemple, de parler des frontières actuelles — et provisoires — de la France et de ses frontières naturelles et historiques. Il n'était pas interdit non plus de rappeler que l'Alsace avait été rattachée à la France par le traité de Munster, en 1681, et que la Lorraine était terre française depuis 1766...

Pierre-Edouard se souvenait de tout cela, mais il cherchait toujours la table de sept en arrivant au chef-lieu de canton.

Ils eurent d'abord à résoudre un problème de surface, une histoire bête de terrain de 1 hectare 20 ares à partager entre trois héritiers ; deux-cinquièmes à l'aîné, un cinquième et demi à chacun des deux autres. Pierre-Edouard s'en tira très bien et, s'il le fit d'une façon peu orthodoxe, il n'en parut rien sur la copie qu'il rendit.

En fait, habitué chez lui à calculer la surface en cartonnées et non en hectares ou en ares, il fit tout naturellement la conversion : un hectare égale dix cartonnées, vingt ares valent deux cartonnées, total douze cartonnées, le reste allait de soi.

En histoire et géographie, il ne fut pas question de l'Alsace et de la Lorraine, mais du règne de Henri IV et du Bassin aquitain, et il eût été peu prudent de faire allusion à Strasbourg et au cours du Rhin.

Enfin, la chance — ou la parfaite connaissance du programme par le maître — voulut que la dictée qu'on leur proposa fût l'une de celles qu'ils avaient étudiées trois semaines plus tôt. Pierre-Edouard reconnut tout de suite le texte de Victor Hugo, se souvint des écueils et ne fit qu'une faute et demie.

Plus tard, lorsque tout fut terminé et qu'ils s'installèrent à la terrasse du restaurant pour attendre les résultats, il remit au maître tous ses brouillons précieusement gardés et, anxieux, attendit le verdict.

— Eh bien, mon petit, si tu ne t'es pas trompé en recopiant, tu as ton certificat d'études. C'est très bien, très, très bien.

Une heure et demie plus tard, lorsque furent publiés les résultats, c'est d'un pas tremblant et la gorge sèche que Pierre-Edouard s'approcha du tableau d'affichage. Mais il ne savait pas où chercher son nom et c'est le maître qui lui annonça qu'il était reçu premier de la commune et troisième du canton. C'était plus qu'un succès, un triomphe !

Avec lui, mais de justesse, était reçu Edmond Vergne. Quant aux autres, c'était la débâcle...

Dès leur retour au bourg, le maître voulut absolument accompagner son élève jusque chez lui et, en les voyant passer, on ne savait qui, de l'instituteur ou de l'élève, était le plus fier, le plus heureux.

Le grand-père Edouard était seul, assis devant la maison ; depuis l'orage, ses rhumatismes le torturaient. Tout le reste de la famille moissonnait le froment dans la pièce des Malides, là-haut, sur le plateau.

— Eh bien, voilà ! dit M. Lanzac, Pierre-Edouard est reçu, et bien reçu. Je suis très fier de lui.

Le vieil homme les regarda, puis eut ce geste qui stupéfia son petit-fils car il savait à quel point l'aïeul avait du mal à se tenir debout : il se leva. Il souriait de toutes ses rides et Pierre-Edouard n'en crut pas ses yeux lorsqu'il constata que les paupières du vieillard se frangeaient de larmes. Et son étonnement s'accrut encore lorsqu'il parla, non en patois, qui était pourtant sa langue habituelle, mais en français, ce français dont il n'usait qu'en des circonstances exceptionnelles.

— Non, non, assura-t-il, je ne suis pas gâteux, c'est rien... Il avala sa salive, ébaucha un sourire : Tu comprends, tu es le premier de tous les Vialhe, le premier qui a un diplôme... Moi, je ne sais pas écrire, et à peine lire. Et toi, toi, tu as un diplôme, un vrai diplôme de l'Etat ! Attends-moi...

Il entra en claudiquant dans la maison et ils l'entendirent fourrager dans sa chambre. Il revint, portant trois verres à bout de doigts et une bouteille de ratafia sous le bras. Il posa le tout sur le banc, s'assit, plongea la main dans son gousset et en sortit un napoléon de vingt francs. Lorsqu'il tendit la pièce à son petit-fils, celui-ci fit non de la tête. Il ne pouvait accepter un cadeau d'une telle importance.

— Si, prends-la, ça me fait tellement plaisir. Elle est pour toi : tu la mérites. Allez, prends-la

Pierre-Edouard avança la main vers la paume calleuse et couturée de rides noirâtres où brillait le napoléon. Quand il toucha la peau, sèche et dure comme du vieux cuir, Edouard Vialhe ferma le poing et serra longuement celui de son petit-fils.

— Le premier de tous les Vialhe... Tu es un homme, maintenant. On va boire à ta santé et à celle de ton maître, et il dînera chez nous ce soir. On a eu assez de misères ces derniers jours, il faut se fabriquer un peu de bonheur.

Pierre-Edouard se débarrassa de ses habits du dimanche, enfila ses hardes habituelles et grimpa vers le plateau en chantonnant.

Il annonça la nouvelle d'aussi loin qu'il le put et, à son cri de joie, firent écho ceux de sa mère, de sa grand-mère et de ses sœurs. Quant à Jean-Edouard, il s'appuya sur sa faux, contempla son fils et siffla de satisfaction. Lui aussi était rouge de fierté.

Mais le travail pressait et la nuit était loin. Lorsqu'elle sut que le maître serait là pour le dîner, Marguerite tendit son paquet de liens à son fils :

— Remplace-moi, il faut qu'on le reçoive bien !

Pierre-Edouard travailla jusqu'à la nuit. Il suivait son père, pas à pas, et liait les gerbes avec des gestes experts. Groupant d'abord contre sa poitrine les javelles couchées par la faux, il en faisait une gerbe pansue et lourde qu'il ceignait d'une poignée de paille de seigle humide. Puis, basculant la gerbe jusqu'au sol, il fichait son genou dans le ventre crissant et, des deux mains, torsadait le lien dont il assurait la prise en glissant ses brins dans la ceinture de paille. Ses gerbes étaient aussi belles, lourdes et solides que celles d'un homme.

Derrière lui, ses sœurs glanaient. Enfin, fermant la marche, venait sa grand-mère. Elle assemblait les gerbes en dêmes de treize, les disposait tête contre tête en une croix à quatre branches dont chaque bras, de trois gerbes, se chevauchaient, la dernière chapeautant et protégeant l'ensemble. Et partout, sur le plateau, c'était le même labeur, patient, obstiné.

Jean-Edouard s'arrêtait souvent, puisait la pierre à aiguiser dans le coffin bourré d'herbe humide suspendu à sa ceinture et réaffûtait sa faux. L'acier chantait sous la morsure.

Quand ils s'arrêtèrent enfin, l'obscurité noyait déjà toute la vallée. Le maître les attendait, assis avec l'aïeul devant la maison. La table était prête ; l'air embaumait le bouillon de poulet et le confit d'oie aux cèpes.

— Non, c'est impossible, dit Jean-Edouard. D'ailleurs, j'ai déjà dit non à monsieur Lanzac, et pas plus tard que hier soir !

— Je sais, j'ai apppris qu'il dînait chez vous, acquiesça l'abbé Feix, et je me doutais bien qu'il vous proposerait quelques arrangements à sa façon...

Jean-Edouard passa un doigt sur le fil de la lame. Il venait juste de battre sa faux et se préparait à partir sur le plateau lorsque le curé arriva.

— Comprends-moi, insista l'abbé Feix, ton petit est un brillant sujet, un bon garçon bien honnête, tu n'as pas le droit de gâcher ses dons. Souviens-toi de la parabole des talents, Dieu te demandera un jour ce que tu as fait de ton fils !

— Mon fils, j'ai besoin de lui. Il travaille comme un homme, et si vous croyez qu'avec la dernière catastrophe on peut se passer de bras !

— Je sais, mais ça ne te coûterait rien ! Je t'assure que je m'arrangerai avec monseigneur l'Evêque pour que tu n'aies pas un sou à donner...

— Ouais, et monsieur l'instituteur lui, il veut s'arranger avec je ne sais quel inspecteur ! Je vais vous dire, l'un comme l'autre, sauf votre respect, vous me faites l'effet de fameux sergents recruteurs ! Eh bien, non ! Le petit n'ira ni au séminaire ni dans je ne sais trop quelle école de Tulle. Il restera ici, un point c'est tout ! Tenez, demandez donc à ma femme ce qu'elle en pense !

— Alors, toi aussi, Marguerite, tu es de cet avis ? interrogea le curé.

La jeune femme venait de soigner les porcs. Elle s'essuya les mains contre son tablier, s'approcha.

— Oui, monsieur le curé, dit-elle en rougissant comme jadis, lorsqu'elle butait sur sa leçon de catéchisme, je suis de l'avis de Jean-Edouard. On ne veut pas de tous ces arrangements chez nous, on a trop besoin du petit.

— Mais vous ne pensez qu'à vous alors ? Et lui, et son avenir, qu'est-ce que vous en faites, hein ?

— Lui, dit Jean-Edouard, il ne veut pas non plus. Il n'a pas envie d'être instituteur, et pas non plus envie d'être curé !

— Mais il n'est pas question d'en faire un prêtre ! Je dis simplement que de solides études au séminaire lui feraient le plus grand bien. Et si, plus tard, il voulait s'orienter vers le sacerdoce...

— Monsieur Lanzac nous a dit la même chose, sauf qu'il s'agissait pas de finir curé, mais instituteur !

— Tu ne vas pas comparer l'établissement que je te propose et je ne sais trop quelle école laïque d'où sont bannies toutes notions chrétiennes !

— Le résultat est le même, trancha le grand-père qui venait de se traîner jusqu'au pas de la porte, vous voulez nous prendre notre petit. C'est pas bien ce que vous faites là, c'est pas bien du tout !

— Alors, à quoi lui sert son certificat d'études ? lança coléreusement l'abbé Feix. Il était inutile de le pousser jusque-là si c'est pour l'arrêter ensuite !

— Il lui sert à dire : « Moi, j'ai mon diplôme », rétorqua le vieux. Il lui sert à lire, à écrire, à compter, à marcher la tête haute ! Et vous trouvez que c'est pas suffisant ? Qu'est-ce que vous voulez rajouter d'autres diplômes qui lui tourneront la tête et lui feront oublier ses père et mère ? Et sa terre ! Non, non, je ne veux pas qu'on m'enlève ce petit et qu'on me l'abîme dans vos villes. Lui aussi, c'est un Vialhe, un Edouard, un fils aîné, et vous voudriez le priver de sa terre ? Et la ferme, elle ira où sans lui ? Aux filles ? Jamais ! La terre est Vialhe depuis plus d'un siècle, et elle le restera !

— Eh bien ! soupira le curé, vous êtes tous de fieffés égoïstes. Ça me déçoit de ta part, Marguerite, oui, surtout de ta part... Et la grand-mère, qu'est-ce qu'elle en dit ?

— La même chose que moi, coupa le vieux, et il ferait beau voir qu'elle dise autre chose !

— Bien, je vois que c'est une cabale, je n'insiste pas. Mais vous le regretterez un jour. Vous direz : « Ah ! si nous avions écouté monsieur le curé ! » Mais il sera trop tard ! Enfin, tant pis, moi, j'aurai ma conscience avec moi !

L'abbé Feix épongea son front ruisselant de sueur et s'éloigna dans un grand mouvement de soutane.

Pierre-Edouard sortit alors de la maison. Il avait tout entendu et craint un instant que ses parents ne faiblissent. Il n'avait aucune envie de quitter la maison et le village pour aller dans ces lointaines écoles qu'on lui proposait. L'école, c'était fini. Il avait treize ans et son certificat d'études, il se sentait un homme.

L'abbé Feix salua d'un coup de tête quelques vieilles femmes qui cancanaient, assises sous les tilleuls de la place, et entra dans le presbytère. La lourde porte claqua sèchement derrière lui.

Il était de fort méchante humeur et s'en voulait beaucoup d'être, une fois de plus, tenté par la colère et à deux doigts d'y succomber. Certes, il avait su se maîtriser en face des Vialhe, mais il s'en était fallu de bien peu qu'il n'explosât et proférât quelques réflexions peu compatibles avec la charité chrétienne.

Il se versa un grand verre de frênette et s'obligea — par mortification et bien qu'il fût très assoiffé — à boire lentement. Sobre, et pauvre, il réservait le vin de sa modeste treille pour les dimanches et les fêtes d'Eglise. Dès la belle saison, il se confectionnait une boisson rafraîchissante et tonique à base de feuilles de frêne ; en automne il fabriquait une piquette de cidre et, en hiver, il buvait de l'eau.

Il épongea son front et son cou dégoulinants de sueur, déboutonna le col de sa soutane, retroussa ses manches et sortit dans le petit jardin. Ici, la chaleur était insoutenable ; emmagasinée et réverbérée par les murs qui ceinturaient le lopin, elle sévissait tard dans la soirée et rendait obligatoire l'arrosage journalier des plates-bandes de légumes.

Il réintégra vite le presbytère, en apprécia la fraîcheur, puis s'installa dans un fauteuil de rotin et poursuivit la lecture de son bréviaire. Mais il dut faire un grand effort pour chasser de son esprit toute trace de colère ; cette colère qui l'assaillait depuis des mois, et que la plus petite contrariété aiguillonnait douloureusement.

Mais comment rester passif devant les aberrations et les scandales qui secouaient tout le pays et menaçaient l'Eglise et la foi ? Grâce à la générosité du châtelain, il était abonné au journal La Croix et le lisait de la première à la dernière ligne.

Il se tenait également très au courant des événements du département par la lecture de *La Croix de la Corrèze*, que lui donnait la femme du notaire. Bien renseigné sur l'actualité, il avait d'abord suivi avec inquiétude la montée de l'athéisme et de la franc-maçonnerie. Et si ses ouailles, et même le bourg tout entier, n'avaient pas été très touchés par cette gangrène, il avait quand même ressenti un certain changement d'attitude chez quelques paroissiens.

Le maire, par exemple, plus fier et plus sûr de lui que jamais, et qui rebattait encore les oreilles de tous ses électeurs en leur narrant, pour la millième fois, son entrevue avec le président de la République ! A l'en croire. Emile Loubet et lui étaient devenus une vraie paire d'amis ! Le banquet des maires avait beau dater de presque deux ans, Antoine Gigoux ne se lassait pas d'en conter les splendeurs. Et plus le temps passait, plus s'estompait dans son récit le fait que plus de vingt mille maires avaient eu, comme lui, le privilège d'être reçus par le Président... Encore quelques années, pronostiquait l'abbé Feix, et il nous dira qu'il a déjeuné en tête à tête avec lui !

Sans être jaloux de l'aura qui nimbait désormais le premier citoyen de la commune, l'abbé Feix déplorait l'engouement, pour ne pas dire la dévotion, dont bénéficiait Antoine Gigoux. Soutenu par une indiscutable popularité, il lui avait été facile d'engager la gestion municipale dans une direction moderniste et dynamique. Grâce à la complicité et aux compétences de Jean-Edouard, il avait mis sur pied un syndicat d'achat où venaient s'approvisionner la plupart des agriculteurs.

Déjà, le bruit courait que le conseil municipal s'occupait activement de l'organisation d'une foire qui aurait lieu deux fois par mois sur la place de l'église. L'abbé Feix s'était laissé dire que les contacts avec les marchands de bestiaux, les camelots et autres colporteurs étaient positifs et que seul le coût d'installation sur le foirail d'une bascule à bétail retardait l'inauguration.

L'abbé se méfiait de cette innovation. Certes, elle drainerait vers Saint-Libéral des sommes d'argent dont tout le monde bénéficierait, mais elle risquait aussi de transformer en profondeur toute la mentalité de la commune. Enfin, et c'était là le plus pernicieux à ses yeux, tout cela était fait au nom, et pour la plus grande gloire, de la République, cette

République qui, de mois en mois, dévoilait son vrai visage, celui de l'antéchrist.

Il avait d'abord été outré par la loi sur les congrégations, puis scandalisé par le procès inique intenté, l'année précédente, contre les Assomptionnistes. Depuis, il ne décolérait pas. Et comment eût-il pu se calmer ! Les dernières élections des 6 et 20 mai, loin de mettre un frein aux visées athéistes du gouvernement, lui avaient offert tous les moyens de mener jusqu'à son terme sa lutte contre la foi. Avec trois cent soixante-sept sièges sur cinq cent quatre-vingt-sept, le bloc républicain pouvait tout se permettre, et ne s'en privait pas !

Non content d'avoir fait battre des hommes comme Barrès, les socialisants venaient de choisir un chef digne d'eux, le renégat Emile Combes dont la haine maladive envers l'Eglise laissait augurer les pires exactions. Tout cela sentait la pourriture et la décomposition ; comme empestaient la trahison et l'immoralité cet horrible juif de Dreyfus et tous ceux qui le soutenaient !

L'abbé Feix se reprochait souvent de tomber dans le pessimisme et le désespoir ; aussi, dès qu'il sentait faiblir en lui la flamme de la deuxième vertu, s'empressait-il de l'aviver, par la prière certes, mais aussi, il devait se l'avouer, par un sursaut de colère qui le jetait tout bouillonnant hors du presbytère. Il effectuait alors la tournée de ses fidèles et les exhortait à la résistance et au combat.

Mais, là encore, que de déceptions, que de désillusions ! A son goût, ses paroissiens manquaient de fougue, d'ardeur, de combativité. Il les trouvait trop passifs, trop mous. Seules quelques femmes le soutenaient, mais les autres, tous les autres, poursuivaient leur train-train sans prendre parti, ni contre lui ni pour lui, indifférents. Ainsi le maire pouvait-il les influencer à sa guise, aidé en cela par l'instituteur qui faisait circuler dans tout le village *La Petite République*, cet affreux journal plein de mensonges et de calomnies.

Même le châtelain était amorphe ; il ne voulait se brouiller avec personne, se gardait bien d'afficher ouvertement ses positions et conservait des amis dans chaque camp. Il désirait se présenter au conseil général et ménageait la chèvre et le chou pour parvenir à ses fins. Quant au notaire, soucieux de ne point contrarier sa clientèle, il minimisait onctueusement la situation politique et s'il partageait, en privé, les inquiétudes du curé, ce dernier le soupçonnait de jouer les Ponce Pilate en public.

A ces tièdes et pâles sympathisants, l'abbé préférait presque l'attitude goguenarde, mais franche, de ce libre penseur de docteur Fraysse. Celui-ci, au moins, ne dissimulait pas sa position et semblait s'amuser follement du développement des événements. Il comptait les coups et se régalait sans retenue à la lecture de quelques articles du *Petit Journal,* mais il n'arrivait pas à être méchant. Le curé lui pardonnait même de l'avoir récemment abordé en claironnant : « Ah ! dites donc, qu'est-ce qu'ils vous mettent ! Moi, à votre place, je me défendrais ! » Dans le fond, le docteur n'était pas dangereux, ce n'était pas un allié, mais pas non plus un adversaire, plutôt un pauvre inconscient ; il arbitrait en plaisantant une querelle qui ne le concernait pas. De plus, et puisqu'il n'en avait jamais rien attendu, l'abbé Feix n'était pas déçu par lui. Il n'en allait pas de même avec les Vialhe. Ceux-là lui échappaient, il le sentait.

Jean-Edouard, surtout, s'émancipait, prenait une autorité jusque-là muselée par la poigne du vieil Edouard. Mais le déclin de ce dernier, ses misères physiques, son âge, le reléguaient à une place de second rôle. Certes, il dirigeait toujours, de la voix, la ferme et la famille, mais le vrai patron, le maître, c'était désormais Jean-Edouard. C'était lui qui, avec une compétence qui lui attirait le respect de tous, avait employé les premiers engrais, lui qui n'avait pas hésité à établir sur le plateau une plantation d'un hectare de noyers, lui dont on disait qu'il posséderait bientôt une faucheuse mécanique, lui enfin qui gérait le syndicat.

Bien sûr, il n'était pas un adversaire, pas encore… Il était respectueux de la religion et faisait toujours ses Pâques, mais il prenait de plus en plus ses distances. A preuve, la façon dont il l'avait reçu une heure plus tôt ! Il avait osé comparer les méthodes de l'Eglise avec celles de l'instituteur, quelle pitié !

Et pourtant ! N'était-ce pas la bonne solution que d'envoyer le petit Pierre-Edouard, si doué, poursuivre de solides études au séminaire ? N'était-ce pas le seul moyen de l'aider dans son développement intellectuel et moral ? N'était-ce pas enfin, pour l'Eglise, l'occasion de marquer un point contre les anticléricaux et de réasseoir dans le bourg une autorité chancelante ?

Mais les Vialhe refusaient son offre, et même Marguerite lui tenait tête ! Par chance, ils avaient rejeté également les alléchantes, mais sournoises, propositions de l'instituteur Dans le fond, tout n'était peut-être pas perdu...

Il referma son bréviaire et se reprocha aussitôt d'avoir laissé ainsi vagabonder son esprit dans une direction si éloignée de la méditation spirituelle. Mais n'était-il point de son devoir de tout faire pour préserver ses ouailles des attaques dont il les avait menacées sur tant de fronts ?

# 5

APRES avoir longtemps réfléchi, Jean-Edouard décida
enfin d'acheter une faucheuse en avril 1905. Il projetait cette
acquisition depuis des années, mais il avait dû la différer à la
suite de quelques mauvaises récoltes.

Après l'orage catastrophique de juin 1902, les années
suivantes, loin de compenser les pertes occasionnées par la
grêle, s'étaient elles aussi soldées par un déficit. Le gel tardif
des printemps de 1903 et 1904 avait anéanti la quasi-totalité
des légumes et des fruits dont les agriculteurs de la région
tiraient, en année normale, un estimable revenu. On avait fait
face, mais il était exclu de se lancer dans les investissements.

Pour la commune, la pénurie financière s'était surtout
répercutée sur le syndicat d'achat, et il avait fallu tout
l'entêtement de Jean-Edouard pour éviter sa fermeture. Mais
le nombre des adhérents allait décroissant. En trois ans, le
village avait vu partir douze agriculteurs contraints, par la
force des choses, à s'exiler vers la ville et ses emplois.
Heureusement, la foire bimensuelle était, elle, en plein essor
et les paysans venaient de loin pour vendre ou acheter sur le
champ de foire de Saint-Libéral. C'était un grand réconfort
pour Jean-Edouard et tous ceux du conseil municipal. C'était
aussi la prospérité pour les commerçants.

Mais aux difficultés nées des caprices du temps, s'ajoutaient pour les Vialhe les soins de plus en plus fréquents
demandés par le grand-père. Le vieillard ne se déplaçait plus
qu'au prix d'immenses et douloureux efforts et ses crises de
rhumatismes étaient telles qu'il fallait bien souvent faire
appel au docteur Fraysse, ou à son associé, le jeune docteur

Delpy, à qui le vieux médecin devait céder sa clientèle et son cabinet avant la fin de l'année. A deux francs cinquante la visite, plus les potions et autres médicaments, c'était, presque à chaque fois, une pièce de cent sous qu'il fallait sortir.

Il ne serait pas venu à l'idée de Jean-Edouard de mesurer à son père les soins dont il avait besoin. L'aïeul avait fait son temps, il avait désormais droit au repos et rien ne serait jamais négligé pour qu'il en jouît le plus heureusement possible. Il se tenait d'ailleurs très au courant des travaux de la ferme, se faisait parfois accompagner aux étables pour voir les veaux ou les agneaux, s'inquiétait de l'état des terres et de la croissance des arbres fruitiers.

Le jour de la première foire, il avait voulu, coûte que coûte, se rendre jusqu'à la place. Là, cramponné d'une main à sa canne, de l'autre à l'épaule de son petit-fils, il avait lentement fait le tour des cordes où s'alignaient les vaches et les veaux.

Il était très fier que son fils soit un des artisans de cette manifestation ; très fier aussi de dire, à quelques connaissances des villages voisins, qu'il obtenait, grâce à son savoir-faire et à ses épandages de poudre fertilisante, les meilleurs rendements de la commune.

Mais Jean-Edouard savait bien que son père déclinait rapidement. Il avait désormais besoin de la mère et de Marguerite pour pouvoir se lever le matin, et rares étaient les semaines qui s'écoulaient sans la visite du docteur. A cause de tout cela, il avait fallu attendre pour acheter la faucheuse. Elle devenait pourtant indispensable ; le père ne travaillait plus, la mère et Marguerite s'occupaient de lui et des soins aux bêtes. Jean-Edouard ne pouvait plus compter que sur lui-même et sur son fils.

A seize ans, Pierre-Edouard était déjà un bel adolescent. Grand et bien planté, il travaillait presque autant qu'un adulte, mais il n'en avait pas encore l'endurance ni le rendement. Aussi les périodes de gros travaux devenaient-elles de plus en plus dures. A quarante-cinq ans, Jean-Edouard était encore au mieux de sa forme, mais il était lucide et il savait bien que sa force et sa résistance iraient en décroissant. Déjà, certains soirs de fauche ou de moisson, il ressentait ce cisaillement lancinant dans les reins, indice que le corps devient rebelle aux travaux trop pénibles.

C'est en vain qu'il avait cherché à engager un journalier, un homme robuste et honnête. Ceux qui cherchaient un emploi préféraient s'embaucher à la ville, quant aux autres, ils essayaient de se louer dans les fermes de la plaine de Brive, de Larche ou de Terrasson, où les travaux étaient moins durs que sur les pentes de Saint-Libéral.

Seuls restaient au village quelques tâcherons dont il ne voulait à aucun prix. Il n'avait que faire de ces bricoleurs qui réclamaient leur paie chaque soir, s'enivraient aussitôt et restaient deux jours à cuver leur vin. De plus, il ne voulait pas faire asseoir à sa table des individus que la présence de sa femme, mais aussi de Louise, rendrait égrillards.

C'est que Louise devenait vraiment une belle fille. Elle allait avoir quinze ans et elle avait déjà des attitudes et des minauderies de jeune femme qui n'étaient pas sans inquiéter son père. Coquette et vive, elle était aussi fière de ses petits seins — guère plus gros que des noix ! — que Pierre-Edouard de son ombre de moustache !

Le frère et la sœur s'entendaient à merveille, liés par une sorte de complicité qui leur permettait de se comprendre d'un regard. Non seulement ils ne se disputaient jamais, mais se soutenaient l'un l'autre, faisaient bloc. Ils excluaient totalement leur petite sœur de leurs conciliabules. Il faut dire qu'elle n'avait que douze ans, pleurait pour un rien et bénéficiait de toutes les faveurs de sa grand-mère. De plus, Berthe rapportait volontiers les faits et gestes de ses aînés et, plus d'une fois, avait ainsi déchaîné les foudres paternelles.

Les colères de Jean-Edouard devenaient terribles dès l'instant où il estimait que l'on portait atteinte à son autorité. Il avait subi celle de son père jusqu'à l'âge de quarante ans et entendait bien imposer la sienne aussi longtemps qu'il le pourrait. Chef de famille et maître des terres, il était la tête pensante et agissante de la communauté Vialhe, et personne ne contestait jamais ses décisions. Aussi, nul ne broncha lorsque, au soir du 23 avril, pendant le souper, il annonça le programme du lendemain.

— Je vais à Brive demain, c'est foire.

Louise jeta un coup d'œil à son frère, quêta son aide. Elle mourait d'envie d'aller elle aussi à Brive. Elle ne connaissait toujours pas cette ville dont son frère, plus chanceux qu'elle, lui avait tant parlé.

Pierre-Edouard avait déjà été deux fois à Brive avec son père, une fois en 1904, pour la foire aux oignons qui se tenait au mois d'août, et une autre fois pour la foire des Rois, la plus importante de la région, et qui avait lieu chaque année dans la semaine de l'Epiphanie. Et il avait parlé à sa sœur de toutes les splendeurs de la grande cité, et des merveilles du trajet en chemin de fer.

Mieux, au cours de ses deux voyages, il avait eu la chance de voir rouler des automobiles à pétrole, dont il assurait crânement ne pas avoir eu peur. Mais elle pensait qu'il se vantait un peu, car leur père avait, lui aussi, parlé de ces rencontres, et en des termes effrayants. A tel point qu'il affirmait que ces machines ne viendraient jamais dans les campagnes, car le bruit et les flammes qui les entouraient feraient perdre le lait aux vaches, rendraient fous les moutons, enrageraient les porcs! Malgré cela, Louise était prête à surmonter toutes ces angoisses pour la seule joie d'aller enfin à la grand-ville.

— Dites, père, est-ce que je pourrai vous suivre? osa-t-elle demander.

— Toi, tu restes là pour aider ta mère et garder les bestiaux. Pierre-Edouard m'accompagnera.

La nuit était encore épaisse et Saint-Libéral silencieux et endormi lorsqu'ils se mirent en route. Ils avaient deux bonnes heures de marche pour atteindre la gare de La Rivière-de-Mansac. Le train y passait à 6 h 10, en provenance de Terrasson. Il les déposerait trois quarts d'heure plus tard à Brive, après avoir desservi les bourgs de Larche et de Saint-Pantaléon. Ils atteignaient les dernières maisons lorsqu'une silhouette jaillit d'une ruelle.

— C'est toi, Léon?

— Bonjour, père Vialhe. Salut, Pierre!

— Tu vas à la foire à Brive?

— Faut bien.

— Alors on fera la route ensemble.

Contrairement à Pierre-Edouard qui naviguait encore dans l'adolescence, Léon Dupeuch faisait homme, et bien rares étaient ceux qui pouvaient s'imaginer qu'il allait seulement sur ses dix-huit ans. Trapu, noueux, la voix grave, il arborait une épaisse moustache noire qui accentuait la sévérité de ses traits. Confronté trop jeune avec la mort, il avait acquis auprès d'elle un regard froid et une maturité de vieux cynique, mélange de dureté, d'humour glacé, de sécheresse.

Après son père, il avait coup sur coup enterré deux de ses

69

sœurs. Tuberculose, avait dit le médecin, malédiction, avaient chuchoté les femmes qui se souvenaient de la marque que portait Mathilde. Cette dernière, contrairement aux prévisions, n'était pas du tout aveugle ; c'était maintenant un petit bout de femme de cinq ans qui était, disait-on, la seule qui savait faire rire Léon. Celui-ci n'oubliait jamais de lui rapporter des gâteries à chacun de ses déplacements.

Depuis deux ans, et bien qu'il s'occupât toujours de la médiocre métairie du notaire, il s'était fait engager comme rabatteur par un marchand de bestiaux de la commune de Malemort, un pays au-delà de Brive, sur la route de Tulle. Il avait un coup d'œil infaillible pour estimer, à son poids exact, un veau ou une vache sur pied, et si jadis il avait été brouillé avec le calcul, il savait aujourd'hui, à dix sous près, ce qu'il fallait offrir d'une bête.

Son travail consistait, dès que la cloche annonçait l'ouverture de la foire, à se précipiter au milieu des cordes, à repérer les animaux qu'il désirait et à s'enquérir du prix. Il offrait aussitôt une somme beaucoup plus basse — ou, pis, haussait les épaules — se désintéressait du marché et courait vers d'autres clients. Il jaugeait ainsi l'ambiance de la foire et la ténacité des éleveurs ; et il s'y entendait à merveille pour jeter le doute dans l'esprit des vendeurs. Son tour de foire fini, il recommençait son manège, toujours aussi blasé, aussi hautain, et, sur ses talons, venait l'acheteur, plus affable, plus conciliant et un tout petit peu moins pingre. Véritable poisson pilote d'un requin en blouse bleue, il désignait d'un coup d'œil discret les proies qui lui semblaient faciles...

Mais il pouvait aussi devenir un redoutable vendeur lorsqu'il proposait en foire de Brive, de Tulle ou même de Saint-Libéral, un lot de génisses acheté par son patron à Seilhac ou à Treignac, ou des bœufs acquis à Turenne. Il débattait du prix, pouce à pouce, se défendait centime par centime et réussissait souvent ce tour de force de susciter l'admiration de son propre patron qui passait pourtant pour un vautour.

Payé à la tête — achetée ou vendue — Léon gagnait bien sa vie, mais il savait que la majorité des habitants de Saint-Libéral le tenait pour un fieffé coquin. Les paysans se méfiaient d'instinct du marchand de bestiaux qu'il était en train de devenir. Il ne faisait aucun doute en effet que, au train où il allait, et avec l'habileté dont il faisait preuve, il serait avant cinq ans son propre patron.

De plus, beaucoup ne lui pardonnaient pas d'être resté l'incorrigible braconnier de son enfance. Tout le monde savait qu'il tendait toujours des collets, mais personne n'avait jamais pu le surprendre. Bien entendu, il chassait sans permis, mais de là à le cueillir en flagrant délit... Le garde champêtre et même les gendarmes de la brigade d'Ayen s'y étaient tous cassé les dents !

Enfin — et dans ce cas précis sa renommée s'étendait bien au-delà de la commune — on n'appréciait pas du tout l'emprise qu'il exerçait sur les femmes. A croire qu'il les fascinait avec son froid regard de vipère. Certes, il était loin d'avoir à son actif autant de conquêtes qu'on lui en prêtait, mais là aussi, il avait le savoir-faire.

Curieusement, il était resté ami avec Pierre-Edouard, mais ils se rencontraient peu ; quelquefois au détour d'un chemin ou encore, comme ce matin, sur la même route. Renaissait alors entre eux une espèce de complicité fraternelle d'où l'admiration n'était pas exclue ; du plus jeune pour l'expérience de l'aîné, de ce dernier pour la vivacité et les connaissances du cadet. Mais l'un comme l'autre savaient que les parents Vialhe n'auraient pas aimé ces conversations, aussi étaient-elles rares.

Ils allaient d'un bon pas depuis une heure, et personne jusque-là n'avait jugé utile de parler. Jean-Edouard n'avait rien à dire à ce gamin dont il se défiait ; Pierre-Edouard n'osait pas dire le premier mot. Quant à Léon, à son habitude, il se taisait. Ce fut pourtant lui qui rompit le silence.

— Dites, père Vialhe, c'est vrai cette histoire de chemin de fer ?

— On en parle...

Pour ce qui était d'en parler, on en parlait ! Depuis qu'il s'était fait élire conseiller général, Jean Duroux prenait son rôle au sérieux. On pensait même qu'il poserait sa candidature aux législatives. Il laissait dire, sans confirmer ni démentir.

En revanche, il s'était mis en tête de faire passer le chemin de fer à Saint-Libéral et faisait vraiment tout pour atteindre son but. Il voulait que la ligne, partant de La Rivière-de-

Mansac, remonte vers Brignac ; de là, elle grimperait jusqu'à Perpezac-le-Blanc, atteindrait ensuite Saint-Libéral, puis filerait vers Ayen et Juillac. Projet ambitieux, qui était loin de faire l'unanimité dans les communes traversées ; et, avant même que le tracé et la décision soient arrêtés, on parlait déjà de bois coupés, de propriétés morcelées, de champs et pâtures massacrés.

Des clans s'étaient formés, et même au sein du conseil municipal de Saint-Libéral, on comptait deux tendances. Antoine Gigoux lui-même hésitait sur le parti à prendre. Récemment réélu, on savait bien qu'il accomplissait son dernier mandat ; mais il voulait finir en beauté et ne pas compromettre les chances de son fils, lequel — ce n'était un secret pour personne — espérait bien lui succéder.

Quant à Jean-Edouard, il était un des plus chauds partisans du projet. Si le chemin de fer arrivait un jour jusqu'au bourg, il serait possible de lui confier toutes les primeurs et tous les fruits qu'il fallait pour l'instant livrer au marché de gros d'Objat. De plus, on pourrait désormais se rendre à Brive ou à Tulle en un temps raisonnable. Mais il ne se faisait pas trop d'illusions ; la politique était derrière tout cela, tout dépendait d'elle, et Jean Duroux avait beau être au mieux avec le député, et même avec le préfet, aucune décision ne serait prise avant la prochaine campagne électorale, et elle s'annonçait chaude !

Jean-Edouard se demandait souvent quand cesserait enfin cette stupide querelle entre l'Eglise et l'Etat. Il en avait pardessus la tête d'être la cible de deux partis. Le fait qu'il aille à la messe trois ou quatre fois par an lui valait les sarcasmes des quelques anticléricaux du bourg — ils étaient peu nombreux, mais de plus en plus virulents — et son appartenance au conseil municipal, dont le maire était de gauche, attirait sur lui la vindicte de l'abbé Feix. Il n'était pas près d'oublier la scène épouvantable que le curé était venu lui faire dès sa première réélection comme premier adjoint.

— Tu cautionnes ces voyous et ces francs-maçons ! Tu approuves la dissolution des congrégations ! Tu pousses hors de leurs biens les pauvres moines chassés de leurs monastères ! Tu te ranges avec ceux qui nous réclament des comptes, c'est une ignominie ! Ton devoir de chrétien est de démissionner !

Ce que n'arrivait pas à comprendre le curé, c'est que Jean-

Edouard — et avec lui la majorité des hommes de la commune — ne portait qu'un très médiocre intérêt à toutes ces querelles auxquelles il ne comprenait pas grand-chose. Il ne se sentait pas concerné par ces péripéties, ces lois, ces décrets, ces expulsions. A son point de vue, rien de tout cela ne valait qu'on prenne un coup de sang. D'ailleurs, au village, seuls quelques acharnés essayaient, bien en vain, de monter l'opinion contre l'abbé Feix. Cette poignée d'excités mise à part, personne ne voulait le moindre mal au curé. On savait qu'il faisait bien son travail, qu'il était pauvre — il distribuait tout ce qu'il recevait —, et on le respectait.

Mais il demandait plus, le pauvre homme ! Il battait le rappel des fidèles, réclamait leur soutien, exigeait quasiment qu'ils condamnent tous, à haute voix, l'attitude de ceux qui, là-haut, à Paris, avaient la charge du gouvernement.

C'était vraiment stupide ; les gens avaient bien d'autres soucis en tête, et de plus sérieux ! Ils n'allaient sûrement pas, juste pour lui faire plaisir, prendre parti dans un conflit qui les touchait si peu.

Naturellement, à force de visites, de sermons, de discours, le curé avait réussi à convainvre beaucoup de femmes. Et ça, c'était franchement déplaisant ! Jean-Edouard avait d'ailleurs dû élever le ton pour que sa propre mère, et même Marguerite, cessent de lui rebattre les oreilles avec ces sornettes. Passe encore qu'il ait dû, récemment, remettre à sa place un imbécile qui, fort d'un entourage de buveurs assis avec lui à la terrasse du bistrot de la mère Eugène, s'était cru malin en croassant sur son passage. Il n'avait pas joué longtemps les corbeaux ! Jean-Edouard l'avait propulsé au milieu de la rue à grands coups de pied au cul et, là, d'un seul revers, étendu pour le compte. Mais il n'allait quand même pas devoir se mettre à taper sur sa femme pour avoir la paix !

— Alors, vous croyez qu'il viendra ce chemin de fer ? insista Léon.

— Ça t'arrangerait, hein ?

— Pardi !

— Pour le coup, tu passeras ta vie à écumer les champs de foire !

— Faut chercher l'argent où il se trouve...

— Peut-être, mais t'es pas près d'avoir le mien !

— Je vais pourtant présenter en foire un lot de belles génisses. Sont pleines de cinq mois et je suis sûr que vous y trouveriez celle que vous cherchez, lança Léon, uniquement pour tenter de deviner le but du voyage à Brive de son voisin.

Jean-Edouard eut un rire bref ; la ficelle était grosse !

— T'es encore un peu jeune pour me rouler ! Garde tes biques et ta salive ! Allez, marchons plus vite, on va manquer le train.

La foire n'était pas encore ouverte lorsqu'ils s'attablèrent au bistrot du père Gaillard, mais déjà la place de la Guierle bourdonnait de mille bruits : mugissements inquiets des vaches, appels des veaux séparés de leur mère, hurlements des porcs, cris et jurons des hommes.

Le bistrot donnait directement sur le foirail, et Jean-Edouard et son fils aperçurent Léon. Il était à vingt pas de là, dans la travée réservée aux marchands de bestiaux. Il s'activait autour des bêtes, les étrillait, les brossait à poil et à contre-poil, les apprêtait.

Jean-Edouard nota que c'était effectivement de très belles génisses. Des limousines bien charpentées, joliment couvertes, à la culotte rebondie, à la livrée roux clair rendue luisante par la brosse humide que Léon maniait d'une poigne énergique.

C'étaient là des bêtes qui allaient être revendues au moins trois cent vingt-cinq ou trois cent trente francs la pièce, ce qui les mettait vraiment hors de prix. De plus, il était manifeste que ces animaux avaient été forcés ; ce n'était pas au foin qu'ils avaient pris toute leur viande, mais aux topinambours et à la farine d'orge ! Ils étaient en trop bonne forme pour une sortie d'hiver et ceux qui les achèteraient s'en apercevraient bien vite... Mises à l'herbe, ces génisses allaient perdre vingt kilos dans le mois !

Enfin, peut-être étaient-elles pleines, mais comment vérifier si c'était de cinq mois ? Avec ces mercantis, on pouvait s'attendre à tout ; ils étaient prêts à vendre père et mère pourvu que ce soit avec bénéfice !

Mais si Jean-Edouard se méfiait des marchands de bestiaux, il redoutait beaucoup plus les vendeurs de machines agricoles. Vis-à-vis des premiers, il se sentait à égalité, il était très capable de déceler les défauts ou les qualités d'une bête ; les animaux n'avaient pas de secrets pour lui et il conduisait les négociations sans jamais perdre pied. Mais il se sentait complètement désarmé devant les vendeurs de machines.

Ceux-là ne proposaient pas une marchandise connue, mais

74

des instruments au fonctionnement mystérieux. Faute de connaissances techniques, il fallait prendre comme parole d'Evangile tout ce qu'ils affirmaient avec la paisible assurance des initiés.

Jean-Edouard ne savait rien des machines et s'il comprenait, par exemple, comment fonctionnait la batteuse à manège de l'entrepreneur que la belle saison ramenait chaque année à Saint-Libéral, il eût été incapable de la mettre lui-même en marche et, à plus forte raison, de la réparer en cas de panne. Il en allait de même pour la faucheuse qu'il voulait acheter.

Son choix était fait depuis la dernière foire des Rois. Ce jour-là, il avait longuement comparé les modèles et les prix, mais il savait bien que ses critères étaient beaucoup plus établis sur quelques détails superficiels — couleur ou forme des sièges! — que sur des caractéristiques mécaniques. Décontenancé par la complexité des engins, il se sentait vulnérable et s'effrayait des pièges que ne manquerait pas de lui tendre le vendeur.

Il s'efforça néanmoins de cacher son trouble et joua les badauds. Suivi par Pierre-Edouard, il arpenta le parc à machines, s'arrêtant ici devant une charrue vigneronne, observant là une Dombasle, tripotant une herse, pour revenir enfin devant la faucheuse. Il en fit lentement le tour, feignant un intérêt passionné pour la tête de bielle, le grand pignon de l'engrenage ou les doigts de la barre de coupe.

— Alors, vous êtes décidé cette fois? demanda le vendeur en s'approchant.

Il avait reconnu le client qui l'avait questionné pendant plus d'une heure à la foire des Rois.

— Possible..., admit Jean-Edouard. Mais je voudrais être certain que ça coupe bien et que ça ne tombe pas en panne...

Et ce qu'il redoutait arriva. Le vendeur se lança aussitôt dans une longue et minutieuse explication, toute bardée de termes techniques et de noms barbares.

— Et voyez, les roues, par l'intermédiaire de cet engrenage, entraînent l'arbre de transmission au sommet duquel est fixé un plateau manivelle qui, à son tour, et par le mouvement de la bielle, donne un mouvement alternatif à la lame qui glisse dans la barre de coupe...

Jean-Edouard acquiesça, se tourna vers son fils.

— T'as compris?

75

— Oui, c'est pas compliqué, assura Pierre-Edouard. Il hésita, s'effraya un peu de son audace et demanda : Et pour régler la hauteur de coupe, comment fait-on ?

— Très simple, jubila le vendeur, il te suffit de faire jouer le sabot, ici. Tiens, regarde, tu as un écrou qui glisse dans cette gorge, grâce à lui tu montes où tu baisses la lame.

— Et pour enlever la lame, c'est bien par là ?

— C'est ça, je vois que tu as le sens de la mécanique, toi...

Pierre-Edouard rosit de fierté. Il était vrai que cette machine le passionnait, et non moins vrai qu'il en saisissait parfaitement le fonctionnement.

— Et vous dites qu'on peut y adapter un tablier à gerbes ? grogna Jean-Edouard qui se sentait exclu de la conversation.

— Oui, expliqua le vendeur en s'adressant toujours à Pierre-Edouard. Tiens, tu fixes le tablier ici et tu le retiens en position haute grâce à cette pédale ; les tiges tombent là. Lorsque tu trouves que la javelle est assez grosse, tu lâches la pédale, le tablier s'abaisse, la javelle glisse et il ne reste plus aux suiveurs qu'à la ramasser. Mais si vous voulez, nous avons aussi de véritables moissonneuses-lieuses, acheva-t-il en se tournant vers Jean-Edouard.

— Non non, c'est sûrement trop cher pour nous. Déjà que votre faucheuse... C'est combien déjà ?

— Le même prix que la dernière fois, trois cent soixante-cinq francs.

— C'est beaucoup trop cher, assura Jean-Edouard.

— Mais non, ce n'est pas cher ! Vous avez là une des meilleures machines actuellement sur le marché ! Nous pouvons nous flatter d'avoir plusieurs dizaines d'années d'expérience et des premiers prix dans toutes les foires-expositions d'Europe et d'Amérique ! Renseignez-vous, tout le monde vous dira que les faucheuses McCormick sont les championnes.

— Pardi ! vous les vendez, vous n'allez pas dire le contraire ! Allez, rabattez-moi quinze francs et on en parle plus, topez là !

— Impossible, j'y perdrais.

— Allons donc, insista Jean-Edouard, quinze francs, qu'est-ce que c'est pour vous !

Il se sentait à nouveau sur son terrain. Maintenant qu'il n'était plus question de mécanique mais de prix, il pouvait enfin se battre à armes égales et n'allait pas s'en priver. Il savait bien que le marchand ne baisserait pas son prix, mais il était sûrement possible d'obtenir des concessions d'un autre ordre.

La discussion fut longue, âpre, frisa la rupture. Jean-Edouard, encouragé par l'attroupement qui s'était formé autour d'eux, mit son honneur à convaincre le vendeur. Mais celui-ci, sachant sa réputation en jeu, s'entêta. Arriva enfin le moment où Jean-Edouard sentit que l'autre ne céderait rien devant témoins.

— Bon, allons régler ça devant un verre, dit-il avec lassitude. Et toi, attends-moi là, lança-t-il à son fils.

Il revint un quart d'heure plus tard et Pierre-Edouard sut tout de suite qu'il avait gagné.

— Et voilà, dit son père en l'entraînant, elle me coûte cher, mais je lui ai fait donner une lame supplémentaire. En plus, il me la livrera à la maison, et puis il viendra me la mettre en marche. Et par-dessus le marché, il me donne deux litres d'huile pour les engrenages ! Tu vois, il faut toujours discuter. A propos, c'est vrai que tu as compris comment ça marche ?

— Oui, vous savez, ce n'est pas compliqué du tout.

— Sans doute, trancha Jean-Edouard.

Il était fermement persuadé du contraire, mais il n'était pas nécessaire que son fils l'apprît.

Il y avait foule, un mois plus tard, pour voir fonctionner la machine. Tassés au bord d'un des prés des Vialhe, presque tous les hommes du village, et aussi quelques femmes, ne perdaient pas une miette du spectacle.

Une fois encore, c'est surtout à Pierre-Edouard que le marchand donna les explications nécessaires. Le jeune homme écouta religieusement, fit répéter quelques détails, souleva même d'éventuels problèmes, comme la rencontre avec une taupinière ou le mauvais débourrage de la lame — et se hissa sur le siège. Il était sûr de lui, mais se sentait malgré tout très ému. Il regarda son père, à qui revenait la charge de conduire les bêtes.

Campé devant les deux vaches, l'aiguillon sous le bras, Jean-Edouard affichait un calme qu'il était loin de ressentir ; il redoutait quelque incident qui le ridiculiserait aux yeux de tous. Il savait que son achat avait levé des jalousies. Certains hommes, surtout les plus âgés, affirmaient même que cet engin ne parviendrait jamais à faire un aussi bon travail qu'une faux entre des mains expertes ; d'autres insinuaient que l'herbe repousserait très mal après le passage de la machine.

Tout cela n'était que bêtises, on lui avait dit quasiment la même chose lorsqu'il avait épandu les premiers engrais phosphatés ; certains lui avaient même prédit qu'il brûlerait toutes ses terres. Il savait que la faucheuse faisait du bon travail, il en avait vu fonctionner deux dans la plaine de Larche et avait pu juger la valeur de leur coupe. Mais il restait à démontrer à tous les sceptiques que lui, Jean-Edouard Vialhe, pouvait faire aussi bien que les gros propriétaires de la plaine. Il interrogea son fils du regard, sut qu'il était prêt. Avançant alors d'un pas, il appela ses bêtes.

Sans sa grande pratique des vaches, l'expérience aurait tourné à la catastrophe. L'attelage, affolé par le bruit inhabituel qui cliquetait dans son dos, faillit s'emballer et ce n'est qu'en se plaquant contre les cornes des vaches et en les calmant de la voix qu'il parvint à les maîtriser.

Quant à Pierre-Edouard, il ne broncha pas et se contenta de dégager à grands coups d'aiguillon les grosses touffes d'herbe qui, coupées trop vite, risquaient d'engorger la lame.

Peu à peu, les bêtes ralentirent, s'habituèrent au bruit, trouvèrent enfin la bonne allure. Derrière la faucheuse s'ouvrit un long ruban d'herbe couchée où bondissaient les sauterelles.

Jean-Edouard alla jusqu'au bout du pré et arrêta ses bêtes. Déjà, dans le passage ouvert par la lame, se pressaient les curieux, et ce n'étaient que hochements de tête admiratifs et réflexions étonnées. Suivi de son fils, il avança à son tour pour vérifier le travail.

Une merveille ! Une coupe régulière, à ras de terre, large d'un mètre vingt ; un long andain couché en quelques instants et qu'un bon faucheur n'aurait pas aligné en moins de vingt minutes !

Il regarda ses voisins et sut qu'il avait réussi sa démonstration. Même les plus farouches opposants, ceux qui, trois minutes plus tôt, ricanaient en se donnant des coups de coude, étaient subjugués, conquis ; et tous, consciemment ou non, savaient qu'ils venaient d'assister à un grand événement. Désormais, grâce à des machines de ce genre, le travail de la terre ne serait plus jamais le même.

— Et alors, demanda le vendeur en s'avançant vers Jean-Edouard, vous êtes satisfait ? Ça vous va ?

— Plutôt oui ! Faudrait être exigeant !

— Dites, ajouta le marchand en baissant le ton, si par hasard vous aviez le moindre ennui, prévenez-moi tout de suite. Oui, insista-t-il devant l'air étonné de son interlocuteur, deux ou trois de vos voisins sont intéressés par cette faucheuse, et je crois bien que... Enfin, j'aimerais réussir ces ventes, quoi... Alors, il faut que votre machine fasse honneur à la marque, d'accord ?

— Vous ne perdez pas votre temps, vous !

— Que voulez-vous, l'outillage agricole, c'est l'avenir. Un temps viendra où on ne pourra plus rien faire sans lui.

— Ça m'étonnerait, au prix où vous le vendez !

— Vous verrez, vous verrez... Bon, de toute façon, quand vous viendrez à Brive, passez me voir, je vous donnerai quelques sections de lames et aussi un jeu de doigts, pour remplacer ceux qui peuvent se casser dans les cailloux.

— Vous me les donnerez ?

— Mais oui ! Je vous dis, je veux que cette faucheuse tourne comme une horloge. Vous êtes le premier acheteur du canton, je vous dois bien ça.

Jean-Edouard hocha la tête. Oui, une fois encore il était le premier du canton. Déjà, avec l'emploi des engrais, il avait étonné tout le monde. Aujourd'hui, grâce à cette machine, il se hissait au rang des agriculteurs de pointe, et il devait tout faire pour s'y maintenir.

— D'accord, dit-il, j'aurai l'œil.

— Et écoutez surtout ce que dira votre fils, il a le sens de la mécanique, ce gamin.

— Je sais, coupa Jean-Edouard un peu sèchement, mais, comme vous dites, ce n'est quand même qu'un gamin.

# 6

PIERRE-EDOUARD déjeta sa charrue dans la fourrière, arrêta ses bêtes de la voix et se retourna. Il pouvait être fier de son travail. Commencé la veille au matin, le labour de la pièce des noyers avait belle allure. Les sillons, parfaitement rectilignes et d'une profondeur régulière, étaient dignes d'un maître laboureur, et même si son père n'en disait rien, Pierre-Edouard savait qu'il serait satisfait.

Avec ses rangées de jeunes noyers cernés par la vague brune et luisante du labour, le champ était vraiment superbe et lourd de promesses. Un jour, dans vingt ans, ce serait une noyeraie plantureuse où l'on ramasserait les noix par pleins tombereaux.

— Tu rêves? lui lança Louise qui étendait le fumier à trente pas de là.

Il haussa les épaules, s'avança vers elle.

— Si tu ne veux pas me laisser souffler, laisse au moins souffler les bêtes!

— J'aimerais qu'on puisse redescendre avant la nuit, c'est tout.

— Ouais, et je sais pourquoi, dit-il en ricanant. Mais si le père s'en aperçoit...

— Et alors, je ne fais pas de mal!

Il hocha la tête d'un air entendu et retourna à son attelage. A sa voix, les bêtes tournèrent dans la fourrière, s'alignèrent sur la planche et reprirent leur lente marche. Elles connaissaient bien Pierre-Edouard; depuis plusieurs mois, c'était très souvent lui qui les commandait.

Son père était de plus en plus pris par ses responsabilités

municipales, et comme bon nombre d'habitants de la commune semblaient être devenus fous, il fallait bien quelqu'un pour essayer de leur faire entendre raison. Et ça durait depuis plus d'un an! Exactement depuis septembre 1906.

Dès l'ouverture de la campagne électorale, le député sortant, coupant l'herbe sous les pieds de Jean Duroux, avait fait sienne l'idée d'implantation de la voie ferrée. Le châtelain, beau joueur, s'était rangé de son côté et avait pesé de tout son poids de conseiller général pour que le projet aboutît ; mais on chuchotait qu'il s'était retiré de la compétition contre l'assurance d'un siège de sénateur…

Une fois réélu, le député avait dû mettre ses promesses à exécution. Il fallait avouer qu'il avait tenu parole. Mais depuis, le bourg vivait dans la fièvre. A Jean-Edouard avait échu la délicate mission non seulement de convaincre les opposants, mais aussi et surtout, de ramener à des limites raisonnables les incroyables exigences des propriétaires touchés par le passage de la ligne. Tâche ingrate qui lui attirait plus d'ennemis que de sympathisants.

Déjà, la rupture était consommée avec les « antitrain », avec ceux qui prédisaient que son arrivée — mais surtout le chantier et la main-d'œuvre qu'il apporterait — pervertirait toute la commune. Etaient de cet avis quelques vieux et une poignée de femmes sournoisement endoctrinées par le curé. Ce dernier faisait pitié, tant il était évident qu'il menait un combat perdu.

Il s'était définitivement brouillé avec Jean-Edouard en décembre 1905, lorsque, bouleversé par la séparation de l'Eglise et de l'Etat, il s'était précipité chez lui pour exiger sa démission. Emporté par la colère, il avait été jusqu'à dire que tous ceux qui, de près ou de loin, soutenaient ce régime abject, étaient passibles de l'excommunication. Jean-Edouard l'avait mis à la porte. Depuis, ni lui ni son fils n'avaient remis les pieds à l'église du village et, pour marquer le coup, ils allaient désormais faire leurs Pâques à Yssandon ou à Perpezac. Mais le curé et ses quelques alliés ne gênaient guère Jean-Edouard. Ils ne possédaient pas de terrains touchés par la ligne et n'opposaient donc que des arguments verbaux.

En revanche, presque tous les propriétaires concernés par le passage menaient une dure bataille pour obtenir le maximum de dédommagements. Ils avaient d'abord réussi à mettre presque tout le pays de leur côté en faisant valoir qu'ils se battaient pour le bien de tous et que, s'ils cédaient, nul ne serait désormais à l'abri des prétentions des compagnies privées.

Au printemps précédent, la compagnie avait envoyé un de ses ingénieurs pour obtenir les autorisations. Le pauvre homme n'avait pas reçu une seule signature ! Peut-être eût-il alors été possible d'entamer une procédure d'expropriation, mais son issue était incertaine. De plus, elle pouvait durer des années, sans cesse retardée par des chicaneurs qui n'hésiteraient pas à courir de procès en procès.

Pour comble de malchance, l'ambiance générale était franchement mauvaise depuis le début de l'année, ce qui incitait les autorités à la plus extrême prudence. Tout le Midi viticole était en ébullition et il ne fallait surtout pas exciter les passions et pousser les Corréziens à imiter les méridionaux. Certes, les paysans, qu'ils soient de Perpezac, de Saint-Libéral ou d'Ayen, n'avaient aucune raison véritable d'épouser la cause des vignerons. Le combat mené dans le Midi n'était pas le leur, et ils n'avaient pour ainsi dire rien de commun avec les viticulteurs. Mais il fallait compter avec cette propension à la jacquerie qui sommeille dans chaque paysan. Il importait donc de manœuvrer avec prudence.

Pour éviter tout risque de mécontentements, la compagnie changea de tactique et emporta ainsi la deuxième manche. Jetant au panier le tracé initial, qui avait le mérite d'être le plus court et le plus logique, mais l'inconvénient de se heurter au bloc des propriétaires, elle décida, en accord avec les Ponts et Chaussées, de suivre tout simplement la route qui serpentait déjà entre les bourgs et les villages touchés par le chemin de fer. Cela impliquait un kilométrage beaucoup plus long et des méandres grotesques mais, chiffres en main, cette opération revenait quand même moins cher que les dédommagements, au prix fort, des propriétaires rebelles.

Il restait une difficulté : la route n'était pas assez large. Il fallait agrandir son emprise de quelques mètres et pour cela, une fois encore, convaincre les riverains. Mais leur position était à peine défendable et ne recueillait plus le soutien populaire. Ils ne pouvaient, en effet, décemment invoquer le sacro-saint droit de propriété ni le morcellement, la route passant là depuis des siècles et nul ne s'étant jamais plaint de cette servitude. Il fallait néanmoins leur faire céder, à tous, les quelques mètres carrés indispensables à la pose des rails.

Echaudée par son premier échec, la compagnie avait demandé que chaque commune concernée désigne un médiateur pour prendre en charge la collecte des signatures. C'est ainsi que Jean-Edouard, accompagné d'un ingénieur et d'un aide-géomètre, s'était lancé dans la conquête des autorisations.

Ici, c'était l'opposition d'un mauvais coucheur refusant de laisser couper deux chênes rabougris ou trois châtaigniers creux. Là, l'indignation d'un agriculteur à qui on devait rogner un mètre cinquante de prairie. Ailleurs, les hurlements d'un artisan à qui on prenait un bout de jardinet ou un demi-rang de vigne.

A tous, Jean-Edouard devait assurer que les compensations viendraient et qu'elles ne seraient pas négligeables. Souvent, il fallait que l'ingénieur et l'aide-géomètre mesurent et posent des jalons pour indiquer, plus concrètement que sur le plan, l'endroit exact du passage ; c'étaient alors, de nouveau, de longs et pénibles palabres.

Ainsi, depuis plus de six mois, il ne s'était pas écoulé de semaine sans que l'ingénieur vînt chercher Jean-Edouard pour tenter d'aplanir quelques points litigieux. Mais ces corvées touchaient à leur fin, la presque totalité des propriétaires avait maintenant signé et les deux ou trois irréductibles qui se faisaient encore tirer l'oreille finiraient, eux aussi, par céder.

Déjà, des équipes de spécialistes piquetaient le tracé. Si tout marchait bien, le chantier s'ouvrirait avant la fin de l'année.

Pierre-Edouard ficha son aiguillon en terre, se glissa entre les vaches, moites de transpiration, et détela sa charrue. La nuit venait, il était grand temps de descendre soigner les bêtes. Aujourd'hui encore, son père avait dû partir en maugréant pour essayer de vaincre la résistance du vieux Treilhard, qui refusait le passage sous prétexte qu'on lui coupait une source, ce qui était pure invention. Mais Pierre-Edouard savait bien que si, par malheur, son père avait essuyé un nouvel échec, le moindre retard ou la plus petite peccadille assombrirait son humeur. Or, malgré ses dix-huit ans, il redoutait toujours les scènes paternelles. Le temps des claques ou du ceinturon était révolu, mais les réflexions acerbes qui l'avaient remplacé n'étaient pas du goût du jeune homme.

Pour l'instant, il acceptait sans broncher les reproches, même injustes, mais il pressentait qu'un jour viendrait où il ferait front. Désormais aussi grand que son père, et presque aussi solide, il se retranchait encore dans la défense passive, et plus Jean-Edouard haussait le ton, plus il se taisait.

Louise, elle, n'hésitait pas à tenir tête ; mais tout ce qu'elle y gagnait c'était généralement une paire de claques. Quant à Berthe, elle était toujours aussi sournoise et s'entendait à merveille pour canaliser les remontrances paternelles, ou maternelles, en direction des aînés.

Il passa devant ses bêtes et s'engagea dans le chemin qui descendait vers le village. Malgré ses conseils, Louise était déjà partie depuis une demi-heure. Elle lui donnait des soucis. Il avait pour elle une immense tendresse et, depuis plusieurs mois, de sérieuses raisons de s'inquiéter à son sujet ; mais elle n'en faisait qu'à sa tête !

Louise repoussa sous son foulard la mèche brune et rebelle qui s'échappait toujours et lui tombait sous les yeux. Elle tapota sa robe pour en faire tomber quelques brins de foin, s'assura de la propreté de ses sabots, empoigna enfin le bidon de lait et sortit.

Elle remonta la grand-rue et traversa la place. Déjà, son cœur bondissait et sa bouche était sèche. Elle poussa la porte de l'auberge, entra. Il était là, comme tous les soirs depuis six mois.

— Alors, petite Louise, toujours à l'heure ? la taquina la patronne.

Elle acquiesça d'un sourire.

C'était chaque soir le même émerveillement. Elle entrait, tendait le lait et disposait au moins de deux minutes pour le voir. Elle l'observait dans le grand miroir qui ornait le coin de la pièce où se dressait le zinc. Elle le voyait entre une bouteille de gentiane et un flacon de vieille prune.

Il était toujours là, tournant lentement autour du billard, calculant ses coups, réfléchissant, hésitant, jouant enfin. Elle devinait au bruit des boules s'il avait, ou non, réussi son point.

Grand et svelte, bien habillé, il fumait un petit cigare qu'il portait à ses lèvres avec une délicatesse charmante ; elle pouvait alors admirer sa main, une main fine, blanche, aux longs doigts souples et aux ongles nets. Parfois aussi, surtout lorsqu'il réfléchissait à une combinaison, il lissait doucement de son index sa petite moustache blonde. Son visage était alors tendu par la méditation et le regard brun devenait plus précis, plus pénétrant sous les paupières plissées.

Un soir, ses yeux s'étaient portés vers la glace et avaient croisé les siens ; le souvenir de cette rencontre la faisait encore rosir d'émotion, chaque fois qu'elle y pensait.

Elle savait tout sur lui. Elle avait glané ses renseignements çà et là, avec une patience et une prudence d'araignée, et les protégeait comme un trésor. Aide-géomètre, il logeait à l'auberge depuis six mois. C'était lui qui, avec l'ingénieur, venait souvent chercher son père pour convaincre un opposant. Lui qui, maintenant, s'occupait du piquetage de la ligne.

Par son père, elle avait appris son nom, Octave Flaviens, et son âge, vingt-cinq ans. Par la patronne de l'auberge, elle connaissait son origine : une ville du Nord, Orléans. Par une des servantes, elle n'ignorait rien de ses goûts culinaires ; il n'aimait pas les poireaux, mais adorait les carottes à la crème ! Grâce à la deuxième servante, celle qui s'occupait des chambres, elle savait qu'il lisait *Le Petit Parisien* et aussi de gros livres ; qu'il recevait très peu de courrier et que, contrairement à bien d'autres, il n'avait jamais tenté de la caresser. L'eût-il fait que Louise lui aurait pardonné, et giflé la souillon !

Oui, elle savait tout sur lui. Elle vivait avec lui, respirait à son rythme, marchait à son pas, dormait avec lui. Mais elle ne lui avait jamais adressé la parole et n'était pas à la veille de le faire !

Il lui suffisait de venir chaque soir livrer le lait, d'ouvrir la porte et de le voir.

Jean-Edouard plongea la louche dans la soupière et fit signe pour qu'on lui tende les assiettes. Il les remplit puis regarda sa mère.

— Et le père ?

— C'est fait, il a dîné.

Le vieil Edouard déclinait de plus en plus et ne quittait que très rarement son lit. Parfois, pourtant, l'envie le prenait de s'asseoir au coin du feu ou encore, s'il faisait très beau, au soleil devant la porte. On le portait alors jusqu'au cantou ou jusqu'au banc et il restait là, marmonnant et soupirant en agitant faiblement ses grandes mains désormais inutiles, toutes déformées et bloquées par l'arthrite. Il ne se plaignait pas, il attendait.

— Est-ce que le père Treilhard a signé ? demanda Marguerite.

— Oui, mais quel vieux roublard ! Il voulait me faire croire qu'on lui couperait sa source ! Quelle blague, le filon arrive par l'autre côté ! N'empêche, si je n'avais pas été là, il aurait réussi à rouler l'ingénieur et son porte-piquet !

Louise frémit, elle détestait que son père parle ainsi d'Octave. Octave n'était pas un porte-piquet ; il était aide-géomètre, il était savant ! Mais son père avait toujours l'air de se moquer de lui. Sans doute le trouvait-il trop distingué, trop beau.

— S'il a cédé, c'est fini, la ligne peut passer ?

— Oui, les Deschamps et les Mouly ont signé eux aussi, c'étaient les derniers.

— Alors tu n'as plus besoin de t'en mêler ?

— Non.

— C'est égal, le maire te doit une fière chandelle ! Dans le fond, tu as fait son travail !

— Je préfère avoir fait celui-là et non celui qui va venir. Parce que maintenant, je leur souhaite bien du plaisir...

— Et qui va s'en occuper ?

Il eut un geste évasif et garda le silence. Il avait rempli sa mission et, s'il était satisfait de l'avoir menée à bien, il savait que beaucoup lui garderaient rancune. On lui reprocherait d'avoir trahi les paysans en se rangeant du côté de la compagnie. Certains ne voudraient jamais croire, non plus, que les quelques mètres carrés qu'il avait dû, lui aussi, céder, ne lui avaient pas été payés aux prix fort. Bien entendu, c'était faux ; il n'avait pas reçu plus que son dû. Mais cela n'empêchait pas les mauvaises langues d'insinuer qu'il avait encaissé une fortune !

Il connaissait toutes les calomnies qui couraient dans son dos. Désormais, pour avoir la paix, il devait prendre du recul, se faire un peu oublier et laisser les autres membres du conseil municipal se débrouiller avec leurs problèmes. Et ils n'allaient pas manquer !

Maintenant que les travaux pouvaient commencer, il

devenait urgent de s'occuper du logement et de la nourriture des dizaines et des dizaines d'ouvriers qui s'installeraient au bourg, on disait déjà qu'ils seraient plus d'une centaine! Il fallait prévoir des dortoirs, des cantines, des buvettes. Tout cela rapporterait beaucoup d'argent à la commune, mais aussi beaucoup d'ennuis pour ceux qui auraient la charge de cette organisation.

Déjà, avant même que rien ne soit décidé, Jean-Edouard savait qu'on accusait le maire de favoritisme. L'un des charpentiers de Saint-Libéral était son beau-frère et on chuchotait qu'il avait obtenu l'exclusivité des travaux. D'autres rumeurs assuraient que, si l'emplacement de la gare avait été choisi à coté de l'épicerie-buvette des Delmond, c'était parce que ces derniers étaient cousins avec Gaston, qui était membre du conseil municipal...

Tout cela n'était que fariboles, mais Jean-Edouard savait que beaucoup en feraient leur miel et que toutes ces méchantes sottises laisseraient des cicatrices. S'il voulait un jour succéder à Antoine Gigoux — plus le temps passait, plus il s'avérait que son fils, alléché lui aussi pour l'écharpe, était un jean-foutre — il devait s'effacer quelque temps, se consacrer uniquement à ses terres et au syndicat. Un jour viendrait, lorsque tout le monde bénéficierait du train, où on le remercierait de son rôle de médiateur; il serait celui qui avait permis le passage. En revanche, on pardonnerait beaucoup plus difficilement aux prétendus prévaricateurs; même les plus scrupuleux des administrateurs auraient grand mal à se défaire de cette étiquette infamante.

Il se tailla une large tranche du jambon, puis le repoussa au milieu de la table.

— Tu dis que tu auras fini demain soir? demanda-t-il à son fils.

— Sans doute.

— Bon, alors pendant que tu finiras, je sèmerai. La herse est là-haut?

— Oui.

— Toi, tu viendras avec moi, décida-t-il en regardant Louise. On prendra la Pig et la Banou, ça leur fera du bien.

Outre ses vieilles vaches de travail, la Rouge et la Ribande, il avait dressé une paire de jeunes bêtes. Elles étaient solides et très résistantes, mais encore un peu vives, trop nerveuses et peureuses pour labourer convenablement. La Pig, surtout, était capricieuse comme une chèvre, et il lui arrivait parfois de vouloir faire bande à part et d'oublier le joug. Forte comme un bœuf, elle faisait alors un écart d'un mètre ou deux en entraînant sa compagne. Elle n'était pas encore prête pour la charrue, qui exige une marche parfaitement régulière et droite. En revanche, une journée à tirer la herse la calmerait, l'habituerait à obéir à la voix et aux gestes.

— Il manque un fer à la Banou, prévint Pierre-Edouard.

— Miladiou ! Tu ne pouvais pas le dire plus tôt, non ?

— Je vous l'ai dit lorsqu'elle l'a perdu, la semaine dernière.

— Tu me l'as dit ! Tu me l'as dit ! lança Jean-Edouard... Oui, maintenant il se souvenait et était furieux d'avoir oublié. Et alors ? Pourquoi tu ne l'as pas menée à referrer ? Faut tout te dire. Ah ! si j'avais travaillé comme ça avec mon père !

Pierre-Edouard garda le silence. Il n'était pas dans son tort et le savait. Ce n'était pas à lui à prendre la décision d'amener la bête chez le maréchal-ferrant. Il avait fait son travail en prévenant son père, le reste n'était pas de son ressort.

— Bon, grogna Jean-Edouard, on ira la faire ferrer à la première heure. Mais, bon sang, c'est quand même malheureux, il faut que je m'occupe de tout, ici !

Jean-Edouard moucha la chandelle et se coula entre les draps raidis par le froid. Pour une mi-novembre, il faisait déjà une température qui laissait présager un hiver rigoureux. Il se glissa contre sa femme et apprécia sa tiédeur. Marguerite protesta un peu en sentant contre ses mollets les pieds glacés de son époux. Elle frissonna franchement lorsqu'il l'enlaça.

— Tu dors ?

— Non.

Ils étaient tenus de se chuchoter dans l'oreille pour éviter que les deux filles n'entendent leur conversation. La maison ne comportait que deux chambres, une salle commune et un grenier.

Quand Pierre-Edouard avait eu quatorze ans, il avait bien fallu lui installer un coin pour lui seul ; il n'était pas honnête de le laisser continuer à dormir dans la même chambre que ses sœurs et que ses parents. Il avait donc son lit dans la salle commune, les grands-parents occupaient la première chambre, Jean-Edouard, Marguerite et les deux filles la seconde ; un paravent séparait les lits mais il ne suffisait pas à arrêter les bruits.

88

Jean-Edouard n'arrivait pas à se réchauffer, aussi se plaqua-t-il davantage contre son épouse pelotonnée en chien de fusil.

— Tu sais, dit-il, je suis bien content d'en avoir fini avec toutes ces histoires de signatures. Tu m'écoutes ?

— Oui, oui.

— Maintenant, on n'a plus qu'à attendre et à se préparer...

— Oui... Dis, tu crois qu'il y aura autant de monde que tu le penses ?

— Peut-être même plus ! Crois-moi, ça va faire un débouché formidable, et durable ! Tu te rends compte, placés comme nous sommes, à mi-chemin entre La Rivière et Ayen, on va récupérer tous les ouvriers de la voie, et pour longtemps !

— Combien de temps ?

— L'ingénieur m'a dit qu'il fallait bien compter deux ans. D'après lui, la ligne doit être ouverte pour la fin 1909. Crois-moi, ça va apporter la prospérité à tous ceux qui ne seront pas feignants. Si on se débrouille bien, on va gagner des sous à la pelle, et honnêtement. Des sous que personne ne pourra nous reprocher. On dotera Louise bien comme il faut, et on lui trouvera un beau parti. Moi j'aimerais bien un gars comme Léonard Bouyssoux.

— Les Bouyssoux de la Brande ?

— Oui.

— Il est vieux...

— Mais non ! Il n'a pas trente ans. Et surtout il est fils unique, et la ferme de la Brande est fameuse... Enfin, on en reparlera.

— Moi, je l'aurais cru plus vieux...

— Et quand bien même ! J'avais bien vingt-huit ans et toi à peine dix-huit quand on s'est mariés, et alors, c'était pas bon ?

— Nous, c'était pas pareil. Et tu dis qu'il va falloir semer au moins vingt cartonnées de pommes de terre ?

— Oui, et aussi des haricots blancs, des fèves, des choux, et tu vas élever autant de poulets et de poules que tu pourras, et puis je vais acheter deux truies de plus...

— Et tu es sûr que tu pourras vendre tout ça aux hommes de la ligne ?

— Oui.

— Tu es sûr ? insista-t-elle.

C'était son secret, il n'en avait parlé à personne et ne

voulait toujours pas le dévoiler, même à sa femme. C'est en accompagnant un jour l'ingénieur à La Rivière-de-Mansac, qu'il avait fait la connaissance de l'intendant qui suivait la compagnie ; un homme à qui incombait la lourde tâche de nourrir chaque jour une cohorte de travailleurs affamés.

Il avait vite vu le parti qu'il pouvait tirer de cette rencontre. Un homme qui avait tant de ventres à rassasier devait être toujours à l'affût de denrées diverses. Jean-Edouard s'était jeté à l'eau.

— Et où achetez-vous tous vos produits, je veux dire les légumes, par exemple ?

— Où je les trouve, mon bon ami ! Et ce n'est pas toujours simple, croyez-moi, il faut galoper ! Une tonne de patates ici, cinq quintaux de haricots par là ! Si vous saviez le temps que ça me fait perdre ! Tenez, quand j'ai commencé à suivre les chantiers du chemin de fer, dans les années 90, j'ai débuté sur le tronçon de la grande ligne Uzerche-Brive. Eh bien, croyez-moi, il a fallu que je fasse venir mes pommes de terre de la Seine-et-Oise ! Oui, pas moyen de trouver ma vie chez vous, ou alors j'aurais passé toutes mes journées à faire la tournée des fermes !

Jean-Edouard écoutait, fasciné.

— Si vous voulez, je vous en fournirai, moi, des patates...

— Et pourquoi pas !

— Vous prendriez plusieurs tonnes ?

— Naturellement.

— Et des haricots ?

— Tout ce qui se mange et qui n'est pas trop cher...

— Mais alors, des choux aussi ?

— Bien entendu.

— Et de la viande ?

— Oui, en cochons et vaches de réforme.

Il n'en croyait pas ses oreilles, c'était la providence qui avait mis cet homme sur son chemin !

— C'est sérieux au moins ? avait-il insisté.

— Aussi sérieux que le train qui va passer chez vous.

— On tope là. Je cultive et vous m'achetez.

— Attention, je prends aux cours de gros...

— Bien entendu.

— Alors, topons là !

Il s'étaient touché la main ; ça valait une signature.

Depuis, il avait bien calculé son plan de culture. L'autre voulait des denrées ? Il en aurait !

— Réponds, insista Marguerite en se tournant vers lui, tu es sûr qu'on ne va pas cultiver tout ça pour rien ?

— Je sais ce que je fais !

Il posa sa large main sur la hanche de sa femme et l'attira.

— On ne pourra jamais sarcler tout ça, s'entêta-t-elle, et pour ramasser toutes ces patates, tu te rends compte un peu ?

— T'inquiète pas, dit-il en accentuant sa caresse.

# DEUXIÈME PARTIE

## LA FISSURE

# 7

L'OUVERTURE du chantier bouleversa l'existence du bourg et vit le triomphe des opposants. Mais la revanche que prirent l'abbé Feix et ses quelques sympathisants avait un goût de fiel ; à quoi leur servait d'avoir prédit toutes les calamités qui déferlaient sur Saint-Libéral, puisque, de toute façon, le mal était fait ? A quoi bon dire : « Je vous avais prévenus ! », puisque l'ennemi était dans la place !

Il y était entré sous la forme d'une bonne centaine d'ouvriers que la commune était chargée d'héberger. Et, bien que les dortoirs et les cantines aient été bâtis à la lisière du village, celui-ci était littéralement submergé chaque soir par une foule hétérogène, bruyante et bagarreuse, au sein de laquelle les hommes se retrouvaient par région ou par race : terrassiers italiens, poseurs de traverses et porteurs de rails bretons et auvergnats, chefs d'équipes parisiens ou lyonnais. A ces principaux groupes, s'ajoutait un certain nombre d'hommes embauchés dans le département ou la province ; mais aussi deux Polonais accompagnés d'une femme — ils logaient tous trois dans une espèce de roulotte de berger — et enfin un immense Sénégalais qui effrayait beaucoup les enfants.

Dès le travail fini, toute cette masse prenait possession des deux bistrots de Saint-Libéral, envahissait le café de l'auberge, faisait le siège des commerçants, se battait, s'enivrait, sifflait et interpellait les femmes et les jeunes filles et menait, fort avant dans la nuit, un vacarme épouvantable.

Le pire, c'étaient les samedis soir ; le village appartenait aux nouveaux venus, et même les jeunes gens de la région étaient presque interdits de séjour au bal de l'auberge.

Les époux Chanlat, bousculés, chahutés, dépassés par les événements et le culot des étrangers, se résignèrent à voir leur établissement transformé en bastringue. Quelques Parisiens, goguenards, firent comprendre sans détour aux joueurs de vielle et de cabrette que leurs ritournelles étaient aussi révolues que les chars à bœufs et qu'il était urgent de danser avec son temps. La bourrée céda la place à la java.

Mais, si les danseurs étaient légion, il n'en allait pas de même pour les cavalières. Pas question pour les jeunes filles du pays d'aller s'encanailler avec ces inconnus ; seules quelques femmes peu honnêtes et de réputation très douteuse — comme la mère Eugène, dont le lit n'avait plus le temps de refroidir ! — acceptaient de passer de bras en bras. A ces quatre ou cinq effrontées, s'ajoutaient les deux servantes de l'auberge et la Polonaise dont on avait vite fini par savoir qu'elle était la sœur des deux baragouineurs et la consolatrice de tous les célibataires. Cela faisait vraiment trop peu de femmes pour la centaine de gaillards cantonnés à Saint-Libéral ; et même si un certain nombre descendaient parfois en bordée jusqu'à Brive ou Terrasson, il en restait toujours beaucoup trop qui ne pouvaient pas danser. Aussi était-il exceptionnel que les bals s'achèvent sans empoignades.

Complètement désarmé, et surtout très vexé depuis que quatre Italiens, hilares, l'avaient expédié — tambour compris — au milieu du lavoir municipal, le garde champêtre prévint le maire qu'il ne sortirait plus de chez lui après six heures du soir. Le bourg s'habitua donc à la visite régulière de deux gendarmes de la brigade d'Ayen. Ils arrivaient au petit trot, se faisaient voir, paradaient un peu sur la place, laissaient souffler leurs montures, s'enquéraient de l'ambiance auprès d'Antoine Gigoux, puis regagnaient leurs pénates. Mais ils n'étaient jamais là les samedis soir, vers dix heures, lorsque les premiers coups commençaient à pleuvoir dans la grande salle de l'auberge et sur la place...

A ces perpétuelles chamailleries, à ces pugilats et à ces gueulements qui troublaient la vie de Saint-Libéral, s'ajoutait pour les habitants un deuxième fléau, et pas des moindres ! Les hommes du chantier n'étaient pas installés depuis huit jours que plus une seule poule n'était en sécurité hors des poulaillers solidement fermés et gardés par les chiens ! Aux premières disparitions, alors que, selon la coutume, toutes les volailles picoraient à loisir autour des bâtiments, les fermières accusèrent les renards. Elles comprirent vite que ces voleurs-là avaient bon dos et que, s'il s'agissait de goupils, ils n'avaient que deux pattes et parlaient italien...

Leur razzia creusa de gros trous dans toute la gent avicole de la région ; même les oies et les dindes disparurent sans laisser de traces. Merveilleusement organisée, la bande des Italiens — à laquelle se mêlait un bon pourcentage de Français — n'eut de cesse d'avoir tout nettoyé. Ces rapaces parvinrent même à anéantir toutes les pintades, animal pourtant très farouche, en les piégeant comme des perdrix, soit aux collets en tenderie, soit à l'hameçon vicieusement enrobé dans un morceau de pomme de terre cuite !

Ecœurés par une telle accumulation de fléaux, les gens de la commune s'efforcèrent, dans un premier temps, d'éviter tout contact avec les envahisseurs et beaucoup regrettèrent alors d'avoir opté pour le passage de la ligne.

Mais très vite, beaucoup comprirent aussi tout le bénéfice qu'ils pouvaient tirer de cette masse de consommateurs. Certes, les ouvriers avaient leurs cantines, mais ils ne dédaignaient pas, à l'occasion, améliorer leur ordinaire ; la traque aux volailles en était la preuve. Un accord tacite, mais unanime, entraîna soudain la hausse des cours. La douzaine d'œufs sauta à 1,40 franc, le litre de vin à 0,70 franc et la bouteille d'eau-de-vie de prune se monnaya jusqu'à 4 francs.

Pour combler un peu les pertes dues aux chapardages, les fermières proposèrent la paire de jeunes poulets à 6 francs et exigèrent le même prix pour un couple de canards. Ainsi, comme l'avait pensé Jean-Edouard, tout le monde profita du chantier ; mais il resta longtemps le seul à avoir su prévoir assez grand pour transformer le petit commerce en grande entreprise.

Depuis que le village était devenu chaque soir le domaine des ouvriers en goguette, il n'était plus question, pour Louise, d'aller livrer le lait à l'auberge. Celle-ci regorgeait désormais de buveurs dont les réflexions salaces, voire les propositions malhonnêtes, interdisaient à toute jeune fille sérieuse l'approche de l'établissement. Certes, elle était prête à tout braver et à tout entendre pour le seul bonheur de contempler un bref instant le bel Octave Flaviens, mais elle dut s'incliner devant la décision de sa mère lorsque celle-ci confia à Pierre-Edouard le soin de la remplacer.

Elle n'essaya même pas de plaider sa cause, certaine que la moindre insistance de sa part ferait germer les soupçons. Il lui était naturellement impossible de souffler mot à ses parents des sentiments que lui inspirait le jeune homme. Elle devait donc faire preuve de la plus extrême prudence, faute de quoi, elle le savait, l'affaire tournerait au drame. On n'était pas à la veille, chez les Vialhe, de tolérer qu'une gamine de dix-sept ans s'amourache d'un inconnu, étranger à la commune !

Bien entendu, Pierre-Edouard avait compris depuis longtemps le manège de sa sœur, mais il ne lui en avait jamais parlé ouvertement et seules quelques réflexions avaient fait comprendre à la jeune fille qu'il n'était pas dupe. Mais il se tairait et elle ne redoutait rien de sa part. En revanche, elle se méfiait de Berthe ; la petite avait l'œil à tout et l'esprit assez vif pour interpréter jusqu'au moindre soupir.

Curieusement, alors que Louise avait traîné longtemps dans l'adolescence, comme si son corps tâtonnait à la recherche de ses plus belles formes, Berthe était devenue femme en quelques mois et seuls ses traits juvéniles trahissaient ses quinze ans. Elle se faisait déjà siffler par les quelques malappris qui, même en plein jour, rôdaillaient dans la grand-rue.

Louise aussi avait droit à ces démonstrations, mais, au contraire de Berthe, elle n'en tirait aucun orgueil. Ce n'était pas pour les voyous qu'elle était belle, coquette et pimpante. Ceux-là pouvaient bien glousser sur son passage, ils n'existaient pas. Seul comptait Octave.

Elle l'aimait toujours d'un amour silencieux et patient. Un amour qui s'affirmait de jour en jour, se sublimait et avait fini par la convaincre qu'il était trop grand, trop beau, trop pur, pour ne pas être réciproque ! Elle n'envisageait pas que le jeune homme pût être indifférent à son égard ; non, s'il se taisait et restait réservé, c'était par prudence.

Persuadée qu'il souffrait autant qu'elle de cette séparation, elle fut terriblement affectée lorsqu'il lui fut impossible de le voir chaque soir. Elle vécut huit jours épouvantables, pendant lesquels elle réfléchit aux meilleurs moyens de rétablir les rencontres. Dans le même temps, elle entama une neuvaine à saint Eutrope, patron de la paroisse, pour qu'il lui vienne en aide.

Le saint l'entendit, du moins le crut-elle, lorsque la patronne de l'auberge fit savoir qu'elle préférait disposer du lait le matin plutôt que le soir. Louise y vit un signe du ciel, une sorte de miracle. Dieu favorisait son amour. En fait, accaparée chaque soir par les multiples buveurs, Mᵐᵉ Chanlat n'avait plus le temps de s'occuper du lait. Prise dans le tourbillon des verres à rincer, des chopines à servir, des rasades de gnole à verser, elle oublia deux soirs de suite de faire bouillir le lait ; il tourna et dut être donné aux chiens. Aussi voulut-elle l'avoir le matin. Au petit jour, l'auberge était calme ; seuls les clients qui couchaient dans l'établissement déjeunaient silencieusement dans leur coin.

Louise interrogea habilement la servante, sut à quelle heure Octave se restaurait et proposa à sa mère, le plus innocemment du monde, de décharger Pierre-Edouard de la corvée de livraison. Marguerite ne vit aucun inconvénient à la laisser reprendre son travail à cette heure-là.

Le cœur battant, toute rose et resplendissante de bonheur, Louise poussa la porte de l'auberge, entra et faillit lâcher le bidon. Il était là ! Non point cantonné au fond de la salle, dans le coin du billard, mais debout devant le zinc. Seul, absolument seul dans la grande pièce, il déjeunait d'un bol de café dans lequel il trempait une tartine beurrée large comme la main.

Ils se regardèrent intensément pendant quelques secondes et elle sut, avec certitude, qu'il avait plaisir à la revoir. Elle chercha quelque chose à dire, ne trouva rien et lui adressa un simple signe de tête.

Alors, il parla. Il le fit avec une telle aisance, un tel naturel, qu'elle sentit disparaître toute sa timidité. Ils conversèrent d'emblée comme s'ils s'étaient toujours connus, comme s'ils poursuivaient un dialogue noué depuis des mois.

— Alors, mademoiselle Louise, vous revenez enfin nous voir ? Savez-vous que votre visite de chaque soir me manquait beaucoup ?

— A moi aussi, mais...

— Oui, je sais, dès six heures cette auberge devient un vrai bouge et vous avez raison de l'éviter. Au fait, votre père va bien ?

— Très bien, merci.

Il hocha la tête, but une gorgée de café et jeta un coup d'œil en direction de la cuisine pour s'assurer qu'ils étaient toujours seuls.

— Dites-moi, reprit-il en baissant le ton, ne trouvez-vous pas que nous menons un drôle de jeu ? Se voir deux minutes par jour, c'est bien, mais n'aimeriez-vous pas que nous puissions nous rencontrer plus tranquillement ? Je suis sûr que nous avons beaucoup de choses à nous dire...

— Sûrement..., murmura-t-elle soudain effrayée par la rapidité avec laquelle évoluait cette première véritable entrevue.

Habituée au silence, à l'attente, elle se sentait prise de court, elle perdait pied. Même dans ses rêves les plus optimistes, elle n'avait jamais osé envisager vivre un jour une semblable aventure.

— Qu'est-ce qui vous effraie ? insista-t-il, vos parents ? Ils ne vous interdisent quand même pas de parler ?

— Ça dépend à qui... Et puis, ils ne voudront jamais que je vous rencontre, ça, je le sais.

— Eh bien, ils ne l'apprendront pas, voilà tout !

— Ecoutez, décida-t-elle soudain, tous les après-midi je garde les bêtes aux Combes-Nègres, voilà...

Il réfléchit, puis sourit. Depuis qu'il faisait les relevés pour la ligne, il connaissait la commune comme sa poche.

— Oui, je vois, c'est cette pâture en pente qui se trouve juste après le chemin qui descend au moulin ; elle est coupée par le ruisseau.

— C'est ça, souffla-t-elle. Attention, voilà la patronne...

— Tiens ! Il y a longtemps que tu es là, petite Louise ? interrogea M^{me} Chanlat en entrant dans la salle.

— Non, non, juste à l'instant, assura Louise sans sourciller.

Elle s'obligea à ne point regarder Octave et à feindre la plus totale indifférence. Désormais, elle le pressentait, ce serait à longueur de jour qu'il lui faudrait cacher son jeu, mentir, ruser, dissimuler. Elle savait aussi qu'elle n'en éprouverait aucun remords.

Pierre-Edouard se redressa, s'appuya sur sa houe et souffla. Il était moulu. Malgré cela, il avait quand même quinze bons mètres d'avance sur son père. Il retourna son outil, ficha le manche en terre, cala ses fesses contre la lame d'acier et roula une cigarette.

Depuis que son père et lui avaient attaqué le sarclage des pommes de terre, les premiers rangs, nettoyés trois jours plus tôt, avaient déjà changé d'allure ; les pieds étaient magnifiques, opulents, d'un vert profond. On les sentait pleins de vigueur, mais deux hectares à sarcler, c'était vraiment beaucoup !

Si encore il n'y avait eu que cela qui nécessitât un coup de collier ! Mais non ! Outre cette énorme surface consacrée aux pommes de terre, son père avait également repiqué un nombre incalculable de poireaux, de choux, de salades et d'oignons, semé d'immenses lignes de carottes, de fèves et de haricots blancs, emblavé quatre cartonnées en lentilles et autant en navets !

Presque toutes les terres du plateau étaient occupées par des cultures de cet ordre, ainsi que toutes les terres dites des Jardins, situées sur la pente du village. Seules la pièce Longue et la Grande Terre étaient consacrées aux céréales. Celles-là au moins ne demandaient pas de travail, pour l'instant... Mais les autres ! Il n'était pas près d'oublier ce printemps.

Ce dont il se souviendrait surtout, et toujours, c'était de ce samedi de mai qui l'avait inscrit au rang des hommes. Il était désormais bon pour le service, et il en était fier.

Cette promotion atténuait un peu le mauvais souvenir qu'il gardait de l'exhibition ridicule à laquelle il avait dû se livrer. Il se voyait encore dans la grande salle de la mairie d'Ayen, aussi impressionné et gauche que l'étaient Jacques Bessat, Edmond Vergne et ses autres camarades de la commune. Ils étaient tous encore plus intimidés que le jour où ils s'étaient présentés au certificat d'études.

— Bon, avait lancé Jacques Bessat en déboutonnant sa chemise, ils vont quand même pas nous les couper.

Mais le cœur n'y était pas et sa réflexion n'avait soulevé que de maigres ricanements parmi les dizaines de jeunes gens entassés là.

— Et alors ! Vous avez peur de prendre froid ! avait beuglé un gros sous-officier apoplectique.

— T'as vu sa gueule, on dirait mes fesses ! avait chuchoté un anonyme. S'il reste là, on ne le reconnaîtra bientôt plus au milieu de tous nos culs !

Alors, soudain galvanisés par la plaisanterie qui correspondait parfaitement à l'image qu'ils se faisaient tous de l'ambiance militaire, ils s'étaient dévêtus en chahutant. Mais tous, une fois nus, s'étaient néanmoins regardés d'un air faussement assuré, aucun n'osant vérifier ouvertement, et par comparaison, si, oui ou non, son sexe était d'une taille et d'une forme normales. Et ils ne savaient que faire de leurs mains.

Pesé, mesuré, examiné, interrogé, Pierre-Edouard avait défilé devant les autorités, présenté ses pieds — qui n'étaient point plats — ses dents — en bon état. Il avait assuré aussi, et prouvé, qu'il savait lire, écrire et compter et qu'il possédait son certificat d'études. Il avait noté que l'annonce de ce diplôme entraînait un hochement de tête satisfait du gradé qui prenait note.

Il s'était entendu déclarer bon pour le service, s'était rhabillé à la hâte et s'était enfin retrouvé dehors, où il avait été assailli par des vendeurs de cocardes, de rubans, de calots fantaisie et de drapeaux en papier. Déjà, Jacques Bessat et Edmond Vergne étaient affublés de colifichets divers et hurlaient une chanson paillarde dont ils ne connaissaient pas la moitié des paroles. Qu'importe, maintenant le cœur y était !

Puis ils s'étaient joints à un groupe de joyeux conscrits, ils s'étaient entassés dans une énorme patache louée pour la circonstance et s'étaient ébranlés en direction de Tulle ; des bouteilles, surgies on ne savait d'où, circulaient de bouche en bouche.

Ils avaient débarqué à la préfecture dans le courant de l'après-midi et, toujours braillant, ils avaient entrepris la tournée des bistrots. Plus tard, après bien des verres, ils étaient arrivés devant la porte du bordel et y étaient entrés comme en pays conquis ; on allait voir ce qu'on allait voir ! Mais, sur la douzaine qu'ils étaient, trois seulement avaient osé suivre ces dames, les autres assurant bien fort que, non, vraiment, elles étaient trop moches. Quant à Pierre-Edouard il avait dû sortir précipitamment pour prendre l'air, les quatre derniers cognacs avaient été de trop...

Encore plus tard, vers minuit, ils s'étaient rassemblés sur la place de la cathédrale, où ils avaient entonné un cantique, avant de partir en procession vers la Corrèze. Ils avaient jeté force cailloux dans la rivière, tenté en vain d'y précipiter un gros char à bancs ; puis le groupe s'était disloqué, émietté, et avait fondu dans la nuit.

Les conscrits de Saint-Libéral avaient alors repris la route du retour. Ils avaient devant eux trente-cinq kilomètres de marche avant d'atteindre leur lit. Pierre-Edouard était arrivé chez lui à l'heure où son père sortait pour s'occuper des bêtes.

— J' suis bon ! avait-il lancé.

Puis il avait titubé jusqu'au hangar, où il s'était écroulé dans la paille, et il avait dormi jusqu'au soir.

— Le boulot ne se fera pas tout seul ! jeta Jean-Edouard. C'est pas en restant le nez en l'air qu'on en viendra à bout !

— J'en fais ma part, il me semble ! rétorqua Pierre-Edouard.

Pour ne pas avoir l'air de céder trop vite, il alluma lentement sa cigarette puis, sortant son couteau, il gratta méticuleusement la lame de sa houe sur laquelle la terre rouge et grasse s'accumulait.

— T'as pas fini de bricoler, non ! l'invectiva son père à deux doigts d'exploser.

Depuis le début de l'année, Jean-Edouard était d'humeur sombre. D'abord, et bien qu'il les ait prévus, il supportait mal les reproches que beaucoup lui adressaient depuis l'ouverture du chantier. A entendre tous ces gueulards de la commune, on aurait pu croire qu'il était responsable de la tenue des ouvriers. Et puis, on le jalousait beaucoup ; on lui en voulait de n'avoir pas partagé son idée de cultiver en grand pour fournir les cantines de la compagnie.

Il est vrai qu'il avait bien gardé son secret, poussant l'astuce jusqu'à acheter une grosse partie de ses semences à un marchand d'Objat, et non au syndicat de Saint-Libéral, dont il était pourtant le principal gestionnaire. Il avait ainsi évité que les autres ne s'étonnent de le voir acquérir un tel tonnage de semences.

Ensuite, il avait tout semé et planté le plus discrètement possible, en évitant de parler de son travail avec ses voisins. Bien sûr, ils avaient fini par comprendre, lorsque les plants avaient levé, que Vialhe était sur un gros coup. Tous, alors, avaient vu l'énorme débouché qu'offrait le chantier ; mais il était trop tard, du moins pour cette année, pour qu'ils concurrencent sérieusement ses productions. Il s'attendait à être copié l'année suivante, mais là-dessus, il avait déjà son plan, et le seul fait d'y penser le faisait rire tout seul.

Mais ces quelques satisfactions ne suffisaient pas à le dérider. Ce qui le mettait de tellement méchante humeur, c'était d'avoir entrepris un travail si considérable qu'il redoutait de ne pouvoir le mener à bien. Son fils et lui étaient loin d'avoir fini de sarcler les deux hectares de pommes de terre et, déjà, toutes les autres cultures réclamaient les mêmes soins. S'ils ne les leur donnaient pas, les résultats seraient médiocres, voire désastreux, et la perte évidente. Et c'est alors que ceux du bourg ricaneraient.

Il essayait bien de mettre toute sa famille au sarclage, mais Marguerite, rivée à la maison par les soins à donner au père, ne pouvait s'absenter qu'en coup de vent. Restaient les deux filles ; elles venaient en rechignant, préférant passer leur temps à garder les bêtes. De toute façon, elles n'avaient pas un fort rendement et se plaignaient toujours, surtout la dernière qui s'arrangeait bien souvent pour rester à la maison, soi-disant pour tenir compagnie à sa grand-mère, laquelle, il est vrai, déclinait.

Depuis qu'il avait cédé son cabinet, le docteur Fraysse pouvait enfin se livrer à des passe-temps dont quarante-cinq ans de vie professionnelle l'avaient frustré. Certes, les jours de foire, lorsque la clientèle affluait, il lui arrivait encore de venir en aide à son jeune confrère. Parfois aussi, ce dernier l'appelait pour un accouchement difficile, ou encore pour soigner quelques vieillards têtus qui refusaient obstinément les soins du nouveau praticien et menaçaient de se laisser dépérir tant qu'on aurait pas été quérir le vrai médecin. Mais mis à part ces quelques cas, qui lui permettaient d'exercer un travail qu'il aimait toujours, il était libre de son temps et en usait au mieux.

Il s'était découvert sur le tard une véritable vocation pour le jardinage et, du lopin négligé qui s'étendait devant chez lui, il avait fait un jardin qui forçait l'admiration. Non content d'y faire venir des légumes à foison, il joignait l'agréable à l'utile en intercalant des fleurs entre les plates-bandes de carottes, de choux ou de poireaux. Ses glaïeuls, ses zinnias, ses lupins et ses hortensias bleus étaient les plus beaux du bourg. Quant à ses rosiers, ils avaient contribué à une sorte de réconciliation prudente, mais non dénuée d'amitié, avec l'abbé Feix. C'était le vieux curé qui lui avait enseigné l'art de la taille et de la greffe en écusson.

Il pouvait également se livrer à la pêche, sa grande passion. Désormais, canne à lancer en main, il était libre de passer une journée entière à remonter le Diamond, en expédiant adroitement sa mouche au pied des gros aulnes, dans les racines desquels se cachaient les truites. Fin pêcheur, il connaissait à merveille les mœurs des salmonidés et n'aurait laissé à personne le soin de fabriquer toutes les espèces de mouches artificielles dont il usait en fonction du temps, de la température, de la saison. C'était pour lui une grande joie que de fignoler un lot de mouches — sèches ou humides.

Féru de botanique, sa retraite lui avait en outre permis d'entreprendre la confection d'un herbier dont il rêvait depuis sa jeunesse. A la cueillette des multiples espèces dont regorgeait la région, et qu'il classait avec le plus grand soin, il ajoutait, par une sorte de déformation professionnelle qui amusait beaucoup son jeune remplaçant, le ramassage des plantes médicinales. Celles-ci, bien séchées et pesées au gramme près, faisaient le bonheur de quelques vieux clients qui préféraient les infusions de coquelicots, de genièvre ou d'achillée mille-feuille aux potions prescrites par le docteur Delpy.

Enfin, à toutes ces distractions, dont il savourait chaque seconde, il ajoutait celle de la partie de billard qu'il allait disputer tous les soirs à l'auberge avec Antoine Gigoux. Il n'était pas de ceux qu'effarouchait l'envahissement de l'établissement par les hommes de la compagnie. Il prenait même un certain plaisir, teinté de nostalgie, à se retremper un peu dans cette atmosphère de chahut, de gauloiseries et de gros rires qui lui rappelait certains soirs mémorables de sa vie d'étudiant.

De plus, cette visite journalière lui permettait de se tenir au courant de tout ce qui se passait dans la commune, de l'avancement des travaux, de la santé de quelques vieilles connaissances, des mariages et des naissances.

Souvent, aussi, entre deux gorgées de gentiane, le maire et lui évoquaient le temps passé, les amis disparus, les absents. L'instituteur revenait souvent dans la conversation. Il avait pris sa retraite depuis bientôt un an et rejoint Ussel, son pays natal. Son départ avait peiné tout le monde et privé les deux joueurs d'un aimable partenaire.

Un jeune couple, tout frais émoulu de l'Ecole normale, occupait désormais l'école et appliquait des méthodes pédagogiques modernes d'où était exclue toute la paternelle bonhomie qui avait fait la réputation des anciens instituteurs.

Naguère, lorsque M. Lanzac et son épouse entendaient les enfants discuter patois entre eux, ils se contentaient de les interpeller pour les inviter à user du français. Et lorsqu'un élève, à court de vocabulaire, parlait du *riu*, du *sochier* ou de la *jouc*, ils le reprenaient gentiment : « Dis plutôt le ruisseau, le sabotier, le fenil, comme ça tout le monde te comprendra, même les gens du Nord ! »

A présent, il n'était plus question que les élèves se laissent aller à de tels écarts de langage ; les nouveaux maîtres feignaient de ne pas comprendre le patois et le combattaient sur tous les fronts.

Le maire se réjouissait du dynamisme des jeunes enseignants et appréciait également beaucoup leur militantisme politique. L'opinion du docteur était plus réservée.

— Ils sont trop fanatiques pour moi. Surtout lui ; il impose trop sa couleur..

— Ils ne sont pas fanatiques, ils sont socialistes !

— Et alors ? Moi aussi !

— Oh ! vous...

— Parfaitement ! Mais, moi, je n'ai jamais confondu mon métier avec la politique ! J'ai soigné tout le monde même des royalistes, des boulangistes et des anarchistes ! Et même des bonnes sœurs ! Et je n'ai jamais essayé de les faire changer d'opinion. Tandis que vos deux jeunes, ils mettent de la politique jusque dans l'arithmétique !

— Qui vous a dit ça ?

— Allons donc, secret de polichinelle, tout le monde en parle ! Non, croyez-moi, si vous les laissez faire, ils deviendront encore plus tyrans que les curés, et ce n'est pas peu dire ! Vous me connaissez, j'ai applaudi lorsque nous avons mis bas le despotisme du clergé, j'espère ne pas avoir un jour à me battre contre celui de certains laïcs... Allez, à vous de jouer, et si vous marquez ce point, je paie la tournée. Mais je suis bien tranquille...

Cet après-midi de mai était d'une douceur qui inclinait à la flânerie. Marchant sans hâte, mais l'œil à l'affût de la plante rare, le docteur Fraysse s'engagea dans le chemin qui descendait au moulin.

C'est par hasard, et parce que son regard fut attiré par un magnifique pied d'ellébore fétide qui croissait à l'ombre de la haie, qu'il aperçut Louise et Octave à trente pas de lui.

Assis de l'autre côté du pré, au pied d'un châtaignier, indifférents aux bêtes qui paissaient non loin d'eux, les jeunes gens devaient se parler à voix basse car le docteur n'entendait rien. Il nota simplement qu'ils se tenaient gentiment pas la main, sourit et s'éloigna sans bruit.

Ce ne fut que plus tard, lorsqu'il se remémora sa rencontre, que sa quiétude fut troublée. Il connaissait bien Jean-Edouard et l'estimait, mais il savait aussi quelle serait sa réaction s'il apprenait que Louise se laissait compter fleurette par le jeune aide-géomètre.

En bon père de famille, Jean-Edouard tenait ses filles d'une poigne ferme et veillait à ce que nul galant ne vînt traînailler autour de la maison. D'ailleurs, vu sa notoriété et le rang que lui conférait ses terres et son cheptel, tout le monde savait bien que ni Louise ni Berthe ne seraient les épouses des premiers venus. Elles feraient de beaux mariages et il était à peu près certain que, du moins pour l'aînée, son père avait déjà quelque projet en tête. Nul doute qu'Octave Flaviens ne figurait pas sur la liste des gendres éventuels ! Sa situation, honorable sans plus, mais surtout le fait qu'il était étranger au pays — et citadin de surcroît — lui fermait à jamais les portes de la maison Vialhe.

Le docteur savait tout cela ; il aimait bien Louise, qu'il avait fait naître, et le jeune Flaviens lui était sympathique. Il jouait souvent au billard avec lui et s'il le trouvait un peu pâlot, un peu frêle, il le jugeait honnête, travailleur et bien élevé. Aussi s'inquiéta-t-il pour l'avenir des deux jeunes.

Son inquiétude s'accrut au fil des jours car, plusieurs fois et sans jamais l'avoir cherché, il revit les deux amoureux, assis au même endroit et toujours aussi réservés. Et ce fut bien cette attitude pudique qui lui fit comprendre que les sentiments de Louise et d'Octave dépassaient de très loin la simple amourette. En effet, si Octave n'avait été qu'un banal suborneur, ou bien il serait déjà arrivé à ses fins et aurait conquis la place convoitée, ou bien Louise l'aurait depuis longtemps éconduit.

Le docteur réfléchit, hésita, pesa le pour et le contre, puis se décida et se posta un jour sur le chemin qu'empruntait Louise pour conduire ses bêtes au pacage. Comme il l'avait prévu, la jeune fille arriva bientôt derrière son troupeau, poussant vaches et brebis lorsqu'elles broutaient trop longtemps au bord du chemin.

107

— Bonjour, docteur! lança-t-elle, dès qu'elle l'aperçut.

— Bonjour, petite Louise. Dis-moi, tu es de plus en plus belle. Te voilà quasiment femme, hein?

Elle rougit, sourit et voulut poursuivre sa route.

— Attends, insista-t-il, laisse tes bêtes, elles ne font pas de dégâts. Vois-tu, ça me gêne beaucoup, mais il faut que je te parle, et ne prends pas en mal ce que je vais te dire. Ecoute, Octave est un brave garçon et, toi, une brave fille; moi, je trouve très gentil que vous vous rencontriez. Ne dis pas le contraire, je vous ai vus ensemble...

— On ne fait pas de mal! se défendit-elle avec violence.

— Je sais, d'ailleurs le problème n'est pas là. Ce que tu dois comprendre, c'est que, moi, je vous ai vus. Bien sûr, je n'ai rien dit à personne. Mais suppose que quelqu'un d'autre vous découvre et raconte tout à ton père? Il verra rouge, toi tu perdras ta réputation et ton Octave n'aura plus qu'à partir en courant, bien heureux encore si ton père ne l'étrille pas! Vous avez pensé à tout ça?

— On ne fait pas de mal, répéta-t-elle, et ce n'est pas bien à vous de nous espionner!

— Mais, nom de Dieu, bougre de bourrique, je me fous de ce que vous faites! Qu'est-ce que tu crois, petite bécasse! Si je te parle, c'est pour t'éviter des ennuis. Songe un peu aux histoires que ça va faire si on l'apprend au bourg!

— On veut se marier! dit-elle rageusement.

— Tu en as parlé à ton père?

— Non.

— Pourquoi?

— Il n'aime pas Octave, et puis... Et puis, il a d'autres projets pour moi, avoua-t-elle au bord des larmes.

— Il te l'a dit?

— Pas lui, ma mère.

— Qui?

— Léonard Bouyssoux.

— Ah oui, celui de la Brande...

Il connaissait le jeune homme en question, et se garda bien d'ajouter qu'il le tenait pour un fieffé crétin. Quels que soient les projets de Louise, Léonard Bouyssoux avait toutes les chances d'être celui qui la mettrait au lit. A côté de lui, Octave ne comptait pas, du moins aux yeux de Jean-Edouard. Avant deux ans sans doute, elle serait la femme de Bouyssoux. Inutile donc de lui dire ce qu'il pensait de son futur mari...

— Et toi, naturellement, tu n'en veux pas ?

— J'épouserai Octave, et pas un autre !

— Ça, c'est pas mon affaire. Tout ce que je veux que tu comprennes, c'est qu'il faut être plus prudente. Ne cassez pas tout en vous faisant surprendre par un bavard, un médisant ou un jaloux. Voilà ce que je voulais te dire, le reste ne me regarde pas.

Il s'éloigna et coupa à travers les pacages pour rejoindre le village. C'est alors qu'il aperçut Octave qui se dissimulait gauchement derrière un tas de bois. Il faillit aller lui parler, puis haussa les épaules et poursuivit son chemin.

# 8

LÉONIE Malcroix, la bonne du jeune docteur Delpy, ne résista pas au plaisir de confirmer la nouvelle. L'information courait déjà depuis quelque temps mais nul, jusqu'à ce jour, n'avait pu en garantir l'authenticité.

Aussi Léonie fut-elle très fière de mobiliser l'attention de la quinzaine de femmes qui travaillaient autour du lavoir lorsqu'elle vint, à son tour, tremper son linge dans l'eau fraîche du grand réservoir de pierre.

— Cette fois, ça y est ! annonça-t-elle en dénouant le drap dans lequel elle avait serré les mouchoirs, chemises et caleçons de son patron. Oui, poursuivit-elle en ceignant son tablier de toile cirée, il est parti la chercher à Brive, il reviendra ce soir avec...

— Pauvre de nous, commenta sa voisine, il ne nous manquait plus que ça !

— C'est pas le docteur Fraysse qui aurait eu une idée pareille ! renchérit une autre commère. Et toutes les ménagères approuvèrent.

Nul ne contestait les capacités professionnelles du jeune docteur ni sa gentillesse, mais beaucoup se défiaient des idées modernistes qu'il professait et appliquait avec ses malades.

Une de ses dernières trouvailles était d'expédier certains d'entre eux chez un de ses confrères de Brive, possesseur d'une mystérieuse et inquiétante machine. On faisait, paraît-il, entrer le patient dans une espèce de boîte — moitié métallique, moitié vitrée — qui occupait la quasi-totalité d'un cabinet obscur ; l'engin s'éclairait soudain d'une lumière crue et mauvaise pour les yeux, mais qui permettait, disait-on, de

110

voir de quel mal souffrait le patient. Un des intérêts de cette mécanique résidait dans le fait qu'elle n'était absolument pas douloureuse. Quant à son utilité, le docteur Delpy la disait immense. Il assurait même qu'elle lui avait déjà permis de sauver plusieurs personnes et de réduire les fractures les plus graves. Il n'empêchait que le vieux docteur Fraysse n'avait jamais eu besoin, lui, de cette espèce d'armoire pour soigner les gens, et à moindre prix !

Une autre idée du docteur Delpy était qu'il ne fallait pas laisser les enfants séjourner trop longtemps dans les étables, qu'ils ne devaient pas non plus sortir le fumier, ni jouer avec les animaux, ni boire du lait non bouilli. A l'entendre, c'était par les chèvres que les enfants attrapaient les fièvres, par les vaches qu'ils prenaient le mal de poitrine, par les chiens qu'ils avaient des vers !

Tout cela, c'était facile à dire, mais qui donc allait garder les troupeaux si l'on se mettait à écouter de pareilles sornettes ? Le travail des enfants était de conduire les bêtes aux pacages, de les surveiller, de faire la litière, exactement comme l'avaient fait jadis leurs parents, qui n'en étaient pas morts pour autant

Le docteur Delpy avait bien d'autres lubies de ce genre ; ainsi assurait-il que l'eau-de-vie qu'on donnait à boire aux gosses lorsqu'ils avaient une crise de vers risquait d'empoisonner les enfants, voire de les tuer ! Comme si un demi-verre de gnôle mélangé à une bonne cuillerée de suie fraîche, pris le premier jour de la nouvelle lune, pouvait faire du mal à quiconque !

Une bonne eau-de-vie de prune était certainement moins dangereuse que la dernière originalité du docteur, à savoir l'acquisition d'une automobile, laquelle, si l'on en croyait Léonie Malcroix, ferait le soir même son entrée à Saint-Libéral.

Un véhicule à moteur avait déjà traversé le village. Son arrivée avait créé un début de panique, à la grande satisfaction, semblait-il, du fou qui le pilotait, un des ingénieurs de la compagnie. Le monstrueux engin, dans lequel se serraient quatre individus, avait remonté la grand-rue et aucun témoin n'était près d'oublier son bruit infernal, le nuage de poussière qu'il soulevait, la pagaille et la frayeur que son passage avait engendré, tant chez les hommes que chez les animaux.

Par chance, le monstre n'avait fait que passer en coup de

vent. On l'avait vu prendre la route d'Ayen à une vitesse qui défiait l'imagination, puis disparaître aussi vite qu'il avait surgi. Depuis, on ne l'avait pas revu, et aucune personne sensée ne souhaitait son retour.

Seuls quelques jeunes inconscients se réjouissaient donc de l'achat du docteur et ils se promettaient bien, sinon de prendre place dans le véhicule, du moins de le toucher, de le regarder, de l'admirer. Pierre-Edouard faisait partie de ces écervelés qui applaudissaient et se disaient fiers d'appartenir à une commune qui allait posséder une automobile.

Cependant, partisans ou adversaires, presque tous les habitants du bourg se retrouvèrent ce soir-là groupés sur la grand-place dès qu'un gamin, expédié en éclaireur, arriva en courant et prévint qu'il avait entendu la machine alors qu'elle attaquait la dernière côte. Instinctivement, tous les badauds s'éloignèrent de la route, dégagèrent ses abords immédiats, se tassèrent contre les maisons ou autour des arbres ; quelques prudents grimpèrent même sur le perron de la mairie, d'autres s'abritèrent sous le porche de l'église.

Et soudain, le bruit fut là. Tous les regards se portèrent vers le tournant d'où allait surgir l'engin. Ce fut d'abord un chien, affolé et gémissant, lancé dans une course folle et zigzagante, qui déboucha sur la place ; il s'arrêta un bref instant puis, dos rond et queue entre les pattes, s'engouffra dans une ruelle. Alors parut l'automobile.

Magnifique avec sa carrosserie rouge aux liserés d'argent, son long mufle cuivré, ses énormes lanternes et ses coussins de velours doré, elle ronfla d'un ultime et caverneux mugissement qui parut la propulser jusqu'au centre de la place où elle stoppa, toute puante et fumante, mais silencieuse.

Le docteur Delpy enleva ses lunettes, repoussa sa casquette à oreillettes sur la nuque, déboutonna sa lourde pelisse et sauta à terre. On s'étonna de le voir si fringant, si alerte, nullement commotionné par son expérience. Il sortit son oignon, fit un rapide calcul puis sourit.

— Cinquante-deux minutes pour venir de Brive, qui dit mieux ? Et encore, j'ai perdu beaucoup de temps à cause du chantier ! lança-t-il à la cantonade.

Il ajouta quelques mots qui se perdirent dans le brouhaha. Déjà, les plus enthousiastes l'encerclaient, l'interrogeaient, s'extasiaient, faisaient taire les grincheux ou les arriérés qui battirent en retraite en maugréant et en prophétisant les pires calamités.

Triomphant, le docteur Delpy répondit de bonne grâce aux multiples questions, donna tous les détails techniques et fit valoir les performances exceptionnelles de sa Renault. Il convia même le maire et le docteur Fraysse à prendre place, et leur fit effectuer un tour d'honneur. On s'extasia de la maniabilité de l'engin, de sa nervosité, de la sûreté de ses freins.

A tous les curieux du village qui s'éclipsèrent un à un, appelés par leurs travaux divers, succédèrent en fin de soirée les ouvriers de la compagnie. Ils jetèrent un coup d'œil blasé au véhicule. Pour eux, une automobile n'était pas une bête rare, ils en avaient vu d'autres, et de plus belles ! L'un d'eux poussa même l'irrespect jusqu'à presser la grosse poire de l'avertisseur qui éructa un lamentable appel.

— Il est temps que je la range, ces lascars ont un tel culot qu'ils seraient bien capables de me la mettre en marche ! constata le docteur Delpy en vidant son verre d'apéritif.

Il salua le maire et le docteur Fraysse attablés avec lui à la terrasse de l'auberge, lança le moteur d'une poigne ferme et démarra.

— C'est quand même fantastique, le progrès, commenta Antoine Gigoux. Vous vous rendez compte, Saint-Libéral a sa voiture. Qui aurait cru ça, il y a dix ans !

— Il faudra vous y habituer, car il y en aura bientôt une autre, pronostiqua le docteur Fraysse.

— Vous allez en acheter une ?

— Vous plaisantez ? A mon âge ! Et d'ailleurs, à quoi me servirait-elle ? Non, mais je vous parie l'apéritif que notre châtelain ne voudra pas rester à la traîne. Attendez qu'il revienne de vacances et vous verrez...

Et en effet, un mois et demi plus tard, Jean Duroux entra un soir au bourg au volant d'une Panhard et Levassor étincelante de chromes. Mais seuls quelques gamins se précipitèrent pour l'admirer. Les adultes ne bronchèrent pas, ils avaient l'habitude.

Pendant tout l'été, qui fut merveilleusement propice aux cultures, les Vialhe travaillèrent d'arrache-pied pour entretenir au mieux toutes leurs productions. Déjà, les premières ventes de légumes venaient récompenser leur acharnement.

Jean-Edouard et son fils soutenaient depuis plusieurs mois une cadence infernale. Pris entre les fenaisons, les moissons, la cueillette des prunes et leur livraison à Objat, le sarclage et le ramassage des divers produits, les deux hommes ne vivaient plus que pour le travail. Dormant à peine quelques heures par nuit, ne s'accordant qu'exceptionnellement un quart d'heure de sieste, violant même le repos du dimanche — au grand scandale de l'abbé Feix — ils n'eurent de cesse d'avoir tout fait pour que chaque mètre carré de culture rende son maximum.

Ereintés, hébétés, il leur arrivait de passer des jours entiers sans se dire un mot, et les seules paroles qu'ils adressaient aux femmes, lorsqu'elles venaient les aider, étaient pour leur demander à boire ou à manger, ou pour leur indiquer la tâche urgente à accomplir.

Enfin septembre arriva et avec lui l'heure des récoltes. Ils purent alors ralentir leur rythme et souffler un peu. Certes, l'arrachage des pommes de terre demandait encore des jours et des jours de labeur, mais ils se sentaient encouragés et soutenus par la certitude que plus rien désormais ne menaçait les récoltes, que l'argent était là, sous les fanes flétries des pommes de terre, dans les cosses sèches des haricots, dans les multiples rangées de légumes.

Jusque-là, ils avaient pu tout craindre, tout redouter, la sécheresse et la grêle, l'excédent de pluie, les maladies, l'envahissement par les parasites, toutes ces catastrophes naturelles contre lesquelles ils ne pouvaient rien.

Maintenant, et puisque le ciel les avait épargnés, puisqu'il ne restait plus qu'à se baisser pour ramasser le salaire de leur sueur, ils pouvaient enfin s'octroyer quelques moments de répit, retrouver une vie plus humaine, un emploi du temps plus posé. Ils pouvaient également reprendre contact avec la vie du village et participer à nouveau aux conversations avec les voisins.

A la jalousie qu'avait suscitée chez beaucoup l'idée de Jean-Edouard, avait succédé un sentiment d'admiration et d'estime devant la somme de travail considérable fournie par les Vialhe. Quelques voisins étaient même venus parfois les aider dans le courant de l'été ; comme ça, spontanément, une heure ou deux, juste pour faire comprendre qu'ils étaient heureux et fiers d'être en bon terme avec le plus vaillant et le plus astucieux agriculteur de la commune ; avec celui qui, le premier, avait compris que le chemin de fer pouvait apporter la fortune.

Quelques-uns avaient même profité de l'occasion pour tenter de déceler ses projets; ils en avaient été pour leurs frais. Jean-Edouard avait sûrement une idée, mais il ne la dévoilerait pas. Il était pourtant bien évident que, dès la prochaine campagne, beaucoup d'agriculteurs se lanceraient à leur tour dans la culture des légumes et tenteraient, eux aussi, d'écouler leurs produits aux cantines de la compagnie. Mais tous savaient bien que s'ils étaient trop nombreux à pratiquer ce système, il y aurait mévente. Alors, que proposer qui échappât à la surproduction?

— Miladiou! Tu peux bien me le dire, quoi, insista Jeantout, un soir qu'il était venu sarcler avec Jean-Edouard.

— Si je te le dis, ça fout tout en l'air!

— Mais moi, je ne dirai rien! D'ailleurs, c'est pas moi qui vais te concurrencer, j'ai pas assez de terre, tu sais bien!

— J'empêche personne d'avoir des idées et de faire la même chose que moi...

— Tu veux me faire croire que tu recommenceras les même cultures? Dis, tu me prends pour un couillon? L'année prochaine, Pierre-Edouard sera au régiment; c'est pas tout seul que tu pourras cultiver autant!

— On verra...

— C'est ça, et quand on verra, il sera trop tard pour t'imiter et te gêner!

— Possible...

— Tu es quand même un franc salaud! ponctua Jeantout.

Mais son ton était trop admiratif pour que sa phrase soit insultante.

Jean-Edouard était tellement fatigué par les derniers mois de travail, tellement las, qu'il fut lui-même surpris de sa réaction lorsque trois ou quatre réflexions entendues à l'auberge lui apprirent les fréquentations de sa fille avec Octave Flaviens.

Une grande partie du bourg était déjà au courant. On avait vu les deux jeunes se faire les yeux doux dans tous les coins de la commune renommés pour leur prétendue discrétion. Leur dernier nid était une des grottes qui s'ouvraient dans la tranchée des mines, celle sans doute où il s'était jadis abrité de l'orage avec Gaston et Jeantout, ce boyau aux trois quarts effondré où se réfugiaient les amoureux qui avaient tous la naïveté de croire que cet asile était connu d'eux seuls. « Mais, comme disait Gaston, si je pouvais trouver autant de napoléons qu'il s'est perdu de pucelages dans ce trou, je serais un vrai Rockefeller ! »

Contrairement à l'attente générale, Jean-Edouard n'explosa pas en une de ses habituelles colères, mais sa fureur rentrée n'en fut pas moins terrible. Il revint chez lui, vaqua sans mot dire à ses occupations et attendit l'heure du dîner.

Quand toute la famille fut attablée, il servit la soupe comme à l'accoutumée et commença à manger. C'est après avoir fait chabrol, bu la dernière goutte de son bouillon mêlé de vin et essuyé sa moustache d'un revers de bras, que son énorme main s'abattit sur l'épaule de Louise et l'immobilisa, tandis que l'autre, large ouverte, toute luisante et bourrelée de cals, s'écrasa sur sa joue.

— Ça, c'est pour t'apprendre à courir ! Et celle-là, ajouta-t-il en frappant de nouveau, c'est pour te rappeler que chez nous on n'aime pas les coureuses ! Et maintenant, va préparer tes affaires. Dès demain, je t'emmène à Tulle, chez les cousins. Ils te feront travailler, ça t'occupera ! Tu reviendras lorsque j'aurai fait déguerpir ce petit merdeux de portepiquet, et crois-moi, ça ne va pas être long...

Louise bondit hors de la pièce et se réfugia dans la chambre. La porte claqua dans son dos et ils entendirent le bruit de la serrure hâtivement verrouillée.

— Qu'est-ce qui se passe ? balbutia Marguerite surprise par la rapidité des événements et décontenancée par le calme glacial de son époux.

— Il se passe que tu surveilles mal ta fille et qu'elle court depuis plusieurs mois avec ce petit crevard de géomètre !

— Et tu crois que..., murmura Marguerite, complètement effondrée.

— J'en sais rien pour le moment, mais je serai renseigné dès ce soir.

— Et si par malheur elle était...

— On avisera.

— Non, tenta de se rassurer Marguerite, je crois qu'il n'y a pas encore de mal... Je m'en serais quand même rendu compte, je ne suis pas bête à ce point...

— Qu'est-ce qu'elle a fait ? demanda la vieille Léonie. Elle était devenue complètement sourde et ne comprenait rien à la scène.

Jean-Edouard négligea de lui répondre et regarda sa deuxième fille.

— Qu'est-ce qui te fait rire ?

— Je le savais moi ! crâna Berthe.

Elle n'eut pas le temps d'esquiver la formidable claque qui la projeta contre son frère.

— C'est pour t'apprendre à être complice, grogna-t-il. Et aussi pour que tu saches ce qui t'attend si par hasard tu imites un jour ta sœur ! Et toi aussi, tu le savais ? lança-t-il à son fils.

— Si vous croyez que j'ai eu le temps de m'occuper de ça..., répondit Pierre-Edouard sans baisser les yeux.

— Je te demande si tu le savais !

— Oui, et alors ?

Pour la première fois de sa vie Pierre-Edouard tenait ouvertement tête à son père. Jean-Edouard fut un instant désarmé, puis il se ressaisit et serra violemment les poings.

— Nom de Dieu ! Alors, tu t'en fous qu'elle nous déshonore avec cet avorton ! Tu t'en fous que tout le monde ricane de nous ! Mais réponds, miladiou !

— Personne ne ricane devant moi, assura Pierre-Edouard avec calme, et je ne vois pas où serait le déshonneur si Louise épousait Octave...

Jean-Edouard resta coi, stupéfait par la tranquillité avec laquelle son fils venait d'énoncer une hypothèse tellement stupide et invraisemblable qu'elle le laissait sans voix.

— Mais... Mais tu déparles ! marmonna-t-il enfin. Il n'en est même pas question, tu es devenu fou ou quoi !

Il se versa un verre de vin qu'il vida d'un trait, puis repoussa son assiette et se leva.

— Bon Dieu ! Attends que j'aille lui dire deux mots à ce petit salaud, gronda-t-il en marchant vers la porte. L'épouser ! Mais tu es malade, ma parole !

Il sortit dans la nuit.

Jean-Edouard se faufila parmi les buveurs, parvint à se faire une place devant le zinc et commanda une vieille prune. L'auberge était comble, pleine d'ouvriers bruyants et rigolards agglutinés autour des tables où les joueurs abattaient les cartes.

Dans le coin du billard, Octave Flaviens et le docteur

Fraysse, étrangers au brouhaha, disputaient calmement une partie.

Jean-Edouard se pencha vers la servante.

— Va dire au docteur que je voudrais le voir et que je l'attends dehors.

Il paya sa consommation, vida son verre cul sec et sortit.

Toute cette affluence le désorientait et réduisait à néant le plan qu'il s'était tracé. Dans son projet, il entrait dans l'auberge presque déserte, attrapait le gamin par l'oreille, le sortait d'un coup de pied aux fesses et lui donnait dix minutes pour faire sa valise ; le tout ponctué de quelques grands coups de gueule, voire d'une baffe ou deux, et l'affaire était réglée !

Mais la trentaine de buveurs attroupés dans la salle remettait tout en question. Il n'allait tout de même pas se donner en spectacle et se couvrir de ridicule devant ces étrangers ! D'autant qu'un bon nombre était capable de prendre le parti du gosse, juste pour rire un peu.

— Qu'est-ce qui se passe ? demanda le docteur Fraysse en s'approchant.

— Je voudrais que vous disiez au petit morpion qui est avec vous de venir me voir.

Le docteur tira une longue bouffée de son cigare dont le rougeoiement éclaira son visage soucieux.

— Toi, on t'a raconté des choses...

— Tout juste !

— Tu ne vas quand même pas faire l'andouille ?

— Je ferai ce que j'ai à faire ! S'il vous plaît, dites à ce gamin de venir ici, j'ai deux mots à lui dire...

— D'accord, mais je reviendrai avec lui. Je me méfie de tes mots...

Il rentra dans l'auberge, laissant Jean-Edouard rendu de plus en plus furieux par la certitude que tout le monde connaissait l'inconduite de sa fille. La preuve, le docteur avait tout de suite compris.

— Vous voulez me voir ?

La voix ferme du jeune homme le surprit ; elle ne correspondait pas à celle d'un coupable pris en flagrant délit.

— Oui, et j'ai bien envie de te casser la gueule pour t'apprendre à respecter ma fille ! lança-t-il en avançant.

— Laisse-le parler ! ordonna le docteur en s'interposant.

— Avant tout, rétorqua Octave, je vous demanderai de ne pas me tutoyer, nous ne sommes liés par aucun lien de

118

parenté. Ensuite, si vous me touchez, je serai contraint de porter plainte, et j'ai un témoin. Enfin, je profite de cette occasion pour vous dire que je n'ai jamais manqué de respect envers votre fille.

— Miladiou, ne le prends pas sur ce ton, hein! On vous a vus ensemble, et je sais même où!

— Et alors? Il n'est pas interdit ni compromettant de se parler!

— On dit ça, et je sais comment ça finit! Alors écoute bien, ou tu fous le camp, et tout de suite, ou je porte plainte, moi aussi! Ma fille est mineure et j'ai la loi pour moi. Tu vas voir comment on sait faire galoper les galants!

— Tu deviens complètement crétin, intervint le docteur. On dirait que tu veux absolument te couvrir de ridicule!

— Occupez-vous de vos fleurs et foutez-moi la paix, je sais ce que j'ai à faire!

— Non, tu n'en sais rien! Aucune loi n'interdit à deux jeunes de se parler, et tu n'as aucun droit sur M. Flaviens!

— Sauf celui de l'étriller si je le vois tourner autour de Louise, c'est clair ça?

— Ecoutez, dit Octave, je ne sais pas ce que je vous ai fait, peu importe. Mais j'aime mieux vous prévenir, moi aussi : j'attendrai autant qu'il faudra, c'est-à-dire sa majorité, mais j'épouserai Louise.

— Alors là, petit couillon, tu pourras toujours attendre! hurla Jean-Edouard.

Il faillit se précipiter sur le jeune homme, puis se maîtrisa et s'éloigna à grands pas.

Marguerite l'attendait, assise au coin du feu. Il remarqua ses yeux rougis par les larmes et le mouchoir humide qu'elle serrait dans ses mains.

— Alors? interrogea-t-elle faiblement.

— Ah! le salaud! maugréa-t-il. Où sont les enfants?

— Pierre est parti dormir dans la grange. Il a laissé son lit à la petite. Elle n'a pas pu entrer dans la chambre, Louise s'était fermée à clé. Elle vient juste d'ouvrir.

Il s'approcha du coin de la pièce qui abritait le lit, se pencha vers Berthe.

— Tu dors?

— Laisse-la, coupa sa femme.

— Oui, peu importe, même si elle entend ; elle en tirera leçon, dit-il en s'installant dans le cantou.

— Alors ? redemanda Marguerite.

— Est-ce que je sais, moi ! maugréa-t-il en bousculant rageusement les tisons.

— Tu veux l'emmener à Tulle ?

— Oui, là, au moins, elle ne le verra plus.

— Les cousins vont bien rire...

— Pas obligé de leur expliquer l'histoire. Je dirai que c'est elle qui a demandé à partir d'ici...

— Et pourquoi ?

— Parce qu'elle ne peut plus faire un pas dans la rue sans se faire siffler par tous les voyous de la compagnie ! Parce que, tous les soirs, ils viennent faire la sarabande autour de la maison, voilà pourquoi !

Peu convaincue, Marguerite hocha la tête et se remit à pleurer sans bruit. Elle était certaine que ses cousins ne seraient pas dupes et qu'ils riraient à ses dépens, trop contents de l'aubaine.

Expéditeurs en fruits et légumes, les cousins les écrasaient déjà de leur morgue et de tous leurs sous chaque fois qu'ils se rencontraient, c'est-à-dire une ou deux fois par an. Certes, ils entretenaient malgré cela de bonnes relations, mais Marguerite était persuadée que sa cousine ne l'aimait guère et la jalousait d'avoir trois beaux enfants alors qu'elle-même était stérile.

— Arrête de braire ! ordonna-t-il, c'est décidé.

— Et lui, qu'est-ce qu'il a dit ?

— Ne me parle pas de ce morveux, je crois que je l'aurais assommé si le docteur n'avait pas été là !

— Il est au courant ? Lui aussi ? se lamenta-t-elle.

— Pardi ! Lui et tout le monde ! Cette petite traînée nous a foutus dans une sale situation. Ah, la garce ! Si jamais le père Bouyssoux apprend ça ! Et il l'apprendra sûrement... Mais je vais aller le voir, et le plus tôt possible. Pour bien faire, il faudrait un peu activer la noce. Mais pas trop quand même, il ne faut pas que les gens jasent. Moi, je la verrais pour Pâques, et toi ?

— Oui, ça serait bien. J'ai pas fini le trousseau, mais enfin...

— Encore une chance qu'on s'en soit mêlés avant que

l'autre petite ordure l'ai touchée ! Tu vois un peu l'histoire si elle était...

— Dis pas ça ! Non, non, elle peut pas... C'est pas possible, elle nous aurait quand même pas fait ça !

— Tiens donc, elle se serait gênée ! Bon, dit-il en se levant, demain Tulle, après-demain le père Bouyssoux, dans six mois la noce. Et en attendant, au lit.

— Ne la recogne pas, supplia Marguerite, les cousins verraient les marques...

Il haussa les épaules, entra dans la chambre. Portant la lampe à pétrole à bout de bras, il marcha vers le lit de sa fille et nota avec satisfaction qu'elle lui avait obéi ; son baluchon était prêt.

— Je sais que tu ne dors pas. Alors écoute. Tout ça, je le fais pour ton bien, dans six mois tu me remercieras. Et maintenant dors, il faut qu'on prenne le train de six heures à La Rivière. Je t'expliquerai demain ce qu'on va dire aux cousins.

Dès que la mouvante lueur de la lampe à pétrole lui indiqua que ses parents étaient dans leur chambre, Pierre-Edouard se coula hors de l'étable et s'élança dans la grand-rue.

Malgré l'heure avancée, de nombreux buveurs occupaient toujours la salle de l'auberge ; mais nul ne prêta attention à son entrée. Un coup d'œil lui permit de s'assurer qu'Octave Flaviens était absent ; sans hésiter, il grimpa l'escalier qui desservait les chambres, marcha jusqu'à la porte numéro sept et frappa.

— Qu'est-ce que c'est ? grogna Octave.

— Je viens de la part de Louise, chuchota Pierre-Edouard.

Il entendit des pieds nus qui claquaient sur le carrelage, puis la serrure grinça et une main entrebâilla la porte.

— Ah, c'est vous ! murmura Octave en élevant sa lampe à la hauteur de son visage. Entrez. Vous m'excuserez, mais j'étais déjà au lit.

Affublé d'une chemise qui s'arrêtait à mi-cuisse et découvrait des jambes grêles et poilues, Octave était un peu ridicule et Pierre-Edouard se demanda comment sa sœur pouvait être amoureuse d'un homme pareil. Sans ses vêtements bien taillés — et qui l'avantageaient —, il se révélait chétif et mal bâti, presque misérable. « Il est maigre comme un pivert, songea Pierre-Edouard, une baffe du père lui arracherait la tête... »

— Alors ? demanda Octave en s'asseyant au bord du lit défait.

Il tâtonna sur sa table de nuit, prit sa boîte de cigares et la tendit :

— Vous fumez ?

Pierre-Edouard se servit et regarda de nouveau l'homme pour qui sa sœur avait couru tant de risques ; il fut soudain pris de pitié devant la fragilité et le désarroi de son interlocuteur. Il se sentait tellement fort en face de lui, tellement solide qu'il éprouvait presque le besoin de le protéger, de l'aider, de le réconforter, comme il eût fait pour un jeune frère.

— Alors ? redemanda Octave.

— Mon père l'emmène à Tulle dès demain matin, chez nos cousins. Ils habitent rue de la Barrière, vous ne pouvez pas vous tromper, ils sont expéditeurs de fruits et légumes, c'est écrit sur la maison.

— Comment ça s'est passé chez vous ?

— Assez bien.

— Il l'a battue ?

— A peine, juste deux calottes. Rien, quoi...

— Vous trouvez ? s'insurgea Octave, deux gifles ! Et... et avec ça, elle ne s'est pas enfuie !

— Enfuie ? Et où vous vouliez qu'elle aille ? Alors là, pour le coup, je donnais pas cher de ses côtes quand le père l'aurait retrouvée !

— Ne dites pas ça ! Et que vous a-t-elle dit encore ?

— Ben, pas grand-chose, elle me parlait de la fenêtre, et c'était pas bien pratique à cause de ma mère qui pouvait entendre. Mais enfin... elle vous attend à Tulle, voilà...

— Bien sûr, murmura Octave en tournant son cigare entre ses doigts. Dites, vous pensez vraiment que votre père s'opposera à notre mariage ?

— Plutôt, oui.

— Mais pourquoi ?

— Il a d'autres projets, je crois..., éluda Pierre-Edouard. Et puis, expliqua-t-il soudain, autant que vous le sachiez. Il veut la marier pour Pâques, j'ai entendu ça tout à l'heure ; j'écoutais derrière la porte.

— La marier ? Mais on n'est pas chez les sauvages ! On n'est plus au Moyen Age ! Elle a son mot à dire quand même !

— Bah! c'est la coutume, expliqua Pierre-Edouard en haussant les épaules. Bon, maintenant, il faut que je rentre.

— Elle ne vous a rien dit d'autre?

— Si, qu'elle vous embrassait..., avoua Pierre-Edouard très gêné d'avoir à faire une telle commission.

— Vous la reverrez avant son départ?

— Oui, mais elle sera avec le père, alors...

— Tant pis. Merci d'être venu, dit Octave en tendant la main. Et puis, je veux aussi vous dire, je crois que nous nous entendrons très bien lorsque nous serons beaux-frères.

Pierre-Edouard serra la main offerte mais garda le silence. Beaux-frères? Ça n'en prenait vraiment pas le chemin!

**9**

CONTRAIREMENT aux prévisions de Marguerite, les cousins de Tulle parurent n'avoir aucun soupçon quant aux véritables motifs qui poussaient Jean-Edouard à leur confier sa fille. Il est vrai qu'ils croulaient sous le travail et n'avaient guère le temps de se poser des questions. Sans doute aussi furent-ils ravis d'embaucher à bon compte une employée supplémentaire. Enfin, Louise interpréta à la perfection le rôle dicté par son père.

Enjouée, souriante, elle trompa son monde avec une aisance stupéfiante, se déclara enchantée d'échapper, pour un temps, à l'atmosphère déplaisante de Saint-Libéral et ravie de venir travailler avec ses cousins.

Si Jean-Edouard ne fut pas entièrement dupe, du moins fut-il rassuré ; il se persuada que sa fille finirait par se prendre à son propre jeu et qu'à son aisance artificielle succéderait, sous peu, l'oubli de sa stupide amourette.

A la nuit tombée, il rejoignit Saint-Libéral de fort bonne humeur, heureux d'avoir réglé au mieux — et avec toute la célérité qui s'imposait — un problème qu'il avait pris en main à peine vingt-quatre heures plus tôt.

Pour clore définitivement cette affaire, et avant même d'aller chez lui, il entra à l'auberge, commanda une absinthe et demanda à voir le jeune aide-géomètre. C'est avec une immense satisfaction qu'il apprit, de la bouche même de la patronne, qu'Octave était parti le matin même et qu'il prenait désormais pension à l'hôtellerie de La Rivière-de-Mansac.

— Il était bien comme il faut, soupira la patronne, un bon

124

client, je le regrette. Pas vous ? demanda-t-elle avec un sourire ironique qui lui déplut.

— Il sera plus près de son travail, rétorqua-t-il, ce sera mieux pour lui. Et pour tout le monde...

Le père Bouyssoux le fit attendre sur le pas de sa porte avant de l'inviter à entrer. Debout au bas des marches, ils discutèrent d'abord du temps, des récoltes, des troupeaux, de l'année en général, de l'état des vignes, de l'ouverture de la chasse.

Le père Bouyssoux se plaignit de ses douleurs et envia le jeune âge et la bonne santé de son visiteur. Il avait douze ans de plus que lui et abusait sans vergogne de cette prérogative. De plus, il n'ignorait rien du but de la démarche et prenait grand plaisir à mettre à l'épreuve la patience de Jean-Edouard.

— Allez, achève d'entrer, dit-il enfin. Tu as de la chance, je suis tout seul ; on sera tranquilles. La femme et le fils ramassent les pommes de terre. Moi, je peux plus me doubler, les reins...

Ils s'installèrent autour de la table et le vieux remplit les verres.

— Voilà, dit Jean-Edouard, je reviens voir ce que vous pensez de l'idée dont je vous ai parlé au printemps dernier...

Le vieux roula lentement une cigarette et la ficha sous sa moustache grise.

— Ben, dit-il, moi ça m'irait, mais c'est le fils...

— Quoi, le fils ?

— Ben... On parle au bourg, c'est pas parce qu'on habite au loin qu'on n'est pas au courant...

— J'ai réglé cette affaire.

— C'est ce qu'on m'a dit, acquiesça le vieux, ravi de prouver que les nouvelles arrivaient très vite chez lui, malgré les trois kilomètres qui le séparaient du village. Oui, c'est ce qu'on m'a dit... Mais tu dois comprendre mon Léonard. C'est un gars sérieux, et bien honnête. Il voudrait pas prendre une portée qui lui appartiendrait pas...

— Miladiou ! s'emporta Jean-Edouard en abattant son poing sur la table, c'est pas des pratiques qui se font chez les Vialhe ! Et vous le savez !

— Moi, ce que je sais, c'est que ta fille a pas été bien sérieuse... Tu l'as tirée de là, c'est vrai, et c'est bien. L'autre

125

petit galant est parti frotter ailleurs, c'est bien aussi... Mais qui me prouve qu'un troisième larron n'est pas déjà dans la place, hein ?

— Je vous interdis de dire ça ! lança Jean-Edouard en se levant. Et si vous le prenez comme ça, vous pourrez dire à votre gars de se trouver une autre jeunesse ! Moi, je garde ma fille, elle perdra pas beaucoup !

— Gueule pas comme ça ! Ce que j'en dis moi, c'est pour être sûr... Et tu le verrais pour quand ce mariage ?

Jean-Edouard feignit de réfléchir, vida son verre, roula à son tour une cigarette. L'autre l'attendait là. Il s'amusa à supputer jusqu'à quel nombre de mois le vieux accepterait le risque ; il avait dû s'entendre avec son fils et établir une date au-delà de laquelle, en cas de naissance, il serait impossible de s'en tirer sans déshonneur.

— Avec la femme, dit-il enfin, on a pensé que ça serait bien si on faisait ça... Bah, disons pour Pâques. Ça vous va ?

— Nom de Dieu ! Tu pouvais pas le dire plus tôt ! Si c'est pour Pâques, c'est que tu es sûr de ta fille ! Alors, pourquoi tu m'as laissé causer, hein ?

— Pour voir un peu ce qui se colporte sur nous et pour vous prouver que les Vialhe ont toujours été honnêtes.

— D'accord, maugréa le vieux, vexé de la leçon. Et comme dot ?

Une fois encore, Jean-Edouard fit mine de réfléchir.

— En dot, elle a d'abord son trousseau complet, dit-il en allumant sa cigarette avec une lenteur exaspérante. Et en plus je lui donnerai... Allons, disons... huit mille francs.

— Miladiou ! souffla le vieux surpris par l'importance de la somme. C'est donc vrai que tu gagnes tant d'argent avec la compagnie !

Il hocha la tête, mais se reprit très vite :

— Huit mille francs, c'est bien, mais comme terre ?

— Pas de terre.

— Comment ça, pas de terre ? Ferait beau voir !

— Rien, pas une cartonnée. La terre, ça ne se découpe pas, ça se garde, et c'est pas demain qu'une parcelle des Vialhe quittera la famille ! Le trousseau, huit mille francs, la fille, rien de plus. Et, de votre côté, comment vous allez les installer ces jeunes ?

— Ben, moi... Le fils aura tout, un jour, on a que lui...

— Un jour, oui, mais au début.

126

— Bah ! on s'arrangera toujours…

— Non, non, insista Jean-Edouard, désormais sûr de lui. Il faut s'arranger avant, et devant notaire. Je veux que mon gendre ait des terres à son nom et des bêtes à lui, et aussi du matériel !

— Oh ! oh ! Comme tu y vas ! Je vais quand même pas me mettre sur la paille ! Donnes-en des terres, toi !

— Jamais, elles changeraient de nom. Allons, voyons un peu ce que vous allez mettre dans la corbeille…

Ils discutèrent encore deux heures et finirent par tomber d'accord. Tout fut réglé dans le moindre détail, et il fut même entendu que Louise passerait deux mois à Tulle, le temps d'oublier et de bien prouver à tous que rien ne pressait.

Dès son retour, Léonard pourrait venir faire sa cour. Il fréquenterait sa promise pendant presque trois mois, ce qui était parfaitement correct et musellerait toutes les mauvaises langues. Ensuite viendrait la noce, et Jean-Edouard ferait tout pour qu'elle soit une des plus belles du canton.

La rapidité et le brio avec lesquels Jean-Edouard reprit en main une situation dont beaucoup se régalaient déjà accrut son prestige, et tous ceux qui, trois jours plus tôt, ricanaient dans son dos furent les premiers à reconnaître qu'il menait sa famille avec autant d'intelligence et d'astuce qu'il gérait sa ferme.

L'admiration qu'il soulevait atteignit son point culminant dans les semaines qui suivirent, lorsqu'on le vit chaque jour descendre du plateau avec des tombereaux débordant de superbes pommes de terre. Les bruits les plus invraisemblables coururent quant au tonnage de la récolte vendue à la compagnie et à la somme d'argent qu'elle représentait.

Il laissa dire, persuadé qu'il vaut mieux faire envie que pitié. Mais, contrairement à ce que crurent ses voisins, il ne céda pas toutes ses pommes de terre à l'intendant. Il les tria et conserva plusieurs tonnes des moins belles ; cette réserve faisait partie de son plan d'action pour l'année à venir.

A la fin octobre, toutes récoltes faites, il laboura ses terres et les emblava en céréales. On s'étonna un peu, mais on se réjouit de le voir abandonner les productions légumières et on lui sut gré de laisser à ses confrères la possibilité de tenter leur chance à leur tour.

— Et puis, dirent quelques envieux, il a assez gagné cette

année ! D'ailleurs, avec le départ de son fils, il va être quasiment seul, que voulez-vous qu'il fasse !

Mais ceux qui le connaissaient bien savaient qu'il mûrissait une nouvelle opération. Elle fut promptement menée et, une fois de plus, prit tout le monde de court.

Bien entendu, on s'était posé beaucoup de questions lorsque, début novembre, Jean-Edouard, son fils, le charpentier et ses deux commis entreprirent d'ériger contre la grange un immense appentis. Les voisins crurent d'abord que Vialhe élevait un séchoir à tabac, mais ses terres, couvertes d'orge, de blé et de seigle, contredisaient cette hypothèse. Ce fut Jeantout qui comprit le premier.

— Toi, mon salaud, je te vois venir, dit-il après avoir fait le tour du bâtiment. Combien tu vas en mettre là-dedans ? Allez, tu peux le dire, plus personne ne peut te faire concurrence !

— T'as quand même deviné, cette fois ?

— Dame... Oh ! j'aurais dû m'en douter plus tôt, je savais bien que tu ne resterais pas sans rien faire. C'est égal, l'idée est fameuse. Mais, vu la surface, tu vas pouvoir en tenir un sacré troupeau !

— Quarante ici, trente là, expliqua Jean-Edouard avec un mouvement de la tête. Et là, j'aurai la place pour six truies et le verrat.

— Fallait y penser, et oser, commenta Jeantout.

— Eh oui !... Cette année les légumes, l'an prochain les cochons.

— Et la compagnie te les achètera ?

— Pardi ! Tu ne crois pas que je me lance en aveugle ?

Non, Jeantout ne le croyait pas. Il était même certain que son voisin avait tout prévu.

— Et tu commences quand ?

— Maintenant. Pour débuter, je vais acheter quarante gagnioux à la prochaine foire de Brive, plus six mères et un mâle, ensuite je ferai le roulement.

— Mais ça va bouffer une troupe pareille !

— C'est prévu, dit Jean-Edouard en marchant vers une remise. Tiens, dit-il en ouvrant la porte.

Jeantout regarda l'énorme tas de pommes de terre et le tas, encore plus important, de raves et de navets et siffla d'admiration.

— Oui, avec ça, tu as de quoi voir venir. Mais après, qu'est-ce qu'ils mangeront, cet été ?

— Cette blague, mes céréales ! Et puis, écoute un peu ce qui va se passer. Vous allez tous faire des patates l'année prochaine et tout un tas d'autres légumes. La compagnie ne pourra pas tout vous prendre, il y aura trop de tout...

— Et alors ? interrogea Jeantout inquiet.

— Alors vous serez bien contents de me vendre tout ça au même prix que celui de l'intendant ! Crois-moi, mes cochons ne sont pas près de crever de faim. D'autant que l'intendant m'a aussi promis tous les déchets des cuisines.

— Tu es un rude voyou, murmura Jeantout avec envie. Miladiou, tu vas encore gagner des cents et des mille et nous on restera couillons...

— Je vole personne, dit sèchement Jean-Edouard.

— Ben non, mais...

— Mais quoi ?

— Rien... Alors, tu crois que c'est pas la peine de faire des patates ? Il y en aura de trop ?

— Ecoute, dit Jean-Edouard en baissant le ton, tu feras ce que tu voudras, mais si j'étais toi, je laisserais les patates et le reste. Il n'y a qu'une chose que je cultiverais...

— Quoi ? Ben, dis-le, merde !

— Oui, et puis tu en parleras, et tout le monde t'imitera et ensuite tu viendras encore pleurer !

— T'es pas fou, non ? Allez, dis-le, quoi !

— Des salades...

— Des salades ? Tu te fous de moi ! lança Jeantout franchement déçu.

— Bon, fais ce que tu veux, mais ne viens pas te plaindre ensuite ! Moi, cette année, j'en aurais vendu vingt fois plus si je les avais eues. T'as pas idée ce qu'il se mange comme salade en été, t'as pas idée. J'ai pas pu fournir, et de loin, pourtant j'en avais un sacré carreau !

— Dans le fond, c'est peut-être pas bête, mais faudrait que je sois sûr de les écouler...

— S'il n'y a que ça, j'en parlerai à l'intendant.

— Tu ferais ça ?

— Pourquoi pas ?

— Ah ben, alors !... fit Jeantout, confus. Tiens, dit-il soudain, faut que je te dise, on est nombreux à en avoir plein le dos du maire et de son fils. Lui, il est trop vieux et son gamin vraiment trop couillon. Alors, pour la prochaine fois, c'est sur toi qu'on compte, tu le sais ?

Jean-Edouard dissimula sa satisfaction, haussa les épaules.

— On verra... Ce qui est sûr, c'est qu'avec le chemin de fer, il va falloir un maire qui se remue pour faire un peu mieux vivre cette commune... Crois-moi, pour ça aussi j'ai quelques idées... On en reparlera. Mais pour le moment, il ne faut rien dire, c'est trop tôt, les élections sont trop loin. Mais ne t'inquiète pas, je ferai ce qu'il faut le moment venu...

— Pour ça, dit Jeantout en contemplant la future porcherie, pour ça, je te fais confiance.

Pendant les trois premiers jours Louise crut devenir folle et elle dut faire appel à toute son énergie et à toute sa volonté pour ne pas s'effondrer. Pour éviter de trop penser, elle se jeta à fond dans le travail et étonna même ses cousins par son endurance, son courage et son savoir-faire.

La saison des pommes et des noix battait son plein. Elle apprit très vite à trier les pommes suivant leur grosseur et leur qualité et à les aligner dans des caissettes qui, sitôt fermées et dûment étiquetées, partaient pour Paris, Lyon et même Londres. Elle ne rechigna pas non plus au blanchissage des noix et n'hésita pas à se brûler les mains pour malaxer dans les bains d'eau chlorée les fruits souillés de terre ou tachés de brou.

De prime abord, la dizaine d'employées qui travaillaient chez l'expéditeur virent la nouvelle venue d'un assez mauvais œil ; sa parenté avec les patrons la rendait suspecte, et les conversations s'arrêtaient à son approche. En moins de deux jours, Louise fit la conquête de toutes ses compagnes de travail. Sans bien comprendre pourquoi elle était là, et sans la reconnaître pour une des leurs, les ouvrières admirent néanmoins sa présence, apprécièrent sa gentillesse et rirent de ses plaisanteries. Aucune ne se douta qu'elle était en permanence au bord des larmes et que ses éclats de rire masquaient des sanglots.

Ses cousins furent gentils avec elle et, ne se méfiant de rien, ils lui laissèrent toute liberté, pendant ses rares instants de repos, pour sortir en ville à sa guise. Certes, il allait de soi qu'elle ne devait pas être dehors dès la nuit tombée ; recommandation superflue, car elle n'en avait aucune envie.

Enfin le dimanche tant attendu arriva. Bien qu'elle n'ait

rien pu prévoir ni rien dire à Octave, elle était certaine que la journée ne se passerait pas sans que le jeune homme se manifeste. Elle ne savait ni où ni comment il donnerait signe de vie, mais elle était sûre qu'il ferait parvenir de ses nouvelles.

En période de gros travaux, ses cousins travaillaient le dimanche matin. Néanmoins, et parce qu'ils connaissaient les convictions religieuses des Vialhe, ils lui assurèrent qu'elle pouvait prendre sa journée de repos; d'ailleurs, même sa cousine s'absenterait une heure pour aller entendre la messe et se ferait un plaisir de l'accompagner jusqu'à la cathédrale.

Tôt levée, folle d'impatience, elle s'habilla et se coiffa avec grand soin. Elle n'avait pas emporté beaucoup d'effets dans le baluchon confectionné à la hâte le soir du drame, mais elle disposait quand même d'une jupe noire finement ourlée de dentelles, de bas immaculés et d'un gracieux chemisier bleu pâle; elle nettoya ses sabots et en cira la bride de cuir fauve.

Une fois prête, elle musarda sans but dans la maison en attendant l'heure de l'office. Elle n'osa pas aller dans l'entrepôt où travaillaient ses cousins et quatre ou cinq femmes volontaires pour gagner quelques sous supplémentaires; alors elle poussa la porte et sortit dans la rue.

La journée s'annonçait splendide et une bouffée de chagrin lui monta au cœur. Par un temps pareil, c'eût été une joie d'aller garder les bêtes aux heures tièdes de l'après-midi, de s'asseoir au pied d'un châtaignier et de guetter, fébrile, le sentier par où arriverait Octave. Que n'avaient-ils écouté le docteur et usé d'une plus grande prudence! Elle faillit se mettre à pleurer et comprit que seule la présence de témoins l'obligerait à se retenir. Elle entra dans l'entrepôt, embrassa ses cousins, salua les ouvrières, plaisanta et commença même à trier les pommes.

— Laisse ça, dit sa cousine, tu vas toute te salir. D'ailleurs, on va partir.

— Eh bien, je vous attends dehors.

Elle était fière d'avoir surmonté sa crise de désespoir et sortit en chantonnant.

Elle fut très impressionnée par la grand-messe et son décorum. Habituée à la petite église de Saint-Libéral, elle fut éblouie par l'immensité de la nef, par la chasuble chatoyante de l'officiant, les aubes rouges et blanches des six enfants de chœur, la somptuosité des lustres et des chandeliers resplendissant d'énormes cierges. Elle sursauta au premier et tonitruant accord des grandes orgues et son effarement fit sourire sa cousine debout à côté d'elle.

C'est en se retournant furtivement pour voir d'où jaillissait ce flot de musique qu'elle le vit. Il était là, juste derrière elle. Elle dompta le réflexe qui la poussait à tendre la main, se retint à temps mais se sentit pâlir et s'obligea à fixer le dos du prêtre penché vers l'autel.

Follement heureuse de le savoir là, mais se demandant comment elle pourrait le rencontrer et lui parler, elle ne vit pas réellement la suite de l'office, et si elle se plia aux gestes, aux génuflexions, aux signes de croix et aux répons, ce fut par pure habitude.

Ainsi, pour elle, il était venu assister à la messe. Elle se sentit débordante de reconnaissance car, sur ce point-là, ils divergeaient complètement. Elle avait été terriblement affligée lorsque Octave lui avait déclaré ne croire ni à Dieu ni à Diable ; elle ne pouvait comprendre que lui, si intelligent, si bon, pût se dire athée.

— Notez bien, Louise, que je n'oblige personne à partager mon point de vue. Je suis pour la liberté. Vous êtes libre de croire en ce qui vous plaît, ne vous occupez donc pas de mes idées.

Cette tolérance avait atténué son chagrin, mais elle s'était secrètement promis de le ramener à de meilleurs sentiments. De toute façon, il lui avait assuré que, pour lui faire plaisir, il accepterait le principe d'un mariage religieux et qu'il ne voyait aucun inconvénient à ce que leurs enfants soient baptisés.

— On m'a bien baptisé, moi et je n'en suis pas mort, alors vous ferez ce que bon vous semblera avec nos petits. Mais, quant à moi, vraiment, je ne vois pas ce que j'irais faire à la messe !

Et pourtant, il était là. Elle le sentait dans son dos et notait, au bruit de sa chaise, qu'il se levait et s'agenouillait à bon escient.

— Tu viens ? demanda sa cousine en lui touchant le bras.

Elle sursauta, prit conscience que la messe était terminée, s'affola à l'idée de devoir repartir sans lui avoir parlé.

— Si vous permettez, chuchota-t-elle, j'aimerais faire le tour de la cathédrale...

— Bien sûr, tu rentreras bien toute seule. A tout de suite.

Stupéfaite d'avoir aussi facilement trouvé un alibi, elle demeura encore quelques instants à sa place sans oser bouger. Enfin, elle se retourna. Debout, impeccablement habillé, Octave était toujours là et semblait plongé dans une profonde action de grâces. Il inclina imperceptiblement la tête pour la saluer, puis chuchota :

— Sortez la première, je vous rejoins...

Elle obéit comme une somnambule, déboucha sur le parvis et s'efforça d'admirer le vitrail de l'entrée.

— Venez, dit-il en la rejoignant, allons sur le quai.

— Et si on nous voit ensemble ?

— Nous ne sommes pas à Saint-Libéral. Ici, il n'est pas interdit à deux amoureux d'être ensemble. Allons, venez, vous ne risquez rien.

Elle lui sourit et lui tendit la main.

L'abbé Feix cogna contre les marches ses sabots souillés de terre grasse et poussa la porte du presbytère. Malgré le froid humide de cette matinée de fin novembre, il venait de bêcher pendant deux heures une grande plate-bande de son jardin et se sentait moulu.

Il s'approcha du foyer presque éteint et tendit vers les braises ses doigts gourds que protégeaient mal des mitaines usées. Rapprochant les bûches, il actionna le soufflet, fit jaillir la flamme et souleva sa soutane pour tenter de se réchauffer les jambes ; mais il savait bien que rien ne parviendrait à lui ôter du corps ces fourmillements glacials et permanents qui lui rappelaient sans cesse qu'il était vieux, usé, misérable.

Certes, le docteur Fraysse lui donnait parfois quelques pilules, lui recommandait quelques infusions ou décoctions de simples, mais ni l'un ni l'autre n'étaient dupes quant à l'efficacité de ces traitements.

L'abbé Feix sentait qu'il avait fait son temps et que les années à vivre — peut-être même les mois — lui étaient comptés. Il ne s'insurgeait pas, ne se plaignait pas, poursuivait du mieux qu'il le pouvait son ministère ; mais parfois, lorsque la fatigue le submergeait, il en venait à souhaiter secrètement que la mort le libérât. A quoi bon tenter d'exercer un sacerdoce dans un bourg et au sein d'une communauté qu'il ne reconnaissait plus !

Tout changeait trop vite, évoluait dans un sens qu'il jugeait pernicieux. Le village était devenu un lieu de débauche où se pressaient et s'enivraient les ouvriers du chantier. On dansait les samedis soir jusqu'à des trois heures du matin, les débiteurs de boissons gagnaient des fortunes, et, après s'être insurgée contre les étrangers, la quasi-totalité des habitants de la commune faisait maintenant des affaires avec eux. Déjà, les jeunes, filles et garçons, se hasardaient à fréquenter l'auberge et à danser, eux aussi, jusqu'à des heures invraisemblables...

Et que faire contre cela, puisque tout le monde semblait prendre plaisir à ces immoralités ? Et à quoi bon ressasser ce qu'il avait sur le cœur aux quelques vieilles femmes qui assistaient encore à la messe ? Ce n'étaient pas ces simples et pauvres âmes qu'il importait de convaincre, mais toutes les autres, celles qui ne venaient plus aux offices.

Il abandonna le feu et sa douce chaleur et alla jusqu'à l'entrée pour récupérer le journal que le facteur venait de glisser sous la porte. La présence d'une enveloppe posée sur *La Croix de la Corrèze* l'intrigua et même l'inquiéta. Il y avait des années qu'il n'avait pas reçu de lettre.

Il la prit, l'examina, alla s'installer au coin du feu, la décacheta fébrilement et la lut. Il s'en voulut jusqu'à sa mort de son premier et fugitif réflexe et ne se pardonna jamais d'avoir, pendant dix secondes, attenté à ce point à la charité chrétienne. Mais le fait est qu'une onde de satisfaction déferla en lui lorsqu'il comprit à quel point les événements lui donnaient raison. Il se reprit aussitôt, quémanda la miséricorde de Dieu pour la bassesse qui venait de guider son esprit et relut la lettre. La feuille tremblait au bout de ses doigts.

— Seigneur, balbutia-t-il, que faire ? Que faire ?

Il glissa enfin le papier dans sa poche puis se leva, sortit et marcha jusqu'à l'église. Là, agenouillé au pied du Saint Sacrement, il pria une heure entière, malgré le froid intense qui le gagnait de minute en minute.

Une heure sonnait lorsqu'il se releva. Il n'avait pas déjeuné, mais n'y pensait même pas, et c'est vaillamment qu'il se dirigea vers la maison du docteur Fraysse.

# 10

LE docteur Fraysse et sa femme prenaient leur café lorsque la servante fit entrer l'abbé Feix. Etonné par cette visite, le docteur faillit renverser sa tasse et resta quelques secondes stupéfait.

— Que se passe-t-il ? demanda-t-il en se levant. C'est la première fois que vous venez chez moi. Il faut vraiment que...

— C'est vrai, reconnut l'abbé. Excusez-moi si je me permets de vous déranger, mais il faut que je vous parle. Et ce n'est pas de la greffe des rosiers, ajouta-t-il en souriant tristement.

— Eh bien, passons dans mon cabinet .

— Mais non, dit sa femme, restez donc au coin du feu, vous serez mieux.

Elle sortit et referma la porte.

— Voilà ce qui m'amène, dit l'abbé en tendant la lettre.

— Asseyez-vous donc, invita le docteur en chaussant ses lorgnons.

Il lut, soupira, puis fit la grimace.

— Ah ! La vilaine histoire, murmura-t-il. Les petits imbéciles, je les avais prévenus...

— Oui, c'est bien parce que Louise me dit que vous étiez au courant que je viens vous voir. Moi, je ne sais que faire, et pourtant ils comptent sur moi, dit-il avec tristesse.

— Ne dramatisons pas et résumons-nous. La petite Louise et son Octave se voient tous les dimanches depuis presque deux mois. Entre nous, ce grand nigaud de Jean-Edouard aurait bien dû se douter que l'affaire n'en resterait pas là. Enfin !... Bref, lundi prochain, Louise doit réintégrer la

maison familiale et tout le monde sait que ce triste jobard de
Léonard Bouyssoux sera là le soir même pour commencer sa
cour. Nous sommes samedi, et Louise nous apprend que, dès
ce soir, elle aura quitté le domicile de ses cousins pour
rejoindre son galant on ne sait où ? Et tout ça pour se marier
dans les plus brefs délais. Entre nous, elle ne nous dit pas
pourquoi ça presse tant...

— Vous pensez que...

Le docteur Fraysse hésita, sourit.

— *Caro autem infirma*, comme le disent, je crois, vos
Evangiles... Oui, la chair est faible. Mais dans leur cas, et tels
que je les ai vus, j'hésite à me prononcer. De toute façon, la
question n'est pas là.

— On a peut-être le temps d'expédier un télégramme pour
prévenir les cousins..., suggéra timidement l'abbé Feix.

— Ah non ! s'insurgea le docteur. Ces gamins vous font
confiance vous n'allez pas les vendre ?

— Et si c'était pour le bien de Louise ?

— Ne me faites pas rigoler ! Vous connaissez Léonard
Bouyssoux. Vous voyez cet imbécile avec Louise ?

— Après tout, c'est le choix de ses parents, et...

— Et rien du tout ! coupa le docteur. Voyez-vous, je
m'étais juré de ne point me mêler de cette histoire, mais
avouez que vous m'y contraignez !

— Moi, je ne sais que faire.

— Il faut dire à Jean-Edouard et lui faire comprendre que
le petit Flaviens est, dans le fond, un très bon parti. C'est
vrai, ça, il peut finir ingénieur ! Ou presque...

— Jean-Edouard est capable de faire une bêtise ! Vous
vous rendez compte que le mariage est prévu pour le
dimanche de Quasimodo ? D'autre part, la petite est
mineure, elle ne peut rien faire sans son consentement...

— Je sais. Elle ne peut rien faire, sauf... Voilà, vous n'avez
qu'à lui dire qu'elle est enceinte...

— Ah non ! protesta l'abbé. Ça c'est impossible, je me
refuse à mentir !

— Bon sang ! tempêta le docteur, qui parle de mensonge ?
Elle écrit en toutes lettres : « Car nous allons nous marier le
plus tôt possible... »

— « Nous allons », et non pas : « Nous devons ». C'est là
toute la nuance !

— Bravo ! Je ne vous savais pas jésuite à ce point ! Dans le

136

fond, vous êtes tout prêt à la punir de ne pas avoir péché, comme vous dites ! Voilà une gamine qui, si ça se trouve, est vierge comme une page blanche et qui, à cause de ça, risque de se retrouver dans les bras d'un crétin dont elle ne veut pas ! Et il suffira de votre bénédiction pour que son viol devienne légal et béni de Dieu. Merde, alors !

— Je vous en prie, ne blasphémez pas, vous voyez bien que je ne sais que faire.

— Excusez-moi, dit le docteur en se levant.

Il marcha vers un guéridon, déboucha un flacon de vieille prune et remplit deux verres :

— Tenez, ça nous donnera des idées.

— Non, non merci, pas maintenant... Je n'ai pas eu le temps de déjeuner et je crains que l'acool à jeun...

— Et vous ne pouviez pas le dire ! lança le docteur. Il alla vivement jusqu'à la porte, l'ouvrit et appela sa servante : Adèle ! un plateau et de quoi déjeuner pour monsieur le curé, et au trot !

C'est après le repas de l'abbé Feix, après le café et la vieille prune, qu'ils décidèrent d'aller ensemble prévenir Jean-Edouard. Il fut entendu que le docteur assumerait, si besoin était, les mensonges qui risquaient de naître au cours d'un débat qui ne s'annonçait pas facile.

Ils trouvèrent Jean-Edouard dans sa nouvelle porcherie ; s'il fut intrigué par leur visite, il n'en laissa rien paraître.

Il avait acheté une quarantaine de nourrains à la dernière foire et les soignait du mieux qu'il pouvait. Il posa sa fourche contre le mur, s'avança vers ses visiteurs.

— Eh bien ! monsieur le curé, vous venez bénir ma nouvelle étable ? C'est une bonne idée. Je parie que c'est Marguerite qui vous a demandé ce service...

Tous les ans, l'abbé Feix passait dans les étables pour bénir les troupeaux. C'était une vieille pratique à laquelle ses paroissiens attachaient beaucoup d'importance, presque autant d'importance qu'aux Rogations, cérémonie pendant laquelle il bénissait les champs, implorait la pitié du Seigneur, lui demandait un temps clément et de bonnes récoltes en récompense du travail des hommes.

— Ecoute, Jean-Edouard, si tu veux, je reviendrai un autre jour pour la bénédiction, mais je te félicite de me la demander, dit l'abbé pris de court.

— Alors qu'est-ce qui vous amène tous les deux ? interrogea Jean-Edouard en fronçant les sourcils.

Malheureux comme les pierres d'avoir à annoncer la nouvelle, l'abbé se tourna vers le docteur, quémanda son aide.

— Bon sang, maugréa le docteur, c'est quand même pas un drame, il n'y a pas mort d'homme ! Bon, dit-il d'un trait en décidant soudain de tout prendre sur lui, Louise m'a écrit, elle est partie de chez tes cousins, elle va épouser Octave Flaviens et tu seras sans doute grand-père avant peu. Voilà ce qu'on vient te dire. D'accord, ce n'est pas drôle, mais ce n'est pas une catastrophe ! Après tout, ce qui compte, c'est que ta fille soit heureuse !

L'abbé et lui furent stupéfaits de la réaction de Jean-Edouard. Ils s'étaient attendus aux cris, aux menaces, voire au fusil brandi ; ils n'eurent que pâleur et silence. Un silence tellement lourd, tellement insistant que l'abbé crut bon de le rompre.

— Je te comprends, tu sais. Tu vois, je pourrais triompher et dire : « Je te l'avais bien dit que le chantier apporterait le malheur ! » Mais non, crois-moi, je suis aussi peiné que toi. Louise, c'est aussi ma fille, je l'ai baptisée, je lui ai fait le catéchisme et je me réjouissais de la marier. Mais quoi, c'est la volonté du Seigneur qui se met en travers de tes projets ; il faut l'accepter comme elle vient...

Jean-Edouard les regarda, mais il ne semblait pas les voir. Il prit sa fourche, arrangea la litière des porcs, puis reposa son outil et palpa ses poches à la recherche de son tabac ; ses doigts tremblaient tellement en modelant la cigarette que le papier creva. Il ajouta une autre feuille, la roula.

— Alors, c'est comme ça, dit-il enfin. Bon, d'accord... Il alluma sa cigarette, aspira à pleins poumons. D'accord, redit-il, qu'elle épouse son porte-piquet. Mais puisque c'est à vous qu'elle s'est adressée, insista-t-il en regardant le docteur, prévenez-la que la famille Vialhe ne la reconnaît plus comme une des siennes. Elle a choisi, c'est fini.

— Ne fais donc pas l'imbécile, lança le docteur, je comprends que tu sois déçu, mais ce n'est pas une raison suffisante pour renier ta fille ! Bon sang, je le répète, il n'y a pas mort d'homme ! Alors, n'en fais pas un drame, n'insulte pas l'avenir.

— Je dis que c'est fini et je n'y reviendrai pas !

— Ecoute, essaya à son tour le curé, on ne te demande pas
de lui faire tout de suite la fête. Mais c'est ta fille, et ses
enfants seront tes petits-enfants ! Tu n'as pas le droit de...

— Je vous dis que c'est fini, et ne m'échauffez plus les
oreilles avec vos droits ! Les gamins qu'elle aura seront des...
comment déjà ? Ah oui, Flaviens. Ils ne seront jamais Vialhe,
je ne veux pas les connaître. Alors que ce soit bien entendu,
qu'elle ne s'avise jamais de remettre les pieds à la maison. La
porte sera fermée, dites-le-lui.

Il reprit sa fourche, fourragea dans la litière.

— Ah oui ! reprit-il en cessant son manège, il lui faut une
autorisation. Je vous la ferai passer, à vous, l'entremetteur !
lança-t-il à l'adresse du docteur. Ça vous étonne que j'y
pense ? Eh bien, dites-vous qu'un déshonneur suffit. Je ne
veux pas qu'on puisse dire qu'il y a, dans le pays ou ailleurs,
des bâtards d'une fille Vialhe. Il n'y en a jamais eu et ce n'est
pas une petite traînée qui commencera à en semer !

— Je suis certain que tu reviendras à de meilleurs sentiments, hasarda l'abbé Feix, mais je voudrais quand même
que tu m'assures que tu ne t'en prendras pas à ton gen...
enfin, au mari de ta fille. Tu le reverras sûrement, son travail
ici n'est pas fini.

— Non, je ne le verrai pas. Et quand bien même il serait
entre vous deux que je ne le verrais toujours pas ! Il peut
venir tranquille, le bourg ne m'appartient pas. Mais si, par
malheur, lui ou elle mettent les pieds chez moi, à la maison ou
sur mes terres...

— Bon, d'accord, coupa le docteur. Enfin, je pense que le
temps arrangera tout ça. Maintenant, on va te laisser, mais
crois-moi, ça ne nous amusait pas de venir...

Jean-Edouard les regarda disparaître, écrasa sa cigarette
entre ses doigts et pleura.

Il avait les yeux secs lorsqu'il entra à la maison une demi-
heure plus tard. A sa mine, Marguerite sut tout de suite qu'il
venait de se passer quelque chose.

— Où sont les enfants ? interrogea-t-il.

— Berthe rentre les moutons, Pierre-Edouard fait la litière
des vaches.

— Appelle-les tout de suite. Toute de suite, miladiou !
lança-t-il devant son hésitation.

139

Dès qu'ils furent là, il leur annonça brièvement la nouvelle et ils surent qu'il était vain de vouloir dire quoi que ce soit.

— Et toi, dit-il en regardant Berthe, mets-toi bien dans la tête que je vais t'avoir à l'œil. La maison n'a que faire de filles perdues. Que je te voie seulement regarder un homme et je te fends le crâne ! Maintenant, retournez au travail ; moi, j'ai encore à faire...

A la nuit, il avait tout réglé. Sa première visite fut pour le père Bouyssoux. Avec lui aussi trois ou quatre phrases suffirent pour mettre à terre tous les projets. Plus une dernière, en avertissement :

— Et si vous voulez rigoler, attendez que je sois parti et suffisamment loin. Je casserai la gueule à tous les ricaneurs, même aux vieux...

Il s'en alla à grands pas et rejoignit le village. Une fois là, il entra à la mairie. Dix minutes plus tard, il avait démissionné du conseil municipal et de la présidence du syndicat.

En passant devant chez le docteur, il déposa le papier par lequel il autorisait sa fille mineure à convoler en justes noces ; tout était conforme à la loi, y compris le tampon du maire authentifiant sa signature.

Il faisait nuit lorsqu'il revint chez lui. Sa mère, sa femme et ses deux enfants l'attendaient pour dîner. Il prit place, servit la soupe.

— Après-demain, c'est foire à Objat, dit-il en remuant son potage. On achètera ces six jeunes truies et ce mâle dont nous avons besoin. Puisque je n'ai plus besoin d'aller à Tulle, dit-il en regardant Marguerite, autant en profiter.

On jasa beaucoup dans toute la commune, et même au-delà, mais nul n'osa ouvertement faire comprendre à un quelconque membre de la famille Vialhe qu'il était au courant des malheurs qui la frappaient.

Certains, bien sûr, s'amusèrent grassement et estimèrent que cette aventure était exactement ce qu'il fallait à Jean-Edouard pour lui rabattre le caquet ; et si, d'aventure, l'envie le reprenait un jour de vouloir rejouer les gros bras, il serait toujours possible alors de lui demander, négligemment, des nouvelles de sa fille et du bébé !

Mais ceux qui rirent et se réjouirent le firent avec discrétion. Ils savaient que Jean-Edouard serait sans pitié pour eux.

Beaucoup d'ailleurs, même parmi ceux qui ne l'aimaient

guère et le jalousaient, admirèrent son attitude — non point celle qu'il avait eue envers sa fille, cela c'était son problème, mais celle qui l'avait poussé à démissionner, à se retirer de toute vie publique et à prouver par là qu'il tirait toutes les conclusions qu'imposait son déshonneur.

D'autres, à sa place, auraient tenté de se raccrocher, mais qui aurait pu prendre en considération l'avis d'un conseiller municipal — qui briguait l'écharpe — et d'un président de syndicat pas même capable de surveiller sa fille ?

Rien à dire non plus sur la conduite de sa femme. D'un seul coup, Marguerite avait vieilli de dix ans et ce n'était un secret pour personne que cette histoire la rongeait nuit et jour. Il suffisait pour s'en convaincre, de la voir passer dans la grand-rue, droite et digne, sans même chercher à dissimuler ses yeux larmoyants. Mais envers elle non plus, aucune commère n'osa glisser la plus mince allusion.

Quant à la vieille Léonie, elle était tellement sourde qu'on ignorait même si elle était au courant de l'affaire ; ses conversations en tout cas n'en laissaient rien paraître.

Restait le grand-père, mais lui il ne quittait plus son lit depuis des mois et il déparlait ; ce qu'il était advenu de sa petite-fille ne devait pas le troubler.

Les seuls dont la tenue laissa entrevoir quelques failles furent Pierre-Edouard et Berthe. Le jeune homme, surtout, faisait pitié. On savait qu'il adorait sa sœur et qu'il souffrait beaucoup de son absence et de son bannissement ; on le sentait toujours à deux doigts de s'insurger contre son père et de prendre ouvertement le parti de Louise. Certains espéraient même en secret qu'il le ferait, uniquement pour jouir de l'affrontement. On plaignait Berthe aussi, car il était manifeste que son père lui interdisait toute sortie. Pendant tout le mois de décembre, on guetta furtivement les faits et gestes des Vialhe, puis on s'en lassa pour s'occuper des fêtes de fin d'année.

Pierre-Edouard vivait tristement ses derniers jours de liberté. Il avait reçu sa feuille de route et savait qu'il devait rejoindre son corps le 7 janvier.

Ce n'était pas de partir à l'armée qui le chagrinait, mais de s'en aller sans avoir revu Louise et sans avoir eu le moindre signe de vie de sa part. Même Octave Flaviens restait invisible, à croire qu'il avait quitté le chantier et la région.

141

Et maintenant, il allait devoir s'exiler au diable vauvert, sans même savoir si sa sœur était ou non mariée. Sa feuille de route était arrivée dans la semaine avant Noël et il avait été plutôt heureux de la recevoir. Elle lui ouvrait les portes de la maison, lui permettait de fuir, d'échapper à cette atmosphère lourde et malsaine où chaque mot risquait d'être mal interprété par le père, où le moindre geste faisait figure de rébellion.

Néanmoins, bien qu'assez heureux de prendre le large, il avait été un peu dépité par son affectation. Il avait naïvement cru que, comme la majorité des jeunes de la région, on l'expédierait à Tulle, à Limoges, à Périgueux, voire à Bordeaux — et pourquoi pas même à Brive ! — dans un quelconque régiment d'infanterie. Il était loin du compte et il avait regardé stupidement sa feuille pendant plusieurs secondes, le temps de chercher dans sa mémoire où diable se trouvait Besançon.

— Où t'envoient-ils ? avait demandé le père.

— 5e régiment d'artillerie de Besançon...

— Et c'est où, ça ?

— Dans le Doubs. Enfin loin, quoi. Là-haut, au diable !

— Eh ben ! on te verra pas souvent...

Son père n'avait rien dit d'autre, mais Pierre-Edouard savait qu'il était furieux. Il avait espéré que son fils, en garnison dans la région, reviendrait souvent pour lui donner un coup de main.

Depuis, Pierre-Edouard s'était fait une raison ; il allait voir du pays et puis, l'artillerie, c'était une arme sérieuse. Aussi serait-il parti le cœur léger, n'eût été Louise.

Son absence s'était fait lourdement sentir le jour de Noël, un jour affreux, d'une tristesse à pleurer, pendant lequel ni lui ni Berthe n'avaient su que faire, que dire. Pour finir, il avait pris son fusil et grimpé jusqu'aux puys ; mais ces lieux lui rappelaient trop sa sœur, leur escapade dans la neige, les grives de Léon, les loups...

Et maintenant, en cet après-midi de la Saint-Sylvestre, il tuait le temps comme il pouvait en refendant du bois à grands coups de cognée. Il abattit sa lourde hache sur un rondin de châtaignier qui explosa, prépara une autre bûche.

— Tu te réchauffes ?

Il releva la tête, aperçut Léon qui, de la route, venait de l'interpeller.

— Ouais...

Il n'avait pas vu Léon depuis plusieurs semaines et se sentait gêné d'avoir à engager une conversation qui, il n'en doutait pas, déborderait fatalement vers Louise.

— T'as le temps de venir ? questionna Léon après s'être assuré qu'il n'y avait personne dans les parages.

— C'est-à-dire..., murmura Pierre-Edouard en désignant le tas de bois.

— Me fais pas rigoler. Pose ça et viens. J'ai des nouvelles de ta sœur.

Pierre-Edouard ficha sa hache dans le billot, enfila sa veste.

— Attends-moi, je prends mon fusil, on va aller faire un tour.

Il bondit vers la maison, revint avec son douze à percussion centrale — cadeau de son grand-père pour ses seize ans — et rattrapa son camarade qui grimpait déjà à travers bois en direction du plateau.

— Tu l'as vue ? Comment va-t-elle ?

— A première vue, comme une amoureuse...

— Fais pas le con ou je te tanne !

— Joue pas les coqs ! Merde, quoi, c'est très bien d'être amoureux ! Oui, je l'ai rencontrée, et lui aussi. Ils sont venus me voir cette semaine en foire de Tulle.

— Miladiou ! La foire était mardi, on est jeudi, tu pouvais pas me prévenir plus tôt !

— Eh, j'ai du travail, moi ! Si tu veux savoir, hier j'étais à Limoges.

Depuis deux ans, Léon était son propre patron et faisait merveille dans sa spécialité. Dispensé du service militaire comme soutien de famille, il n'avait pas hésité, malgré son jeune âge, à se lancer seul dans le commerce des bestiaux. Il était toujours métayer du notaire, mais celui-ci lui avait confié en outre plusieurs hectares d'excellents pacages dont il tirait le maximum de profit.

— Alors, qu'est-ce qu'elle t'a dit ?

— Ils se marient le 2 janvier à Aubazine. Après-demain, quoi. Et ils voudraient bien que tu viennes.

Pierre-Edouard se sentit soudain rempli de joie. Sa sœur se mariait, elle voulait qu'il soit là ; c'était logique, normal, c'était comme ça qu'il fallait vivre, et non en s'enterrant dans la tristesse et le chagrin.

— J'y serai, dit-il. Et comment que j'y serai ! Comment va-t-elle ?

— Je te l'ai dit, comme une amoureuse.

— Et... Est-ce que ça se voit beaucoup ?

— Qu'elle est amoureuse ? Plutôt, oui ! Si c'était pas ta sœur...

— Déconne pas ! Ça se voit beaucoup que... enfin, qu'elle attend un petit ?

— Tu rigoles ou quoi ? s'esclaffa Léon. Ta sœur, un petit ? Et où elle l'aurait mis ? Plate comme la main elle est, la fine garce, et jolie comme un cœur ! Ah ! elle vous a bien eus !

— Dis pas ça ! intima Pierre-Edouard en lui saisissant le bras. Moi, je répète ce que mon père m'a dit. Je ne sais pas de qui il le tenait, mais c'est ce qu'il m'a dit. D'ailleurs, pourquoi penses-tu qu'il la laisse se marier, hein ?

— Ecoute, dit Léon en souriant, tel que je te connais, toi et les filles ça doit pas aller très loin, t'as bien besoin du service pour en apprendre un peu... Mais moi, tu m'excuseras, en la matière, je peux causer. Ta sœur voulait son Octave ; eh bien, elle est partie avec, c'est tout. Mais ça ne veut pas dire que ça a été plus loin. D'ailleurs, je les ai entendus, ils se disent encore vous, tu te rends compte ? Pas croyable, hein ? Et, crois-moi, elle y tient à son honneur : pour ça, c'est bien une Vialhe !... Il lui a loué une chambre chez une vieille moitié aveugle qui a pas vérifié l'âge de ta sœur, et lui, quand il va à Tulle, il loge à l'hôtel de la Gare ! Parfaitement, monsieur, à l'hôtel de la Gare ! Elle me l'a dit, et je la crois, parce que moi, j'ai un peu l'œil pour reconnaître une gamine d'une femme...

— Ça alors ! fit Pierre-Edouard estomaqué. Ça alors... Ben, j'avais cru...

Il était soudain très fier de sa sœur, très fier qu'elle ait su mener sa vie avec une telle maîtrise, sans faillir, en s'accrochant à son idée du mariage, à son idée de l'honneur. Elle allait pouvoir se marier en blanc et nul ne pourrait dire que ce n'était pas son droit.

— A quelle heure, le mariage ? demanda-t-il.

— Onze heures.

— Merci pour tout. Maintenant, il faut que je rentre.

— Dis, l'arrêta Léon, elle m'a invité ; mais c'est pas ma place, j'ai pas envie d'y aller.

— Ça aussi, c'est bien d'elle, murmura Pierre-Edouard. Si,

il faut accepter, il faut venir. Comme ça, il y aura au moins un habitant de Saint-Libéral qui pourra dire un jour comment ça c'est vraiment passé. Moi, on ne me croira jamais.

— Si tu t'imagines que les gens croiront davantage un marchand de bestiaux !... Enfin, d'accord, je viendrai. Ça fera un peu la foule, quoi. Et puis, on pourra faire la route ensemble.

... à regretter, d'une voix ... Comme ça. Il y ... au moins ou
pourquoi ne suis-je ... pourrait dire un jour comme ça ...
c'est vraiment passé. N'est pour me ... de la justice.
— ... Il l'ignorait que les gens d'ici ... devant les ...
marchand de b... quand ... Enfin, d'accord, je reviens. Ça
m'a mis un peu la haine, quoi. Et puis, on pourra faire la route
ensemble.

# 11

— DEMAIN, on reviendra faire le bois. Faut profiter de
ce que t'es encore là, c'est pas quand je serai seul..., prévint
Jean-Edouard en ce soir du 1er janvier.

La journée avait été aussi morne et lugubre que celle de
Noël, et pour s'occuper, Jean-Edouard et son fils avaient
passé une grande partie de l'après-midi à abattre leur bois de
chauffage.

— Non, dit Pierre-Edouard, demain, je serai pas là.

— De quoi? gronda son père.

— Je vais à Brive, dit Pierre-Edouard, j'ai à faire...

Il n'avait soufflé mot à personne de ce que lui avait appris
Léon, pas même à Berthe, qui n'aurait pas su tenir sa langue.

— Miladiou! Je n'aime pas ces façons, maugréa Jean-
Edouard. Non mais, tu te trompes de maison! T'es pas
encore soldat! Demain, on ira au bois, que ça te plaise ou
non!

— Alors vous irez seul...

— Et qu'est-ce que tu vas foutre à Brive? interrogea son
père en s'efforçant de maîtriser sa colère.

— On fait un banquet avec les gars de la classe, dit Pierre-
Edouard sans sourciller.

Il savait que son père apprendrait vite qu'il avait menti,
mais s'en moquait, certain d'être loin le jour où la supercherie
serait découverte.

— Un banquet! un banquet! marmonna Jean-Edouard.
Et ça vous occupe toute la journée! Ah! vous vous faites la
belle vie les jeunes! Bon, alors, toi, tu viendras avec moi, dit-
il en regardant Berthe. T'as pas de banquet, non?

La jeune fille secoua négativement la tête, baissa les yeux et garda le silence ; elle savait que le mutisme le plus complet était sa seule défense.

Il faisait encore nuit lorsque Pierre-Edouard grimpa dans la carriole de Léon. Ce dernier toucha le cheval qui s'enleva au petit trot. Ils prirent la route qui descendait vers Perpezac-le-Blanc et Brignac et arrivèrent bientôt sur le chantier de la ligne.

— Ils avancent vite maintenant, constata Pierre-Edouard.

— Oui, encore trois kilomètres et ils seront chez nous. Mais il paraît que ça n'a pas été tout seul dans les rochers, du côté de Ferrière ; c'est ce qui les a retardés. Mais ça doit arranger ton père, plus ça traîne, plus il gagne !

— On dit que tu n'y perds pas non plus..., ironisa Pierre-Edouard.

— Bah ! je leur vends de temps en temps quelques vieilles vaches de réforme, des saucisses, quoi, mais c'est pas là-dessus que je gagne lourd, faut pas croire.

— Il marche bien ton cheval, constata Pierre-Edouard après plusieurs minutes de silence.

— Oui, on sera vite à Brive. Là-bas j'en ai pas pour longtemps, juste un saut à l'abattoir, j'ai deux carcasses à vérifier. T'inquiète pas, va, on manquera pas le train... Il se tut, cracha sa cigarette, puis reprit : Tu sais, ça me fait une drôle d'impression d'aller au mariage de ta sœur.

— Moi aussi, j'arrive pas bien à y croire. Le temps passe vite, hein ? Tu te rappelles les loups ?

— Tu parles si je m'en souviens ! Tu m'as fait jeter mes grives, j'en ai perdu pour plus de cinq francs !

Le train les déposa en gare d'Aubazine à 9 h 20. Là, Léon, qui connaissait vraiment tout le monde, emprunta une carriole. Le véhicule n'avait pas de capote et ils durent s'emmitoufler, car le froid était intense.

— Allez ! lança Léon en secouant les rênes, hardi la vieille ! Tu parles d'une carne ! constata-t-il dès que la bête eut attaqué en soufflant la longue côte qui conduisait jusqu'au village. On irait plus vite à pied ! Va nous falloir près d'une heure pour ces quatre malheureux kilomètres. Enfin, on est assis !

— Oui, mais on se gèle. Pousse-la un peu cette haridelle, qu'on en finisse !

— Rigole pas, si je la pousse, elle crève ! Je la connais bien, c'est moi qui l'ai vendue...

— T'as réussi à vendre une rosse pareille !

— Facile, assura Léon. Laisse-la-moi une heure et je te la rajeunis de dix ans !

— Ouais ?

— Sûr ! Deux litres d'avoine en barbotage dans quatre litres de vin blanc sec, un bon pansage à l'eau sucrée, pour faire le poil luisant, un coup de cirage sur les sabots, deux gouttes de vinaigre sous les paupières, pour rendre l'œil brillant, un sérieux coup de lime sur les dents et, pour finir, un quart d'oignon pelé bien profond dans le cul, avec ça ton cheval piaffe comme un étalon de trois ans !

— T'es un sacré voyou ! s'exclama Pierre-Edouard. Mais le lendemain, t'as jamais d'ennuis ?

— Ben, non, la preuve. T'as vu comment j'ai été reçu chez mon acheteur ? D'ailleurs, il peut pas se plaindre, il est pas encore crevé ce bestiau ! Et puis, pour tout dire, moi, le lendemain de la vente, je suis pas là...

Il tombait une eau glaciale mêlée de neige lorsqu'ils arrivèrent enfin à Aubazine. Une lourde chape de brouillard, vautrée sur le puy de Pauliac, assombrissait tout le bourg.

Léon alla directement à l'auberge, confia son attelage à un garçon d'écurie et se précipita dans la salle à manger où crépitait un énorme feu de cheminée.

— Deux vins chauds, et dans des grands bols ! commanda-t-il en s'installant au coin du feu.

On venait juste de leur servir leur breuvage lorsque Louise et Octave entrèrent dans la pièce. Pierre-Edouard resta plusieurs secondes sans bouger, puis il alla vers sa sœur et l'étreignit.

— Tu sais, dit-il, tu nous en fais voir, et ce n'est pas fini. Ah ! je te jure, toi alors !

— Ne dis rien, je sais...

— Qui t'a dit ?

— Le docteur Fraysse. Il a écrit à Octave, expliqua-t-elle en maîtrisant ses larmes, et s'il t'en parle, tu pourras dire au père que je ne reviendrai pas. Jamais.

— Allons, allons, intervint Octave, on verra plus tard.

Aujourd'hui, c'est fête! Tenez, dit-il en se tournant vers un grand gaillard qui venait d'entrer, je vous présente mon témoin. Et vous, Louise, avez-vous demandé à M. Dupeuch s'il était d'accord?

— Moi? dit Léon, ému. Témoin? Ben, pourquoi pas plutôt Pierre-Edouard?

— Il n'est pas encore majeur, expliqua Octave.

— Alors, tu acceptes Léon, insista Louise. Ça me fera plaisir, et puis ça me rappellera toujours nos escapades à Saint-Libéral, tu te souviens?

— Ouais, murmura Léon la gorge nouée.

C'était la première fois qu'on s'adressait à lui avec une gentillesse aussi spontanée.

— Bon, dit-il enfin, si tu veux, mais... Merci d'avoir pensé à moi.

Les formalités à la mairie furent extrêmement brèves et ils comprirent que le maire avait été prévenu par son confrère de Saint-Libéral et qu'il remplissait sa fonction parce qu'il ne pouvait vraiment pas faire autrement; mais son ton prouvait à quel point il désapprouvait lui aussi ce mariage.

A l'église, ce ne fut pas plus chaleureux, et le jeune vicaire chargé de la cérémonie expédia la bénédiction en un tourne-main. Puis il rappela en quelques mots les devoirs réciproques que se devaient les époux et ne put s'empêcher de jeter un coup d'œil sournois et inquisiteur sur le ventre étonnamment plat de Louise lorsqu'il parla de l'éducation chrétienne des enfants. Il proposa pour finir une courte oraison devant l'autel de la Sainte Vierge, fit signer les registres et disparut dans la pénombre de la nef.

Au repas non plus, l'ambiance n'était pas à l'allégresse. Il était manifeste que Louise, malgré la joie évidente qui brillait dans son regard, ne pouvait oublier tout ce qu'elle avait dû endurer et abandonner pour arriver à cette sombre et glaciale journée, à cette minable cérémonie presque clandestine.

Quant à Octave, attentif au moindre geste de sa femme, on le sentait lui aussi navré de n'avoir pu offrir à sa jeune épouse la grande et joyeuse fête de famille, le banquet plein de chants, de rires et de discours, le bal animé par quelques gais lurons, tout ce qui fait une noce heureuse.

Pendant le repas, Louise apprit à son frère qu'ils avaient trouvé un logement à Terrasson et qu'ils allaient vivre là-bas, tant que la présence d'Octave serait nécessaire sur le chantier. Ensuite ils partiraient pour Orléans, la ville natale de son mari.

— Et moi aussi je vais travailler, dit-elle. Octave ne voulait pas, mais je ne vois vraiment pas pourquoi je resterais sans rien faire à l'attendre à la maison. Plus tard, quand s'annoncera un bébé, on verra.

« Il a fallu qu'elle le dise, songea Pierre-Edouard, elle ne veut pas qu'on puisse la soupçonner d'avoir pris l'enfant avant le mari ! » Il lança un coup d'œil à Léon, sourit devant sa mimique qui signifiait nettement : « Tu vois, j'avais raison ! »

— Mais que vas-tu faire ? demanda-t-il.

— De la couture chez un des confrères du docteur Fraysse. C'est lui qui m'a recommandée.

— C'est un brave homme, acquiesça Pierre-Edouard.

Puis il annonça son départ imminent et la conversation traînailla un peu ; Octave et son ami parlèrent de leur service, évoquèrent des souvenirs qui n'intéressaient qu'eux.

Au dessert, Léon voulut absolument offrir le mousseux. Tous lui reprochèrent cette prodigalité, mais il s'entêta, déboucha lui-même la bouteille, emplit les coupes. D'un geste faussement maladroit — et qui ne trompa personne — il fit en sorte que celle de Louise se brise et projette le vin pétillant sur son corsage blanc.

— Voilà, dit-il, ça porte bonheur ! Allez, aux jeunes mariés !

Un peu plus tard, alors que la nuit s'annonçait déjà, ce fut encore lui qui donna le signal du départ.

— Eh oui, on s'excuse ! Mais il ne faudrait pas qu'on rate le train, et avec la carne qui nous transporte...

Louise et Octave les accompagnèrent jusqu'à l'écurie.

— Eh bien, voilà, dit Pierre-Edouard après avoir embrassé sa sœur. Bonne chance, quoi...

Il serra la main de son beau-frère, grimpa dans la carriole.

— A bientôt ! lança Louise.

Il fit oui de la tête, ébaucha un sourire forcé. Il était certain que des mois, et sans doute même des années, s'écouleraient avant que ce souhait ne se réalise.

Pendant les deux derniers jours qu'il passa chez lui, Pierre-Edouard ne desserra pas les dents, mais nul n'y prêta attention. On parlait de moins en moins dans la maison Vialhe. Il ne parvenait pas à oublier ce mariage raté, où tout sonnait faux et pendant lequel chacun s'était efforcé de paraître enjoué ; il ne pardonnait pas à son père d'avoir été l'artisan indirect de cette cérémonie à la sauvette qui suait la tristesse.

Puis ce fut le jour du départ.

— Reviens aussitôt que tu pourras, lui recommanda son père. Tu sais que le travail ne manque pas ici !

— Et sois bien prudent, insista sa mère.

Il alla embrasser son grand-père, mais ne fut pas certain que le vieillard le reconnaissait ; puis il effleura des lèvres les joues flétries de sa grand-mère qui lui demanda ingénument où il partait. Enfin il embrassa ses parents et sa sœur, saisit sa modeste valise de carton bouilli, ouvrit la porte.

— Je voulais vous dire, lança-t-il avant de partir, samedi j'ai été au mariage de Louise et d'Octave. Ils sont très heureux et ils n'attendent pas encore de petit ! Léon pourra le dire à tous, il était témoin...

Il claqua violemment la porte derrière lui et s'éloigna à grands pas.

Depuis plusieurs années, l'abbé Feix ne parvenait guère à dormir plus de quatre heures par nuit. Aussi, au lieu de rester éveillé et frigorifié à se retourner dans son lit, préférait-il retarder au maximum l'heure de se coucher. Il s'installait au coin du feu où, là au moins, il parvenait à redonner un peu de tiédeur à ses jambes et à ses mains toujours glacées.

Une fois assis dans le cantou, il prenait d'abord son bréviaire. Ensuite, il entreprenait la lecture de *La Croix de la Corrèze* qu'il lisait et relisait de la première à la dernière ligne. Vers une heure, il récitait cinq dizaines de chapelet auxquelles il ajoutait les litanies du Très-Saint-Nom-de-Jésus et celles de la Sainte Vierge. Ensuite, comme le sommeil le fuyait toujours, il méditait tout en buvant un grand bol de tilleul.

Tout cela l'amenait à deux heures. Alors, sommeil ou pas, il partait s'étendre ; il ne manquait jamais de remercier le Seigneur à son réveil lorsqu'il était parvenu à s'assoupir jusqu'à six heures.

Aussi fut-il tout de suite à la porte lorsqu'on frappa chez lui vers onze heures en cette nuit du 18 janvier. Il ouvrit, reconnut Jean-Edouard.

— C'est pour le père, il est en train de passer...

— Attends-moi pour m'éclairer, j'arrive tout de suite.

Il endossa sa lourde cape, prit les saintes huiles, rejoignit son visiteur. Ils furent vite chez les Vialhe.

Inconscient, émacié, méconnaissable, les narines déjà pincées, le vieil Edouard agonisait ; seul un souffle ténu, à peine perceptible, indiquait qu'il vivait encore. L'abbé Feix jugea néanmoins qu'il avait le temps de donner une extrême-onction complète et, tout en récitant les prières, il oignit par six fois le corps décharné, touchant tour à tour les yeux, les oreilles, les narines, la bouche, les mains et les pieds du moribond. Autour du lit, Jean-Edouard, Marguerite et Berthe murmuraient les répons. Quant à la vieille Léonie, tapie au coin du feu dans la pièce d'entrée, elle pleurait sans bruit en regardant sans les voir les flammes qui dansaient à ses pieds.

Lorsqu'il eut fini la dernière oraison, l'abbé s'écarta du lit.

— Ecoute, petite, dit-il en s'adressant à Berthe, va plutôt t'occuper de ta grand-mère ; lui, il n'a plus besoin de toi. Allez, va, moi je vais rester. Il s'agenouilla au pied du lit et commença à veiller.

Le vieillard s'éteignit à trois heures, sans bruit, sans hoquet, dans un silence que troublait à peine le grésillement des deux chandelles placées sur la table de chevet. L'abbé donna une ultime bénédiction, puis céda la place à Marguerite et à sa fille dès qu'elles entrèrent pour la toilette du mort.

— Vous voulez que je vous raccompagne ? proposa Jean-Edouard qui l'avait suivi dans la pièce d'entrée.

— Non, reste ici, recommanda l'abbé.

Il s'approcha de la vieille Léonie, lui serra les deux mains, puis marcha vers la porte.

— Tu ferais une bonne action en prévenant Louise. Tu veux que je m'en charge ? demanda-t-il.

— Ne vous occupez pas de ça, coupa Jean-Edouard, je sais ce que j'ai à faire.

L'abbé sortit et déjà, dans son dos, il entendait les gémissements plaintifs des trois femmes ; ce n'était pour l'instant qu'une mélopée discrète, une lamentation à fleur de lèvres. Mais tout à l'heure, au réveil du village, à l'annonce du jour, elles crieraient comme des bêtes, hurleraient à pleine gorge, comme pour se vider de leur peine, de leur douleur, mais aussi pour que nul n'ignore à Saint-Libéral que la mort avait frappé chez les Vialhe.

L'enterrement attira une foule énorme. Dès le matin du décès, Jeantout, délégué par Jean-Edouard, avait couru la campagne pour annoncer la nouvelle à toutes les fermes ; même les plus reculées reçurent sa visite.

Et les gens vinrent, car les Vialhe étaient connus de tous et parce que le mort avait toujours été un brave homme, estimé et respecté. Même des cousins, perdus de vue depuis des années, tinrent à assister aux obsèques ; même ceux de Tulle vinrent, et pourtant, Dieu sait si Jean-Edouard avait de bonnes raisons de refuser de les recevoir ! Il les accueillit cependant, et les embrassa, comme si de rien n'était, comme si ce n'était pas de chez eux que sa fille avait pu s'enfuir.

Naturellement, quand la famille sortit de la maison pour marcher derrière le corbillard, tout le monde nota l'absence de Louise. Pierre-Edouard aussi était absent, mais lui, c'était différent.

Et pourtant, lorsqu'après la messe ils se retrouvèrent au cimetière, devant la fosse ouverte où quatre hommes descendaient lentement le cercueil, tous virent la modeste couronne placée là, juste au milieu des autres. C'était la plus petite, sans doute la meilleur marché, quelques fleurs artificielles entrelacées vaille que vaille avec, en lettres d'argent sur le ruban violet :

*A notre regretté grand-père. Octave et Louise, ses petits-enfants.*

La mort de son grand-père attrista beaucoup Pierre-Edouard. Il avait eu une grande affection pour lui et se souvenait toujours de la joie du vieil homme le jour de son certificat d'études. Il ne se souvenait pas que l'aïeul ait manifesté la même émotion lorsque Louise et Berthe avaient, à leur tour, obtenu le diplôme, ni même qu'elles aient reçu, comme lui, un napoléon de vingt francs. Ce napoléon, il n'avait jamais voulu le dépenser ; il le conservait précieusement, comme un talisman.

Il apprit le décès de son grand-père par un télégramme que lui porta le vaguemestre pendant une séance de présentation.

— Qu'est-ce que c'est? demanda le sous-officier après avoir commandé le repos.

— Rien, maréchal des logis, balbutia-t-il, gêné d'avoir à annoncer à tous ses camarades une nouvelle qui ne concernait que lui.

— A votre aise! Mais si c'est votre petite amie qui vous donne rendez-vous, faites-la patienter, vous n'êtes pas près de pouvoir lui faire la bise!

La boutade souleva quelques lâches ricanements et il s'efforça lui aussi de sourire.

Il ne demanda pas de permission pour se rendre aux obsèques. Il était incorporé depuis trop peu de temps pour espérer qu'on le laisserait partir. Toute sa classe était consignée au quartier pour les mois à venir et n'aurait droit de sortir en ville qu'après avoir reçu la formation de base et subi les vaccinations. Enfin, il n'avait aucune envie de revenir à Saint-Libéral en de pareilles circonstances, aucune envie non plus de se retremper dans la vie civile pour quarante-huit heures. Il avait assez de mal à s'habituer à son nouvel état pour savoir qu'une absence, aussi brève fût-elle, lui rendrait les choses encore plus difficiles.

Pris en main dès leur arrivée par un vieux sous-officier aux énormes moustaches et aux jambes en cerceau de barrique, Pierre-Edouard et ses camarades avaient dû se plier sans mot dire à toutes les brimades.

— Désormais, avait braillé le maréchal des logis après les avoir fait aligner tant bien que mal dans la cour du quartier, vous n'êtes plus des « Monsieur », mais uniquement de vulgaires 2e canonniers-servants-tireurs! On vous a choisis pour servir dans la meilleure arme du monde, et c'est beaucoup d'honneur pour un tas de crevards comme vous! Mais être artilleur, ça se gagne, et je vais vous le faire gagner, moi, mes salauds! Et si quelqu'un n'est pas content, il peut toujours demander à se faire muter dans les pousse-cailloux, ces minables fantabosses juste bons à faire de la chair à canon! Maintenant, tout le monde aux écuries. Pour l'instant, vous allez me ramasser le crottin. Vous allez comprendre qu'avant de toucher un canon, faut savoir s'occuper de ceux qui les traînent, s'en occuper et les monter! Quand vous aurez le cul aussi tanné qu'un vieux tambour, alors, peut-être, on vous permettra de regarder un 75!

Depuis, ce n'étaient que corvées de quartier, revues de

154

chambre et de détail, séances de présentation et maniement du mousqueton, auxquelles s'ajoutaient le nettoyage des écuries, le pansage des chevaux et l'astiquage des harnais.

Habitué aux travaux des champs, Pierre-Edouard n'était nullement gêné par les cadences qu'on leur imposait ; elles étaient très loin de celles qu'il avait dû soutenir lorsqu'il sarclait sur le plateau ! En revanche, il avait du mal à s'habituer à cette discipline militaire grâce à laquelle le dernier des crétins, pour peu qu'il soit brigadier, peut, en toute impunité, user de tous les moyens pour briser les prétendues fortes têtes.

Il prit donc l'habitude de se taire, de se fondre dans la masse des recrues, de ne rien faire surtout — ni en bien ni en mal — qui risquât d'attirer l'attention sur lui.

Quand la vieille femme qui s'occupait du ménage de l'abbé Feix entra comme chaque matin dans la grande salle du presbytère et qu'elle vit le vieux curé assis dans le cantou, devant le feu éteint, elle crut qu'il s'était assoupi là au retour de la messe.

En fait, comme le déclara peu après le docteur Delpy, il était mort depuis plus de cinq heures. Mort là, seul, dans ce coin de cheminée où il s'installait chaque soir.

Son décès secoua toute la paroisse, cette paroisse qu'il avait servie pendant presque un demi-siècle, dont il était la figure la plus respectée, même ceux qui ne l'aimaient guère, le critiquaient ou s'en plaignaient, car nul dans la commune ne pouvait se vanter de ne rien lui devoir.

Il avait baptisé et fait le catéchisme de tous les moins de quarante ans, marié la quasi-totalité des couples ; exceptionnelles étaient les maisons qui ne l'avaient pas accueilli au moins une fois pour donner l'extrême-onction à un moribond ou conduire un enterrement.

Sa mort attrista donc toute la communauté et l'inquiéta, car on se demanda aussitôt qui le remplacerait à la tête de la paroisse. De toute façon, et quel que soit le nouveau curé, il lui faudrait des années pour connaître ses paroissiens, leurs vieux secrets, leurs querelles ou leurs brouilles ancestrales, les impairs à ne pas commettre avec tel ou tel ; bref, tout ce qui avait permis à l'abbé Feix de faire un peu partie de chaque famille, d'être celui à qui on concédait le droit de donner son avis, même si cet avis ne devait pas être suivi. On alla même jusqu'à oublier ses anathèmes contre la République et sa farouche opposition au passage de la ligne.

Aussi, malgré les travaux de printemps de ce mois d'avril, y eut-il foule le jour de son enterrement. Seuls quelques hommes entrèrent à l'église et, si la présence en ces lieux du châtelain, du notaire et de Jean-Edouard n'étonna personne, celle du maire et du docteur Fraysse fit beaucoup parler tous ceux qui patientaient sur la place, à l'auberge ou dans les bistrots.

Le sort voulut qu'une dizaine d'ouvriers du chantier soient déjà installés au zinc de l'auberge lorsque Fernand Fronty, le charron, suivi de quelques amis, vint vider une chopine en attendant la sortie du cercueil.

— Nom de Dieu ! lança crânement un buveur, vous en faites un bordel pour un curé. Ça fait jamais qu'un corbeau de moins !

— Retire ça ! ordonna le charron en marchant jusqu'à lui.

Fernand Fronty n'avait pas mis les pieds à l'église depuis sa première et sans doute dernière communion, vingt-cinq ans plus tôt, et tous connaissaient sa profonde indifférence pour les choses de la religion ; c'est à peine s'il saluait l'abbé Feix lorsqu'il le croisait dans la grand-rue. Pourtant, sa réaction n'étonna personne. Le curé était ce qu'il était, mais c'était le leur, et des pouilleux d'étrangers n'avaient rien à dire sur lui. En l'insultant, ils insultaient toute la commune.

— Retire ça ! répéta Fronty en empoignant le buveur par la chemise.

A jeun, l'autre se fût sûrement exécuté après un seul coup d'œil à la carrure du charron. Mais il ne prit pas garde aux énormes bras, modelés par vingt ans de pratique journalière de la varlope, de la hache ou de la masse à frapper devant, ni au poing, gros comme un jambonneau qui le tenait au col.

— J'emmerde les corbeaux ! hurla-t-il. C'est tous des...

Nul ne sut jamais ce qu'ils étaient, car la mornifle que lui expédia le charron le jeta, assommé, au milieu de la pièce. Ses compagnons hésitèrent une seconde, puis plongèrent prudemment le nez dans leur verre ; il était vraiment trop tôt dans la journée pour organiser une belle bataille. De plus, ils étaient, eux, encore assez lucides pour se faire une juste opinion de la puissance de Fernand.

— Nom de Dieu ! commenta-t-il en prenant place au zinc, je n'allais quand même pas laisser ce morpion insulter notre curé ! Pas vrai ? insista-t-il lourdement en souriant aux autres ouvriers.

Ils opinèrent vivement et déguerpirent dès que leur camarade fut en état de marcher.

Retranché dans son isolement, Jean-Edouard n'en avait pas pour autant négligé sa ferme, bien au contraire. Sa fille l'avait déshonoré et contraint à abandonner toute ambition politique, il n'avait donc plus rien à perdre et plus personne à ménager.

Ainsi, et comme pour démontrer qu'il fallait toujours compter avec lui, devança-t-il Jeantout dans la production des salades. Dieu sait pourtant qu'il n'avait pas besoin de cela pour gagner de l'argent. Son élevage de porcs prospérait au mieux. Il fournissait non seulement la compagnie, mais pouvait de surcroît vendre aux principales foires de la région des bandes de dix ou quinze lards en grande partie engraissés avec les déchets de la cantine.

Ce fut donc pour le plaisir qu'il repiqua un demi-hectare de laitues ; il leur consacra ses terres dites des Jardins, les mieux exposées et les plus précoces. Un autre avantage de cette culture fut qu'il la confia à Berthe. Pendant qu'elle serait occupée là, elle ne penserait pas à faire comme sa sœur !

Jeantout lui en voulut de cette méchanceté, mais ne lui en toucha mot. Il savait trop bien que son voisin n'attendait qu'une occasion pour laisser exploser sa colère.

Non content de gagner beaucoup, Jean-Edouard s'employa à faire fructifier son argent. Pour cela, il n'hésita pas à se brouiller avec le maire et le châtelain lorsqu'il leur souffla deux hectares de bonne terre, sis sur le plateau, mis en vente par le notaire qui désirait à son tour acheter une automobile. Ces champs, borduriers des propriétés d'Antoine Gigoux et de Jean Duroux, arrangeaient merveilleusement bien les deux hommes qui s'étaient déjà secrètement entendus pour tenir les prix et partager le terrain.

Jean-Edouard eut vent de l'affaire, alla chez Me Lardy et posa un sac de napoléons sur la table ; vingt minutes plus tard, il était propriétaire des deux hectares. Il enleva de même sous le nez de Léon Dupeuch un pré d'un hectare situé dans la vallée, non loin du moulin. Lorsqu'il en entendit parler, un matin de foire à Saint-Libéral, l'affaire était presque faite, et c'est bien parce qu'il avait déjà signé le sous-seing privé que Léon commit l'erreur d'être beaucoup trop bavard.

Jean-Edouard alla aussitôt jusqu'à Perpezac, trouva la vendeuse, une vieille demoiselle dure en affaires mais assez avide pour accepter de renier sa signature et pour suivre cet acheteur providentiel et généreux jusque chez le notaire. Jean-Edouard déposa sans sourciller ses pièces d'or sur la table, empocha son acte de propriété et rentra prévenir Léon.

— Miladiou! gronda celui-ci, c'est pas des manières d'honnête homme ça! Je pourrais vous faire un procès!

— Tu ne le feras pas, tu y perdrais tes sous. Et pour ce qui est de l'honnêteté, c'est pas un marchand de bestiaux qui doit en parler!

— D'accord, dit Léon, vous m'avez couillonné, mais portez pas peine, je vous rendrai bien la monnaie un jour... Et puis je trouverai bien d'autres pacages, tandis que vous, avant que vous retrouviez Louise...

Dix ans plus tôt, Jean-Edouard l'aurait assommé. Mais il eut soudain conscience de son âge et réalisa que Léon était tout à fait capable de le corriger comme un malpropre.

— Tu regretteras d'avoir dit ça!

— Ouais, gouailla Léon, je regretterai, comme Louise regrette le Léonard, ce vieux débris pourri que vous lui aviez trouvé! Vous savez que, depuis, on dit qu'il se contente avec ses chèvres? Ah, il était beau le futur gendre Vialhe!

Et il éclata d'un rire insolent.


Lorsqu'il annonça son nouvel achat à Marguerite, Jean-Edouard ne toucha mot de sa visite à Léon. Ni l'un ni l'autre n'avaient reparlé de Louise et ce n'était pas ce morveux de Léon, avec sa méchanceté, qui parviendrait à rompre leur mutisme à ce sujet.

A son grand étonnement, alors qu'il s'était attendu à ce que Marguerite tente de le faire fléchir, elle n'avait jamais rien dit qui pût être interprété comme une demande de clémence. Il savait pourtant qu'elle adorait Louise, mais elle s'était tellement réjouie de ce mariage préparé, elle avait été tellement fière du beau parti réservé à sa fille, qu'elle ne lui pardonnerait sans doute jamais l'écroulement du projet et la honte qu'elle subissait depuis.

Elle n'était pas non plus à la veille d'oublier que sa fille l'avait quatre fois bafouée. Une fois en se compromettant avec un étranger, une deuxième fois en feignant d'accepter la décision de ses parents, une autre encore en faisant croire qu'elle avait fauté, et une dernière en profitant de ce misérable mensonge pour épouser un moins que rien, pauvre et sans terre. Non, elle ne plaiderait pas pour sa fille, jamais. Lui permettre de revenir un jour, ce serait reconnaître qu'elle avait eu raison d'agir comme une gueuse ; or, elle avait eu tort et s'il y avait un bon Dieu, l'avenir le prouverait !

— Ça nous fait une des plus belles propriétés, murmura-t-elle en songeant au nouvel achat, mais ça va nous donner du travail en plus, et déjà que...

Il haussa les épaules ; le travail ne lui faisait pas peur et, dans dix-huit mois, Pierre-Edouard serait de retour, encore une chance que la loi de 1905 ait ramené le service à deux ans. Ce n'était pas comme de son temps ; lui, il avait fait cinq ans, de quoi devenir fou !

avec lui. Hélas!... une certaine idée de certains d'amour [...]
der spéciale sur la certitude, une idée qu'on a un besoin de [...]
lui dire. Mais [...] avec une dernière énergie avant de reprendre [...] connaissance [...] épuiser sa pensée que dans [...] qu'ils [...]
se sont fixés [...] qu'elle ne plaisait pas plus à elle, jamais
Lui permettre du revenir un jour qu'elle reconnaîtra [...] elle
n'est en effort d'elle contre une pensée [...] qu'elle n'en fait
qu'elle n'avait un autre Dieu [...] qu'elle même ici [...]

— Il m'a fait que ce ne plus être propre, en un mon [...]
elle qui s'est évanouie et s'éteint, mais [...] Il nous étions un
travail et [...], et [...].

Il laissait les [...] le travail [...] et restait pour par la
suite d'un [...] ajouter. [...] et on réfléchir, ni en cas [...]
une chance que [...] le ses [...] il repassent [...] la [...]
Ce t'était pas comme à [...] revenir qu'il revenir un chap [...]
de quoi élever la fin.

# TROISIÈME PARTIE

# L'AFFRONTEMENT

# 12

L'INAUGURATION du tronçon de voie qui reliait désormais La Rivière-de-Mansac à Saint-Libéral-sur-Diamond eut lieu le samedi 31 juillet 1909.

Une fois encore, les travaux avaient pris du retard et s'étaient immobilisés à moins d'un kilomètre du bourg à la suite d'un important glissement de terrain dû à un printemps très humide. En mai, les trombes d'eau d'une nuit d'orage avaient emporté vingt mètres du tronçon, rails et traverses compris, et creusé dans la route un entonnoir énorme. Il avait fallu le combler et assurer la solidité de la réparation grâce à une sérieuse maçonnerie. Enfin les travaux avaient pu reprendre et conduire la voie jusqu'à la gare toute neuve de Saint-Libéral.

L'entrée du premier train donna lieu à des festivités auxquelles furent conviés tous les habitants de la commune et, de l'avis unanime, on reconnut que la municipalité avait bien fait les choses.

Grâce au châtelain, toujours conseiller général, Antoine Gigoux avait pu faire venir le préfet et le député et ce fut à ce dernier qu'échut l'honneur de couper le ruban tricolore qui barrait la voie. Les fanfares réunies de Brignac, de Perpezac et de Saint-Libéral sonnèrent *la Marseillaise* et le train arriva juste comme retentissaient les derniers accords.

Enrubanné de toute part, sifflant à plein pression, couvert de fleurs et de drapeaux, bondé d'ouvriers et de gamins, le convoi entra, tout soufflant, dans Saint-Libéral et s'immobilisa devant la petite gare au milieu des vivats, des applaudissements et des cris d'allégresse.

Après les photographies sur lesquelles tout le monde voulut figurer, on s'embrassa, on se congratula, on se tapa dans le dos ; puis beaucoup s'installèrent dans les wagons pour une brève mais excitante marche arrière et un retour triomphant.

Un gigantesque banquet était prévu pour lequel, réconciliés, s'assirent côte à côte et fraternisèrent les ouvriers et les gens de la commune. Le soir, tout le monde dansa sur la place ; on but aussi beaucoup... A minuit, grâce à la générosité du châtelain, un superbe feu d'artifice, jaillissant de la locomotive, porta très haut dans le ciel l'annonce de la nouvelle. Désormais, Saint-Libéral était relié au monde.

Aucun membre de la famille Vialhe ne participa aux festivités. Nul n'y prit garde. Qui se souvenait encore que c'était en partie grâce à la ténacité et à la médiation de Jean-Edouard que le train avait pu venir jusque-là ?

Pierre-Edouard se classa très honorablement aux épreuves marquant la fin du peloton de brigadier. Son capitaine, arguant de son certificat d'études et de son bon esprit, l'avait inscrit d'office sur la liste des postulants aux galons de laine.

Pierre-Edouard se plia aux ordres et s'en porta bien. Le 75, modèle 97, n'eut bientôt plus de secret pour lui et le jour de l'épreuve il parvint non seulement à tirer à la belle cadence de quinze coups à la minute, mais encore à placer ses obus dans le périmètre voulu. Il est vrai qu'il avait promis aux six servants la plus belle cuite de leur vie s'ils faisaient preuve de bonne volonté et l'aidaient, par leur rapidité, à décrocher ses galons rouges. Interrogé en théorie sur le 75 de Schneider, il sut expliquer le fonctionnement des freins hydrauliques et des obus, fusants ou percutants, à la mélinite.

Le soir, mêlé à la joyeuse bande des vainqueurs de l'examen, il déambula dans Besançon en braillant *l'Artilleur de Metz* et autres gaudrioles. Ils visitèrent de nombreux bistrots puis, toujours chantant et de plus en plus titubants, se dirigèrent vers le bordel de la mère Fifine, bien décidés à y finir la soirée et à prouver à ces dames que les artilleurs étaient les meilleurs tireurs, et les plus rapides ! Par malchance, ils croisèrent une patrouille de surveillance en ville dont le sous-officier, teigneux, borné, et peut-être jaloux, les expédia sans plus attendre cuver leur vin en salle de police...

Depuis six mois qu'il était sous les drapeaux, Pierre-Edouard avait très peu de nouvelles de Saint-Libéral. Il est vrai que lui-même ne savait que raconter dans les quelques lettres qu'il envoyait parfois à sa famille. Que dire qui intéressât ses parents ? Qu'il avait de très bons camarades, dont un ouvrier parisien, un maréchal-ferrant orléanais, un agriculteur de la Brie et un autre de la région de Chartres ? Cela, pensait-il, ne concernait que lui. Et devait-il leur écrire que le seul Corrézien du régiment, à part lui, était un maréchal des logis-major d'Egletons, de la pire espèce de sous-officier de carrière qui soit, un ivrogne méchant comme un vieux verrat atteint d'acrobustite qui, dès qu'il était pris de boisson, distribuait ses ordres et ses injures en patois ! Une honte pour toute la Corrèze ! Non, vraiment, ce n'était pas une chose à raconter à ses parents !

Quant à leur demander des nouvelles du bourg et de la ferme, il savait l'essentiel, le décès de l'abbé Feix, l'arrivée du train, la marche florissante de l'élevage de porcs et l'achat de terres supplémentaires.

Il s'était vivement réjoui de cette acquisition, situait parfaitement l'emplacement des parcelles, mais songeait, avec nostalgie, à tout le temps qui le séparait du jour où il pourrait enfin y ancrer sa charrue, toucher ses bêtes et tracer son premier sillon dans cette nouvelle terre des Vialhe.

Ce qu'il eût aussi aimé demander dans ses lettres, c'était des nouvelles de Louise, mais il n'était même pas pensable de s'y hasarder. Il se doutait que son père ne lui avait pas pardonné sa présence au mariage de sa sœur. Quémander des nouvelles de la bannie aurait été pris comme une grave insulte.

Il avait bien tenté de lui écrire directement en adressant sa lettre à Octave Flaviens, aux bons soins de la compagnie. Mais il n'avait pas reçu de réponse, et il supposait que le message s'était perdu ou alors, mais il se refusait à y croire, que sa sœur avait décidé de couper tous les ponts...

Près d'un an s'était écoulé lorsqu'il put enfin revenir au village pour y passer sa permission réglementaire. Il arriva la veille de Noël, par le train du soir, et fut très conscient du bon effet que produisait sur les voyageurs son bel uniforme d'artilleur que rehaussaient ses deux grands galons rouges de brigadier.

— T'es ben le gars de chez Vialhe ? demanda un vieux paysan qui grimpa en gare de Perpezac.

— Mais oui, père Mathou, acquiesça-t-il sans perdre une miette du paysage. Il était très ému de suivre, en train, ce trajet qu'il avait fait si souvent à pied et dont il connaissait tous les détails.

— Alors, te voilà soldat ! Je me disais bien que ça faisait quelque temps qu'on te voyait plus !

— Eh oui ! dit-il, faut bien y passer...

— Bah, ça va vite maintenant, c'est pas comme de mon temps ! Alors, comme ça, t' es en permission ? Tu vas trouver du changement au village. Et ton père, ça va ?

— Ben, je pense, dit-il étonné.

— On le voit pas guère. C'est vrai qu'il a eu bien des soucis...

— Quels soucis ? demanda-t-il inquiet.

La dernière lettre datait d'un mois et ne laissait rien paraître d'alarmant.

— Ah ! t'as pas su ? Ah ! mon pauvre vieux ! L'a perdu quarante porcs en huit jours et, à ce qu'on dit, de sacrées belle bêtes, plus de deux cents livres pièce ! Un coup de rouget et ç'a été fini. Paraît qu'il en a juste sauvé une douzaine, et encore, sont pas bien fiers !

« Eh bien, pensa Pierre-Edouard, il doit être de bonne humeur... » Mais il était quand même rassuré ; il avait craint un instant qu'un des membres de la famille ne fût malade.

Il faisait presque nuit lorsque le train s'arrêta en gare de Saint-Libéral. Pierre-Edouard sauta à terre, écarquilla les yeux pour chercher à découvrir ce qui avait changé dans son univers.

Mise à part la gare, toute neuve, et qui n'en était encore qu'aux fondations lorsqu'il était parti, il nota aussi les agrandissements effectués à l'auberge ; une grosse bâtisse — des chambres sans doute — avait été accolée au bâtiment principal. La boulangerie aussi avait pris de l'ampleur L'épicerie était repeinte. La boucherie, naguère modeste, ouvrait désormais sur la grand-rue une large vitrine derrière laquelle pendaient des chapelets de saucissons et d'énormes jambons. Il s'avança dans la rue, aperçut une automobile inconnue devant chez le notaire. Ainsi, lui aussi en avait acheté une !

Il croisa quelques personnes qui hésitèrent un instant avant de répondre à ses saluts. Et soudain, là-bas, au bout de la rue, déjà noyée dans la nuit, mais encore discernable, il vit sa maison. Il hâta le pas.

— Tu aurais quand même pu prévenir ! répéta sa mère pour la vingtième fois.

Il avait eu beau lui dire, et redire, qu'une permission était toujours susceptible de sauter, elle ne démordait pas de son idée et lui en voulait un peu de débarquer ainsi à l'improviste.

— Tu comprends, on n'avait rien prévu pour la veillée de Noël, mais avec toi ça va être différent !

— J'espère bien, assura-t-il en se penchant vers le foyer pour arranger les bûches. Le père n'est pas là ?

— Il a dû aller à Objat chercher des médicaments pour les porcs. Faut que tu saches que...

— Je sais, coupa-t-il, le père Mathou m'en a parlé. Et mémé, où est-elle ?

— Oh ! la pauvre, laisse-la, va. Elle est déjà couchée.

— Et Berthe ?

— A l'étable.

— J'y vais.

Il sortit et le chien gambada joyeusement dans ses jambes. Il poussa la porte de l'étable d'un coup de pied, entra et savoura la bonne odeur des bêtes. Berthe trayait la vieille Pig. Elle sursauta puis posa son seau, se précipita vers lui et l'étreignit.

— Eh bien ! Eh bien ! dit-il en lui caressant les cheveux.

Puis il l'éloigna un peu de lui, la regarda.

— Tu n'es pas bien grasse, constata-t-il, mais te voilà devenue bien jolie quand même. Alors, quoi de neuf ici ?

— Rien, dit-elle en haussant les épaules.

— Et Louise, murmura-t-il, t'as des nouvelles ?

— J'ai fini par savoir qu'elle était à Terrasson, mais je n'en sais pas plus. Tu sais, avoua-t-elle, je ne peux pas sortir...

— Alors c'est toujours pareil, les parents ?

— Et comment veux-tu que ça soit ? Tiens, voilà le père.

Il entendit le pas d'un cheval et s'étonna.

— Il a acheté un attelage ?

— Oui, depuis cet été.

— Ça il ne me l'a pas écrit, murmura-t-il un peu vexé.

Il sortit, alla vers son père qui venait juste de descendre de la carriole. Jean-Edouard se retourna, scruta la silhouette qui marchait vers lui ; la nuit était maintenant complète.

— Ah ! c'est toi ! dit-il enfin. T'aurais bien pu t'annoncer ! Mais tu tombes bien, tu vas pouvoir m'aider à piquer les porcs.

Dès le lendemain de Noël, Pierre-Edouard sut qu'il ne pourrait plus s'entendre avec son père. Il en fut attristé, car il avait beaucoup espéré établir de bons rapports avec lui, des rapports d'homme à homme. Mais c'était impossible. Et pourtant, il ne lui contestait nullement ses prérogatives de chef de famille et de maître des terres, mais à condition toutefois que son père n'en abusât point et admît qu'il n'avait plus douze ans.

Indirectement, ce fut encore Louise qui fut responsable de la scène. Dès le matin du 26, Pierre-Edouard rendit visite au vieux docteur Fraysse et apprit l'adresse du médecin chez qui travaillait la jeune femme. Ravi du renseignement, il décida d'aller aussitôt à Terrasson, rentra chez lui et se changea.

— Et où vas-tu comme ça ? lança son père.

— En ville.

— Rien que ça ? En ville ? Dis donc, t'es pas à la caserne, ici ! Le travail ne manque pas. Et si tu dois passer tes journées en ville, autant t'installer à l'hôtel !

— Ecoutez, j'ai quand même le droit de profiter de ma permission !

— C'est ça, et moi j'ai juste le droit de travailler en t'attendant ! Tu n'as même pas été voir les terres !

— J'irai, j'ai encore le temps. Mais maintenant, je vais en ville.

— Laquelle ? interrogea Jean-Edouard qui sentait confusément que la démarche de son fils devait avoir un rapport avec Louise.

Et il se souvint soudain, qu'un an plus tôt, Pierre-Edouard lui avait dit qu'il allait à Brive pour un banquet de sa classe. Un banquet ? Ah ! oui. Un mariage, plutôt !

— Quelle ville ? redemanda-t-il.

— Ça ne vous regarde pas, dit Pierre-Edouard en marchant vers la porte.

— Miladiou ! gronda son père, continue à me parler sur ce ton et t'auras plus besoin de remettre les pieds ici !

— Eh bien ! lança Pierre-Edouard en haussant les épaules,

il ne vous restera plus ensuite qu'à foutre aussi Berthe à la porte et vous serez enfin tranquille !

Jean-Edouard bondit, l'empoigna par le bras, faillit le frapper.

— C'est bon, dit-il en le lâchant, va où tu veux. Après tout, ça fait douze mois que je travaille seul, et je ne m'en porte pas plus mal !

Il passa devant lui, et se dirigea vers la porcherie.

Pierre-Edouard mit trois heures et demie pour atteindre Terrasson. Vingt kilomètres à pied n'étaient pas pour lui faire peur et, ceux-là au moins, il les avait parcourus sans barda sur le dos, sans fusil, sans cartouchières et avec des souliers qui ne le meurtrissaient pas. Après avoir cassé la croûte dans le premier bistrot venu, il trouva sans peine la maison du docteur et sonna.

Il restait à danser d'un pied sur l'autre, sans trop savoir que dire à la vieille dame qui, en trois mots, venait de détruire toute sa joie. Louise était partie depuis un mois. Le chantier tirant à sa fin, Octave avait rejoint Orléans.

— Mais elle va bien, au moins ? demanda-t-il enfin.

— Oui, mais... Vous êtes de ses parents ?

— Son frère.

— J'aurais dû m'en douter, s'exclama la vieille dame, elle vous ressemble. Oui, elle va très bien et ne souffre pas du tout de sa grossesse.

— Ah ! elle attend...

— Oui, pour janvier.

Il calcula aussitôt que le bébé arriverait un an après le mariage. Qui oserait encore jaser !

— Et vous n'avez pas son adresse ?

— Si, bien sûr, vous pensez bien !

Cette nouvelle le rasséréna ; il ne serait pas venu pour rien.

Ce fut avec soulagement qu'il vit arriver la fin de sa permission, non qu'il ressentît un quelconque enthousiasme à l'idée de retrouver la vie de caserne, mais l'atmosphère familiale se révélait de jour en jour plus irrespirable.

Et pourtant, mise à part son escapade à Terrasson, il avait consacré tout son temps aux travaux de la ferme, et il les avait retrouvés avec plaisir. Mais l'emprise exercée par son père

169

était trop despotique pour qu'il pût en supporter toute la rigueur sans rechigner.

Comme s'il craignait pour son statut de patriarche — ce qu'il était, de fait, depuis le décès de l'aïeul —, son père régissait et supervisait tout, conduisait la famille de la voix et du geste ; et le moindre murmure déclenchait un tonnerre de récriminations. Pierre-Edouard avait noté, avec étonnement que sa mère, loin d'essayer de tempérer sa sévérité, faisait bloc avec lui.

Il est vrai que ses parents avaient bien besoin d'opposer un front sans faille aux attaques extérieures. Pierre-Edouard avait vite ressenti que l'opinion des gens du bourg à leur égard était lourde d'envie, de jalousie, parfois même de haine. Naguère admiré, Jean-Edouard était désormais critiqué sans pitié. On ne lui pardonnait pas sa réussite, son argent, ses achats de terres, cette façon impitoyable qu'il avait d'écraser les importuns.

De plus, beaucoup étaient furieux d'avoir dû constater que, lui parti, le syndicat d'achat n'avait survécu que six mois avant de sombrer dans l'oubli. Enfin, et ce n'était pas le moindre reproche, nul ne pouvait ignorer que, depuis sa démission, le conseil municipal allait de crise en crise, accumulait les erreurs, s'épuisait dans la dissension et attisait le mécontentement des électeurs. Certains prédisaient même qu'Antoine Gigoux, vieillissant, n'arriverait pas au terme de son mandat et qu'il se préparait à démissionner au profit de son fils. Or, nombre d'administrés ne voulaient pas entendre parler de cette candidature. Ils la savaient soutenue et encouragée en sous-main par le jeune instituteur — nouveau secrétaire de mairie — et pressentaient qu'elle aurait pour résultat d'installer une équipe municipale que beaucoup jugeaient trop à gauche. Ces opposants avaient mis tous leurs espoirs dans Jean-Edouard et il les avait trahis, comme s'il avait voulu que tout le monde fût puni de la fugue de sa fille.

Bien entendu, nul ne minimisait l'affront impardonnable qu'elle lui avait fait subir. Mais, tout bien pesé, était-ce une raison suffisante pour en faire porter la responsabilité à tous ? Beaucoup qui, un an plus tôt, avaient admiré sa noble attitude d'honnête homme blessé, estimaient désormais qu'il avait vraiment fait trop de cas d'une affaire qui ne regardait que lui.

Quelques jours à Saint-Libéral suffirent à Pierre-Edouard

pour mesurer le ressentiment que plusieurs voisins nourrissaient à l'égard de son père et, par extension, à tous les membres de la famille. Même Léon lui reprocha sèchement la malhonnêteté de son père et il eut beaucoup de mal à lui faire admettre qu'il ignorait tout de l'affaire du pré.

La découverte de toutes les rancœurs accumulées sur le nom des Vialhe, à laquelle s'ajoutait l'ambiance tendue et lourde de tristesse qu'il retrouvait chez lui, gâchèrent sa permission. Et c'est presque joyeusement qu'il grimpa un matin dans le train pour rejoindre Besançon. Seule la certitude que Berthe était malheureuse comme les pierres l'empêcha de chantonner lorsque le convoi s'ébranla.

Pendant tout son séjour, il ne l'avait pas entendue parler plus de trois ou quatre fois. Muette, butée, la jeune fille se pliait à tous les travaux et corvées imposés par les parents. Elle ne se plaignait pas, s'enfermait dans un silence complet. Elle paraissait attendre on ne savait trop quel miracle qui lui permettrait enfin de vivre.

Les ouvriers du chantier quittèrent définitivement le bourg au début du mois de février 1910. Leur départ créa un grand vide à Saint-Libéral. Depuis deux ans et demi qu'ils étaient là, on s'était habitué à leur présence, à leur chahut et surtout à leur clientèle. Tout le monde n'avait pas su, comme Jean-Edouard, soutirer le maximum de cette providentielle masse de consommateurs, mais tous avaient, d'une façon ou d'une autre, bénéficié de cette manne. Son tarissement affecta l'économie de la commune et c'est très vite avec nostalgie qu'on en vint à parler de la belle époque du chantier. Et ce sentiment, teinté de regrets, n'était pas uniquement dû à la perte de profits substantiels.

En deux ans et demi, un courant de sympathie s'était noué entre les étrangers et les autochtones, et beaucoup s'attristaient de savoir à jamais finies ces longues soirées d'hiver où, groupés dans la grande salle de l'auberge, ils écoutaient, bouche bée, les histoires de quelques vieux ouvriers qui, de chantier en chantier, avaient fait le tour de France et d'Afrique du Nord et en avaient rapporté de fabuleux récits.

L'un d'eux, un vieux contremaître d'une soixantaine d'années, avait même été chef d'équipe au percement du canal de Panama, en 1886. Grâce à lui, la vie aux Amériques s'était peu à peu dessinée au fil des soirées. Depuis, ses quelques auditeurs privilégiés ne se lassaient pas de narrer, à leur tour, les merveilleuses aventures du vieil homme. Vraies ou fausses, elles faisaient elles aussi partie de la belle époque du chantier.

Au départ des ouvriers succéda un calme et un silence oubliés depuis plus de deux ans. Saint-Libéral retrouva sa vie, ses habitudes, son petit ronronnement quotidien à peine troublé, deux fois par jour, par le passage du train. C'est dans un village encore tout étonné de son intimité retrouvée qu'arriva le nouveau curé.

Depuis la mort de l'abbé Feix, la commune n'avait plus de prêtre ; les messes et cérémonies diverses étaient assurées par un vicaire d'Objat. C'était un homme sympathique, à qui on ne pouvait rien reprocher, sauf d'être un étranger. Il fut accepté comme tel et toléré uniquement parce que l'évêque avait assuré que la paroisse aurait sous peu son curé en titre.

Les mois passèrent sans qu'aucune nomination n'intervienne, malgré les respectueuses sollicitations de quelques fidèles. Il fallut que le châtelain et le notaire prennent l'affaire en main et se rendent à l'évêché pour plaider la cause de toute la communauté.

L'abbé Paul Verlhac débarqua un mois plus tard, au train du soir. Jeune et plein d'allant, il avait fait ses premières armes comme vicaire à Tulle, puis à Uzerche. Sa nomination à Saint-Libéral le hissait au rang de curé et il était fier de ce titre. Mais il pressentait qu'il lui faudrait beaucoup de doigté, de patience et d'humilité pour devenir vraiment le pasteur qu'il voulait être. Ce fut donc avec une grande discrétion qu'il commença son ministère.

On lui sut gré de sa modestie, et si quelques mauvaises langues assurèrent qu'il cachait son jeu, si certains susurrèrent même que son passé était trouble et que son départ d'Uzerche était dû à quelques sales histoires — on parla alors de femmes, mais aussi d'ivrognerie notoire —, la majorité des paroissiens accepta ce jeune curé qui, avec une lenteur et une prudence toutes terriennes, entreprit d'assumer sans faiblir les responsabilités de sa nouvelle charge et de faire la connaissance de ses ouailles.

C'est surtout pour meubler des journées qui lui semblaient de plus en plus longues, que Pierre-Edouard accepta de suivre le peloton de sous-officier. Il ne se sentait aucune attirance pour la carrière militaire, mais les cours théoriques et pratiques imposés au peloton étaient moins inintéressants que le train-train fastidieux réservé aux hommes de troupe. Enfin, il ne lui déplut pas non plus d'être tenu à un travail intellectuel.

Il assimila facilement les quelques bases de trigonométrie et de topographie indispensables à un bon artilleur et se plia sans déplaisir aux exercices en campagne et aux diverses manœuvres. Ces sorties lui permettaient d'échapper pour un temps à la caserne et de découvrir des paysages et des champs n'ayant rien de commun avec ceux de la Corrèze.

Sans aucune nouvelle de ses parents, il entretenait en revanche une correspondance avec Louise et avait été très touché d'apprendre qu'elle l'avait choisi comme parrain de son fils. Le petit Félix avait maintenant quatre mois et serait baptisé dès qu'une permission permettrait à Pierre-Edouard de se rendre à Orléans.

Louise se remettait lentement d'un accouchement difficile ; elle avait dû subir une césarienne qui avait failli lui coûter la vie. Elle semblait très heureuse et toujours très amoureuse, mais il se demandait si elle ne se forçait pas à ne jamais parler des parents, de Berthe, des voisins. A la lecture de ses lettres, il aurait pu croire que rien n'avait existé avant sa fugue, qu'elle se désintéressait complètement de tout ce qui avait été sa vie pendant dix-huit ans, que seuls comptaient désormais son mari et son fils.

Il s'attristait un peu de cette sorte de reniement. Comment pouvait-elle feindre d'avoir oublié sa jeunesse, sa ferme, tout ! Lui, il restait viscéralement attaché à ses terres ; elles lui manquaient, comme lui manquaient le travail, les bêtes, la charrue, les longues journées de labeur.

Il n'ignorait pourtant pas qu'il lui faudrait compter avec le caractère de son père, et plus la date de sa libération approchait, plus il s'inquiétait de son avenir et redoutait une cohabitation orageuse.

## 13

ABSORBES par les travaux de printemps, mais également un peu engourdis dans le calme retrouvé et les habitudes reprises, les électeurs de Saint-Libéral ne prêtèrent pas grande attention aux législatives de mai 1910. Peut-être eussent-ils réagi différemment si Jean Duroux s'était présenté, mais occupé par les préparatifs du mariage de sa fille aînée, il avait bien d'autres soucis en tête et fit savoir que son mandat de conseiller général lui suffisait. Il abandonnait toute autre ambition politique.

Les hommes votèrent donc sans passion ni grande conviction ; ils savaient que les générosités électorales ne toucheraient pas la région avant longtemps. Ils bénéficiaient tous du passage de la ligne et n'attendaient rien d'autre.

Mais si les élections furent discrètes et vite oubliées, un événement de taille marqua l'été. Il apporta un nouveau bouleversement dans la vie de tous les agriculteurs et nombreux furent ceux qui le jugèrent plus important que l'ouverture de la ligne de chemin de fer.

Partie de Saint-Libéral un matin de foire, la nouvelle fit le tour de la région avant le coucher du soleil : Teyssandier de Brignac venait d'acheter une batteuse à vapeur et se lançait dans la grande entreprise !

Tout le monde connaissait Teyssandier ; il visitait déjà chaque été les fermes les plus importantes du canton, installait chez ces gros propriétaires sa batteuse à manège et égrenait les gerbes au rythme lent de deux paires de bœufs tournant inlassablement autour de la machine. Mais sa mécanique était si archaïque — il la tenait de son propre père qui l'avait acquise dans les années 70 —, si rafistolée et d'un fonctionnement si capricieux, qu'il n'acceptait de la mettre en mouvement que devant les grosses meules, celles dont l'importance justifiait l'acheminement de l'engin et sa laborieuse mise en marche.

Aussi, beaucoup de petits agriculteurs ne bénéficiaient-ils pas de la machine et devaient-ils battre toute leur récolte au fléau. C'étaient d'exténuantes journées qui les laissaient tous, les femmes aussi, avec les épaules et les bras douloureux, les mains brûlantes et, dans les oreilles, le lancinant tambourinage des masselottes de frêne frappant l'aire couverte de paille. Ils furent donc heureux d'apprendre que, grâce à sa batteuse moderne — d'un rendement bien supérieur —, Teyssandier passerait désormais dans la plupart des exploitations. Et si elles étaient vraiment trop petites pour justifier le déplacement, rien n'empêchait les fermiers d'apporter leur récolte jusqu'à la machine.

Ce fut donc dans l'impatience de voir fonctionner la merveille que s'effectuèrent les moissons. Seuls quelques grognons et quelques vieilles femmes assurèrent que toutes ces mécaniques étaient des tueuses de main-d'œuvre et des gâcheuses de travail et qu'elles finiraient un jour par ruiner les petits paysans.

De plus, affirmaient ces nostalgiques avec une évidente mauvaise foi, une batteuse, aussi moderne soit-elle, ne donnerait jamais du blé aussi propre que celui battu à bras et nettoyé au vent, pas plus qu'une faucheuse n'était capable de raser une prairie aussi proprement qu'une faux bien affûtée balancée par un bon faucheur !

Nul n'écouta ces éternels râleurs ; c'étaient déjà eux qui avaient mis la plus farouche opposition au passage du train, eux qui maudissaient et insultaient encore les automobiles et leurs passagers, eux aussi qui tenaient les engrais pour une cuisine du diable. Eux enfin, qui criaient au mensonge, ou à l'invention démoniaque, lorsqu'on leur assurait que des hommes normaux, ni excommuniés ni damnés, pouvaient grimper dans un aéroplane et s'élever dans les airs comme des corbeaux. Pourtant, et bien qu'une seule personne de la commune ait assisté à ce miracle, beaucoup y croyaient. Les journaux en parlaient depuis longtemps et surtout, le châtelain, qui, au cours d'un de ses voyages à Paris avait vu, lui, un de ces engins volants, et ce n'était pas un menteur !

On négligea donc les criailleries des bougons et des arriérés et on se prépara à accueillir la batteuse.

L'acquisition de Teyssandier contraignit Jean-Edouard à sortir de son isolement et du silence hautain qu'il affichait envers ses voisins. Mais ce fut la rage au cœur qu'il se plia aux démarches indispensables qui lui permettraient de rétablir de bons rapports avec ceux dont il aurait besoin.

Il eût pourtant dû être le premier à se réjouir de la nouvelle batteuse ; sa récolte était une des plus importantes de la commune et n'était surpassée que par celle du châtelain. Une batteuse digne de ce nom avait donc sa place chez lui, et il se faisait fort de l'alimenter comme elle le méritait. Mais s'il était secrètement ravi de l'achat de l'entrepreneur, son bonheur était gâché par un handicap qu'il ne pouvait résoudre seul, celui de la main-d'œuvre indispensable au bon fonctionnement de la machine...

Il devait coûte que coûte trouver au moins une douzaine d'hommes robustes, prêts à l'aider au moment venu. Et ceux vers qui il devait se tourner étaient des voisins à qui il ne parlait pour ainsi dire plus et qui allaient peut-être l'éconduire d'un haussement d'épaules. Mais il lui fallait douze hommes.

Dieu sait s'il avait compté et recompté les postes ! Il en arrivait toujours à douze démarches, douze visites au cours desquelles il serait le demandeur. Il faudrait un homme pour lancer les gerbes de la meule sur la batteuse. Là, deux autres costauds, un pour délier, l'autre pour alimenter, puis un quatrième pour surveiller le remplissage des sacs et les fermer une fois pleins. Ensuite, trois gaillards pour monter les sacs de cent kilos jusqu'au grenier. Enfin, trois hommes ne seraient pas de trop pour coltiner la paille battue jusqu'au hangar où les deux derniers l'empileraient. Quant à lui, il remplacerait chacun à tour de rôle.

Il n'y avait pas à sortir de là, il devait réclamer de l'aide, dire, par exemple, à Jeantout : « J'ai besoin de toi, je viendrai en retour te donner la main... » Il devait inviter tous ces gens-là à venir travailler pour lui, à boire son vin, à manger à sa table ; il était tenu de leur ouvrir sa maison.

Il envisagea, un bref instant, de se passer de leurs services et de leur prouver à tous qu'il était, une fois de plus, assez malin et fort pour vaincre seul, sans l'aide de personne. Mais il eut conscience du spectacle ridicule qu'il donnerait en essayant de battre toute sa récolte au fléau ; c'était vraiment impossible. Peut-être s'y fût-il risqué s'il avait eu vingt ans de moins, et avec l'aide de Pierre-Edouard... Mais là, non, c'était impensable.

Il avait tellement craint d'essuyer des refus, qu'il n'en revînt pas de l'accueil qu'il reçut. Même Jeantout, qui avait pourtant de solides raisons de lui en vouloir, ne refusa pas de venir l'aider. Mais si personne ne fit allusion à ses attitudes et à sa conduite passées, il fut assez fin pour déceler que nul ne les avait oubliées. Il avait prévu qu'on tenterait de lui donner une leçon en rejetant son appel, il comprit très vite qu'il avait sous-estimé ses voisins. Aucun ne tergiversa, tous acceptèrent d'emblée, sans discussion, sans même lui faire l'honneur de se laisser prier, sans lui offrir la possibilité d'expliquer à son avantage toutes les incorrections qu'il avait accumulées comme à plaisir depuis la fugue de Louise.

Ce ne fut pas en refusant de prêter leurs bras que ses confrères marquèrent des points, ce fut en acceptant. Désormais, il serait leur débiteur, il leur devrait le service et il se sentirait en état d'infériorité vis-à-vis d'eux tant qu'il n'aurait pas acquitté sa dette de travail. Et la pire vexation qu'il pouvait maintenant redouter était que personne ne lui demande jamais son aide. Alors, il serait, aux yeux de tous, celui qu'on néglige, qu'on méprise au point de ne même pas vouloir l'embaucher...

Extérieurement, il ne laissa rien paraître de son humiliation et seules Marguerite et Berthe sentirent à quel point il était touché. Berthe, surtout, subit les contrecoups de la mortification paternelle. Elle semblait avoir pris son parti des brimades qui étaient son lot quotidien. Elle savait que, quoi qu'elle fît, son père trouverait toujours de quoi épancher sur elle sa permanente mauvaise humeur. Sa mère non plus n'était pas tendre avec elle et, sans aller jusqu'à attiser la colère de son époux, du moins laissait-elle clairement entendre qu'elle la partageait en tous points. La seule défense de la jeune fille était donc de s'enfermer dans le silence total, de réfréner tout geste de révolte ou de lassitude, de s'engourdir lentement dans un état proche de l'autisme.

Même l'arrivée de la batteuse la laissa indifférente. Ce fut pourtant un événement exceptionnel.

On apprit d'abord que Teyssandier — qui connaissait

vraiment bien sa contrée — attaquerait sa campagne de battage par les hameaux disséminés dans les collines, ceux de la Fage, du Peuch, du puy l'Abeille. Il savait que, là-haut, le soleil tapait dur et que les moissons étaient mûres bien avant celles de la plaine. Ensuite, il se dirigerait vers la Brande et la ferme du père Bouyssoux, puis arriverait enfin à Saint-Libéral. Le sort voulait que la première ferme qu'il rencontrerait alors sur son chemin fût celle des Vialhe.

Jean-Edouard ne fut pas le seul à devoir réclamer l'aide des voisins. Marguerite aussi dut faire appel à quelques connaissances pour préparer les repas d'une journée qui s'annonçait rude. Aux douze hommes recrutés par son époux, s'ajoutaient Teyssandier, son aide et un jeune commis, et il ne fallait pas lésiner sur la nourriture de ces quinze gaillards — seize avec Jean-Edouard !

Aussi, aidée par Berthe et trois voisines, Marguerite se mit en cuisine vingt-quatre heures avant le jour du battage. Elle savait qu'on jugerait toute la famille, et elle en particulier, sur la façon dont elle nourrirait ses invités. Qu'il s'en trouve un seul pour estimer qu'elle avait lésiné sur la quantité, ou la qualité, et tous diraient que, non contents d'avoir perdu leur fille, les Vialhe avaient aussi perdu le sens de l'accueil et du savoir-vivre. On chuchoterait qu'ils étaient devenus pingres et plus enclins à faire travailler à bon compte qu'à nourrir tous ceux qui, par pure bonté, leur étaient venus en aide.

Aussi, dussent-ils tous en crever d'indigestion, elle allait leur prouver que, malgré son malheur, la maison Vialhe était toujours aussi solide, et riche, et bien tenue. Bref, qu'elle tenait son rang.

Elle sacrifia donc force volailles, apprêta un énorme pot-au-feu, une tête et des pieds de veau ; à ces premières victuailles, elle adjoindrait, le moment venu, bouillon de vermicelle, pâté de tête, rillettes, jambon, confit de porc, salade de tomates, de concombres et de laitues, flageolets, salsifis au jus, fromages ; puis viendraient les multiples tartes aux fruits ou à la confiture et enfin les « merveilles », ces légers gâteaux cuits à la friture et qu'elle réussissait à la perfection.

Quel travailleur oserait dire qu'il avait encore faim ? De toute façon, elle veillerait de près à ce que nul ne chipote, refuse un plat, rechigne sur une cuisse de poulet ou une tranche de clafoutis, et tant mieux s'ils roulaient tous sous la table !

Outre la cuisine, elle prépara sa vaisselle, essuya les assiettes et les verres, dressa le couvert, et même sa belle-mère dut s'activer et participer aux travaux.

Isolée dans sa surdité, désormais totale, la vieille Léonie ne comprenait pas les raisons d'un tel remue-ménage et c'est en marmonnant de vagues interrogations qu'elle commença à écosser un énorme tas de haricots blancs. Complètement coupée du monde, c'est en vain qu'elle hasardait, plusieurs fois par jour, une demande à laquelle nul ne se donnait plus la peine de répondre — ou d'un haussement d'épaules. À quoi bon essayer de communiquer avec cette pauvre femme qu'un coup de fusil ne faisait même pas ciller ? Inutile également de lui tracer la réponse sur une feuille de papier ; elle ne savait ni lire ni écrire.

Elle s'entêtait malgré tout à parler, posant inlassablement des questions sur un sujet qui agaçait comme une écharde sous un ongle. Elle avait vu Pierre-Edouard en uniforme lors de sa permission et en avait déduit qu'il accomplissait son service militaire. Mais où donc était Louise ? Pourquoi était-elle absente depuis si longtemps ?

La vieille Léonie versa une poignée de haricots dans le fait-tout, regarda sa bru. Une idée lui vint.

— Tout ça, ce serait pas des fois pour les noces de Louise ?

Pour la première fois, et parce que tout semblait lui donner raison, elle formulait ouvertement le fruit de ses réflexions silencieuses. Elle en était restée à ce repas au cours duquel Jean-Edouard avait giflé la petite. Elle ne l'avait pas revue depuis et, partant de cette scène, avait patiemment échafaudé toute une explication. Sa petite-fille avait sûrement fauté et on l'avait éloignée ; c'était normal. On avait dû la marier discrètement, à Rocamadour sans doute, là où allaient toutes les filles trop pressées. Mais maintenant, après si longtemps, elle pouvait revenir et personne n'y verrait à redire. C'était donc bien pour elle, son mari et son petit qu'on préparait la fête...

N'empêche, en tant que grand-mère, elle allait devoir faire les gros yeux et lui dire que ce n'était pas bien d'avoir fêté Pâques à la mi-carême. Ce n'étaient pas des choses qui se faisaient dans les familles convenables ; elle le lui dirait, et puis on n'en parlerait plus.

— Alors, c'est bien ça, hein ? Elle revient ? insista-t-elle.

Marguerite rougit, jeta un coup d'œil à sa fille et aux trois voisines qui, muettes, plumaient les volailles.

— Hein ? Répondez, quoi !

Marguerite fit violemment non de la tête ; mais son regard, furieux, n'arrêta pas sa belle-mère qui, soudain, fut touchée par une révélation.

— Mais alors, si c'est pas ça... Hein ? Où elle est la Louise, hein ? Je l'aurais quand même bien su si elle était morte ? Dites, elle est quand même pas morte, la pauvre petite ?

Sa bru hésita puis, certaine que les voisines guettaient avidement sa réaction, elle acquiesça. Et son coup de tête était un défi à toute la commune, à tous les ragots, à toutes les suppositions. Qui oserait désormais reparler de Louise ? Il était grand temps qu'on oublie définitivement cette histoire ; grand temps que l'on cesse de se poser des questions pour savoir si Jean-Edouard et elle pardonneraient un jour. Maintenant, l'affaire était close. Les voisines colporteraient la nouvelle et tout le monde saurait que les Vialhe avaient tiré un trait sur leur fille.

Elle se désintéressa de sa belle-mère qui, maintenant, sans interrompre son écossage, pleurait sans bruit. Elle empoigna un poulet, le poussa vers Berthe.

— Allez, cesse de rêvasser ! Dépêche-toi, le temps presse !

Instinctivement, comme matées par autant d'inflexibilité et de dureté, les voisines accélérèrent elles aussi la cadence.

Mis au courant de la scène par Marguerite qui, réflexion faite, se demandait si elle avait bien agi, Jean-Edouard l'approuva totalement.

Curieusement, il se sentait soulagé, débarrassé d'un poids qu'il traînait depuis trop longtemps. Dorénavant — et comme le disait Marguerite — il n'y aurait plus d'équivoque, on saurait, une fois pour toute, quelle était leur position. Il se sentit plus fort, plus solide, certain de ne plus faire pitié aux yeux des faibles, de ne plus être excusé — avec une commisération humiliante — par les lâches, d'effacer pour toujours le sourire des narquois.

Une fois encore, il allait leur montrer, à tous, ce que valait un Vialhe ! Il constata qu'il n'avait plus aucune appréhension à l'idée d'aller chercher la batteuse et la locomobile à la Brande.

Teyssandier avait en effet décidé que tout usager devrait aller quérir le matériel sur les lieux du dernier chantier. Jean-Edouard irait donc chez le père Bouyssoux. Le travail fini, un autre viendrait prendre livraison de la mécanique.

Ce soir-là, alors qu'il restait encore deux bonnes heures de soleil, il lia ses deux paires de vaches, les appela et se dirigea chez Jeantout. Il lui avait demandé — ainsi qu'à Gaston — de l'accompagner avec ses propres vaches, quatre paires de bêtes ne seraient pas de trop pour tirer le lourd matériel. La locomobile surtout, paraît-il, était d'un poids redoutable et six vaches étaient parfois nécessaires pour lui faire gravir les côtes un peu ardues.

Le dîner battait son plein lorsqu'ils arrivèrent à la ferme du père Bouyssoux ; l'ambiance n'était pas triste, les rires fusaient et les pichets de vin allaient bon train. On les héla de loin en leur tendant des verres.

Depuis qu'il avait rompu le mariage, Jean-Edouard n'avait jamais reparlé au vieux Bouyssoux. L'un comme l'autre s'évitaient soigneusement et veillaient même à ne pas avoir à se saluer en foire de Saint-Libéral. Aujourd'hui, pourtant, il fallait bien qu'ils se parlent...

— Salut la compagnie ! lança Jean-Edouard en s'approchant de la table dressée à l'ombre du gros pin parasol.

Tous les hommes se turent et même les plus éméchés comprirent, dans un éclair de lucidité, que la moindre réflexion risquait de faire un drame. Nul n'ignorait que le père Bouyssoux tenait Jean-Edouard — et tous les Vialhe — pour des ennemis ; et ses calomnies couraient tout le pays. La moindre de ses méchancetés étant que Jean-Edouard et sa pute de fille étaient responsables du célibat de son fils. Son Léonard, en effet, n'avait retrouvé nul bon parti.

— Alors, ça a rendu un peu ? demanda Jean-Edouard à la cantonade.

A jeun, le vieux Bouyssoux aurait décelé la ruse ; mais il était ivre de fatigue, de bruit, de poussière, et tout étourdi par le vin épais dont il se dopait depuis la pointe du jour. Il fonça droit dans le piège.

— Si ça a rendu ? s'exclama-t-il, et comment que ça a rendu ! Je leur ai dit, à tous, lança-t-il avec un geste du bras en direction des travailleurs, ouais, je leur ai dit : « Regardez bien, vous êtes pas près de revoir une pareille récolte ailleurs qu'à la Brande ! » Toute la journée qu'on a battu ! Et pourtant, cette machine, elle en veut !

Jean-Edouard hocha la tête, se tourna vers Teyssandier

— Bon, on peut la prendre ? Je ne voudrais pas qu'on arrive trop tard ; il faudrait pouvoir la mettre en place dès ce soir et attaquer au plus tôt demain matin. Parce que chez moi, dit-il en s'adressant au vieux Bouyssoux, elle va tourner deux jours pleins ! Eh ! oui, ajouta-t-il comme pour s'excuser, j'ai semé plus de trente cartonnées de froment et autant d'orge et vingt cartonnées d'avoine, alors c'est pas dans une petite journée qu'elle avalera tout ça, cette machine, même si elle est gourmande... Allez, Jeantout et Gaston vont conduire la batteuse ; moi, je me charge de la loco...

Déjà, il faisait reculer ses bêtes pour les atteler à la locomobile.

— Miladiou ! lança le vieux en riant faux, tu crois quand même pas que tu vas traîner cette chaudière avec tes deux paires de bêtes ! Je parie qu'elles la décollent pas d'un mètre !

Jean-Edouard sourit.

— Vous allez encore perdre, père Bouyssoux. Tout le monde sait bien que vos vaches de travail valent guère mieux que ces chèvres malades qui plaisent à votre fils... Et tout le monde sait aussi que les miennes valent des bœufs ! Il est vrai que, chez nous, c'est pas comme ici, on ne leur compte pas la nourriture...

Il appela les quatre bêtes par leur nom, toucha doucement leurs cornes du bout de son aiguillon et partit sans même se retourner, certain que ses vaches suivraient. Elles s'arc-boutèrent, unirent leurs forces et entraînèrent la grosse machine.

Un murmure admiratif parcourut l'assistance. On pouvait dire ce qu'on voulait, Jean-Edouard, c'était quand même quelqu'un !

Dès cinq heures du matin, Teyssandier et ses deux aides s'activèrent autour de la locomobile, firent le plein d'eau, chargèrent et ranimèrent la chaudière, graissèrent les poulies et tendirent les courroies.

Les voisins embauchés arrivèrent par petits groupes et, intimidés par cette machine dont ils découvraient les mystères, rôdaillèrent autour d'elle en hochant la tête.

La batteuse les impressionnait beaucoup plus que la

locomobile qui ressemblait finalement assez à la locomotive qui traversait le bourg deux fois par jour. En revanche, la batteuse n'avait rien de commun avec l'antiquité que Teyssandier avait promenée pendant tant d'années.

Elle était énorme, magnifique avec sa belle peinture orangée où s'étalait, en grosses lettres, le nom de son génial fabricant : *MERLIN-Vierzon.* Inquiétante aussi, pleine de poulies, d'engrenages, de courroies qui s'entrecroisaient, de clapets, de grilles, de tiroirs et de trappes.

On prétendait qu'elle était capable d'égrener dix quintaux à l'heure ; mais qu'on ne s'y trompe pas, il s'agissait de ce prétendu quintal de cent kilos et non de celui en usage dans le pays et qui voulait que le terme quintal soit la somme de cinq fois dix kilos. Cette unité de mesure, dont tout le monde se servait, créait d'ailleurs des conflits entre générations. Instruits par l'instituteur, les jeunes disaient qu'un quintal pesait cent kilos et que son nom, contrairement à ce que croyaient les ignares, ne venait pas du vieux français quinte, mais de l'arabe quintar !

Que de chinoiseries et de complications ! Pour la majorité, un quintal serait toujours cinquante kilos ! Ainsi, et quoi qu'en disent certains, c'était bel et bien vingt « quintals » que cette batteuse rendrait en une heure, et c'était vraiment beaucoup.

Vers six heures moins le quart, Marguerite appela tout le monde et offrit le premier casse-croûte de la journée. Un peu intimidés, car il y avait longtemps qu'aucun d'entre eux n'était entré chez les Vialhe, les hommes firent néanmoins honneur à la soupe, au pâté de tête, au jambon et aux fromages blancs ; mais ils parlèrent peu, n'osant reprendre un dialogue rompu depuis si longtemps par le maître de maison. Un malaise planait toujours, et c'est avec soulagement qu'ils quittèrent la table pour se grouper autour de la batteuse.

La locomobile était sous pression et ronflait comme un four à pain ; sa haute cheminée crachait d'épaisses volutes noires, et de terribles jets de vapeur fusaient parfois des soupapes.

Teyssandier expliqua le travail de chacun, recommanda surtout de se méfier des courroies et des poulies, capables, prévint-il, de trancher une tête ou un bras...

Tous prirent place, un peu oppressés, presque angoissés à la pensée d'avoir à servir une si monstrueuse machine et pleins d'admiration pour son propriétaire, qui osait, lui, s'en approcher. Le sifflement strident, d'un aigu à peine soutenable, les surprit tous. Ils reculèrent.

Teyssandier manœuvra le clapet et, longuement, fit pousser à la locomobile sa fantastique plainte de chaudière prête au travail. Et son cri déferla sur tout le village, alla rebondir sur les collines alentour, annonça jusqu'à Yssandon et Perpezac, et même plus loin, qu'une journée de labeur commençait chez les Vialhe. D'un geste sec, il abattit le grand levier qui libérait la gigantesque roue d'entraînement.

Ce ne fut d'abord qu'un murmure grave suivi d'un long chuintement de courroies qui se tendent et du cliquetis d'engrenages qui s'entraînent ; alors il augmenta la pression.

D'un coup, le bruit les submergea, les affola par son intensité. Ils reculèrent encore un peu. La vitesse et le vacarme s'accrurent, la batteuse changea de ton, se mit à ronronner régulièrement et déjà toutes les poussières et les balles accumulées dans son ventre fusaient de toute part, piquaient les yeux et la gorge.

— Et alors, miladiou ! hurla Teyssandier en grimpant sur la machine, il vient ce froment !

Jean-Edouard se ressaisit le premier, escalada prestement la meule, empoigna une gerbe et la lança sur le plancher de la batteuse. Immédiatement déliée par le commis, elle s'étala devant Teyssandier qui, d'un geste sûr, la poussa lentement vers les batteurs métalliques qui chantaient comme une toupie d'Allemagne. Ils l'avalèrent dans un grondement avide, et tous les hommes suivirent, au bruit, le cheminement du blé et de la paille dans les entrailles de la batteuse.

Et tous voulurent admirer, au creux de leur main, les premiers grains blonds, luisants et propres, dès qu'ils coulèrent hors de la caisse.

Jeantout en puisa une grosse poignée, la contempla et la présenta à Jean-Edouard qui, penché en haut de la meule, voulait voir lui aussi. Il admira le grain, sourit puis cracha dans ses mains et fit passer une nouvelle gerbe.

Alors tous les hommes prirent place, car tous avaient maintenant hâte de participer à cette révolution du battage à la vapeur.

Ils travaillèrent jusqu'à midi et le tas de grain grossit dans le grenier des Vialhe. Marguerite passa maintes fois parmi les hommes pour leur verser à profusion de grands verres de vin frais que tous engloutissaient avidement, car la chaleur était intense et la poussière terrible.

Ils s'étaient peu à peu habitués au bruit, et, lorsque Teyssandier arrêta l'entraînement de la locomobile, le silence leur parut presque palpable. Sur sa lancée, la batteuse ronfla encore un court instant, puis sa mélopée changea d'octave, devint douce, puis murmure, se tut enfin.

Alors, ils se regardèrent, se virent gris de crasse et ruisselants de sueur, s'étonnèrent et rirent de pouvoir se parler sans avoir besoin de hurler. C'est en titubant de fatigue qu'ils allèrent tous au puits et qu'ils s'aspergèrent à grands seaux d'eau fraîche. Et c'est en chahutant qu'ils s'installèrent autour de la table.

Aussitôt, et alors que tous avaient craint ces retrouvailles et que chacun s'était sincèrement juré de se taire pour éviter les écueils d'un dangereux dialogue, alors que Jean-Edouard lui-même s'était préparé au mutisme, la conversation déferla.

Il y avait tant à dire sur la machine! Et tant à rire en comparant son rendement avec le battage au fléau! Tant à s'esclaffer aussi sur la façon dont Jean-Edouard avait mouché le père Bouyssoux la veille au soir! C'était pourtant là un sujet épineux, qui risquait de dégénérer... Mais tous approuvèrent Jean-Edouard; il avait foutrement bien fait de moucher ce vieux con, c'était bien comme ça qu'il fallait parler à ce sauvage de la Brande!

Au fil des plats et des verres, se renouèrent les liens de la sympathie et de l'estime. Jean-Edouard n'oublia pas une seconde qu'il était désormais l'obligé de ses voisins, qu'il leur devait, à tous, le service rendu; mais il ne se sentait plus en infériorité, au contraire.

Il comprit que tous ces hommes étaient, dans le fond, très fiers d'avoir été choisis comme compagnons de travail. Il eut l'honnêteté de s'avouer que, jadis, lui aussi avait toujours été flatté lorsqu'on venait le solliciter. N'était-ce pas la preuve qu'on pouvait compter sur lui, qu'on reconnaissait son sérieux, sa force, son savoir-faire? Il regarda tous ses compagnons, comprit qu'il les avait choisis en fonction de leurs qualités; par sa seule démarche, il leur avait rendu hommage et ils lui en savaient gré.

Il s'était trompé en croyant déceler un méchant calcul dans leur prompte acceptation. Jeantout, Gaston, et tous les autres n'étaient pas là pour lui donner une leçon, du moins pas sous la forme qu'il avait redoutée. Ils étaient là parce qu'ils étaient heureux de se retrouver, comme jadis, sous son toit. Heureux de prouver que l'entraide et le bon voisinage avaient raison de tout. Cela, oui, c'était la vraie leçon, mais elle n'était pas humiliante.

# 14

Un épais crachin, froid et poisseux, noyait la ville et transformait le rayonnement des lampadaires à gaz en ridicules lumignons.

Furieux contre lui-même — il s'était égaré dans un quartier opposé à celui qu'il cherchait —, furieux contre cette ville inconnue et rébarbative, Pierre-Edouard se décida à demander une fois encore son chemin.

Une vieille marchande des quatre-saisons qui triait ses invendus avant de bâcher sa carriole lui assura qu'il était sur la bonne route; encore deux cents pas et il apercevrait, à sa droite, le cloître de Saint-Aignan. La ruelle qu'il cherchait depuis deux heures se trouvait juste derrière; il ne pouvait pas se tromper ni aller plus loin, elle s'arrêtait dans la Loire.

Il ralentit, chercha à travers le brouillard l'enseigne d'un bistrot. Il avait besoin d'un verre d'alcool pour se donner du courage, pour ne pas faire demi-tour et repartir en courant vers la gare.

Ces retrouvailles avec Louise, dont l'évocation avait réjoui tout son été, tournaient maintenant au cauchemar. Dieu sait pourtant s'il avait compté les jours qui le séparaient du baptême du petit Félix! Au lieu de cette fête, prévue pour le dernier dimanche d'octobre, c'était ce télégramme arrivé la veille et qu'il triturait entre ses doigts, au fond de sa poche. Quatre mots qui lui avaient sauté au cœur et qui, maintenant, lui nouaient la gorge, ralentissaient son pas, annihilaient tout son courage : « Octave décédé, viens... Louise. »

Il poussa la porte d'un estaminet, commanda un calvados, le vida d'un trait.

— Vingtbleu, militaire, gouailla un consommateur, on dirait que tu préfères ça à un coup de fusil !

Il ne répondit pas, mais son regard suffit pour étouffer toute nouvelle réflexion. Il tendit son verre pour qu'on le lui remplît, l'engloutit d'un coup de poignet, paya et sortit.

La chambre puait le gaz d'éclairage, le bébé négligé, les médicaments, la mort. D'abord, il ne reconnut pas Louise. Il avait quitté une jeune fille fraîche, jolie, bien en chair et c'était maintenant une femme fatiguée, vieillie et maigre qu'il serrait dans ses bras.

Que faire, que dire ? Rien, si ce n'est balbutier des : « Allons, allons... » en caressant cette tête nichée contre son épaule.

Il repoussa doucement sa sœur, puis salua la vieille dame assise à côté du lit. Sans doute la mère d'Octave. Enfin, il regarda le mort.

Un choc et, d'un coup, un saut dans le passé. Deux ans ! Deux ans qu'il avait rendu visite à Octave dans sa chambre de l'auberge, là-bas, à Saint-Libéral... Il revit la scène et se souvint du jeune homme maigre, si maigre, frêle et désarmé, avec sa chemise qui lui battait les fesses et dévoilait ses jambes frêles, et de ses mains, trop fines, trop blanches, qui trituraient le petit cigare.

Octave, mort, était encore plus décharné et pâle, et misérable, mais il était reconnaissable, et les doigts entre lesquels serpentait un chapelet étaient bien ceux qui lui avaient tendu la boîte de cigares. Oui, vraiment Octave avait moins changé que Louise...

Il se signa, se recueillit quelques instants, puis revint vers sa sœur.

— Que s'est-il passé ?

Elle haussa les épaules, s'essuya les yeux.

— Phtisie galopante...

— Et pourquoi tu ne m'as rien dit ?

— A quoi bon... D'ailleurs on ne savait pas, on croyait que c'était de l'àsthme... Et puis quand le docteur nous l'a dit, il y a deux mois, c'était trop tard. Voilà...

Il faillit s'emporter, lui dire qu'elle avait vraiment été aveugle et stupide de ne rien déceler plus tôt ! Que la maigreur et la pâleur de son époux étaient des signes qui ne trompaient pas, et que lui-même, voici deux ans, avait été

188

pris de pitié devant Octave, tout minable dans sa chemise de nuit. Mais il se tut.

— Tu as prévenu les parents au moins ?

— Non.

— Il faut le faire, insista-t-il, je m'en chargerai si tu veux. Elle haussa les épaules.

— Et Félix ?

— Il dort, à côté.

— Je voudrais le voir.

Il s'était préparé à découvrir un bébé malingre et un peu souffreteux, comme l'avait été son père ; il fut surpris par la carrure et la taille de l'enfant, un énorme poupon, aux joues rebondies et aux mains potelées, toutes piquetées de fossettes.

— Bon sang ! souffla-t-il, ne te vexe pas, mais c'est un vrai Vialhe que tu as fait là !

— Je sais. Et pour naître, il a été aussi dur et méchant qu'un Vialhe... Ne le prends pas pour toi ! s'excusa-t-elle vivement.

Il fit comme s'il n'avait rien entendu.

— Les parents vont en être fiers, tu verras. Ils en seront fous !

— Sûrement pas !

— Comment ça ? Tu ne crois pas qu'ils vont encore te laisser la porte fermée ? Ferait beau voir, cette fois !

— Ouverte ou fermée, ça ne change rien. Je ne reviendrai pas.

— Mais tu es folle ! Et qu'est-ce que tu vas faire ?

— Je me débrouillerai...

— Mais lui ! dit-il en tendant l'index vers le bébé. Il faut l'élever, le nourrir, s'en occuper !

— Justement ! Il est à moi, c'est tout ce qui me reste, je le garde, dit-elle avec violence.

Et soudain il la reconnut, têtue, sûre d'elle, solide et décidée. Une fois de plus elle entendait mener sa vie comme bon lui semblait.

— Tu comprends, expliqua-t-elle d'une voix ferme, si je rentre au village, tout le monde me fera comprendre, et même me dira que la mort d'Octave est une punition du ciel. Et en plus, les parents voudront s'occuper du petit, et ça, jamais !

— Mais, insista-t-il, de quoi vas-tu vivre ?

— Je te dis que je me débrouillerai, trancha-t-elle.

— Bon Dieu, grommela-t-il, tu es pire qu'une mule ! Enfin, je préviendrai les parents, on verra bien…

— Préviens-les si tu veux. Pour moi, c'est tout vu. A propos, le petit est baptisé…

— Mais je croyais que…, fit-il dépité.

— Oui, je sais, ne t'inquiète pas. Sur les registres, c'est bien toi le parrain. C'est Octave qui a voulu qu'on avance la cérémonie… Il la regarda, vit ses yeux pleins de larmes. Oui, reprit-elle, il savait que ça me ferait plaisir de le savoir baptisé avant… avant qu'il parte, quoi… Et pourtant, lui, il n'y croyait pas… C'était juste pour me faire plaisir. Alors, on l'a baptisé il y a un mois. Il s'appelle Félix, Octave, Pierre…

— Vous avez eu raison, murmura-t-il, c'est mieux comme ça.

Il se racla la gorge, et reprit dans un souffle :

— Ton mari, ton mari, y'a pas à dire, c'était un Monsieur.

Pierre-Edouard écrivit à ses parents dès son retour à Besançon. Sa sœur lui avait fait jurer qu'il ne dévoilerait pas son adresse ni ses projets ; il tint parole et se contenta de relater succinctement le drame. Puis il parla de son neveu, et comme il voulait que l'on sache bien de quel côté il se rangeait, il n'hésita pas à dire qu'il était très fier d'être le parrain du petit Félix, et très fier aussi d'avoir connu Octave Flaviens.

Il attendit presque un mois la réponse et comprit, à sa lecture, à quel point Louise avait vu juste. Certes, ses parents déploraient le décès d'Octave, mais ne fallait-il pas voir là un signe du ciel, une sévère mais juste condamnation de l'indigne conduite de Louise ? Bien entendu, et si elle le demandait, elle et son fils pouvaient revenir à la ferme, la place et le travail ne manquaient pas. On ne la chasserait pas, nul ne parlerait du passé, car tout le monde, dans la famille et dans le bourg, reconnaîtrait qu'elle avait largement payé la rançon de sa faute.

Mais si elle désirait rentrer au bercail, il était nécessaire que cela se fît dans la discrétion, la modestie, l'humilité. Quant au petit, on s'en occuperait, naturellement… Enfin, il fallait que lui-même, Pierre-Edouard, sache bien, une fois pour toutes, qu'il était libre de ses sentiments vis-à-vis de sa sœur ; libre à condition de les garder pour lui et de ne jamais plus essayer de faire la leçon à ses parents.

Cela dit, on l'attendait avec impatience pour prouver à toute la commune ce qu'une paire d'hommes, solides et travailleurs, peuvent accomplir sur une terre qui ne demande qu'à être domptée.

Furieux, il chiffonna la lettre et la jeta ; elle n'appelait même pas de réponse. Que dire, d'ailleurs ? Chaque ligne, chaque mot indiquaient clairement que le père — soutenu par la mère — était toujours l'inflexible chef de famille et qu'il entendait le rester.

Mais Pierre-Edouard doutait de plus en plus qu'il lui soit possible, dans deux mois et demi, de supporter sans broncher la poigne paternelle. Depuis qu'il était sous-officier, il connaissait, à sa modeste échelle et sans pourtant en abuser, la griserie de l'autorité et du commandement et savait qu'il lui serait presque impossible de retrouver l'humiliation de l'obéissance passive.

Une fois de plus, Marguerite manœuvra habilement, si habilement que Jean-Edouard l'en félicita. Grâce à elle, et presque du jour au lendemain, la famille Vialhe reprit un rang que la fugue de Louise lui avait fait perdre.

Certes, depuis le battage, des relations correctes s'étaient rétablies avec tous les voisins. Peu à peu s'oubliaient les vilenies et les méchancetés de Jean-Edouard ; mais leur souvenir n'était pas loin et tout le monde savait qu'un rien pouvait à nouveau rompre les ponts. La preuve, en dépit de plusieurs sollicitations, Jean-Edouard se refusait toujours à reprendre en main le syndicat d'achat, et il assurait qu'il refuserait l'écharpe de maire dont beaucoup espéraient le ceindre aux prochaines élections.

Une seule démarche de Marguerite suffit pour reconquérir l'estime et la sympathie de la majorité de la commune. Deux ans plus tôt, on s'était apitoyé sur eux, à cause de leur malheur. Puis, au fil des mois, on s'était pris à les détester de vouloir faire porter leur peine à toute la communauté. Désormais, on pouvait vraiment les plaindre pour quelque chose d'important ; les plaindre et les excuser, car cette fois, oui, c'était sérieux...

Bien que nouveau dans la paroisse, l'abbé Verlhac commençait à découvrir la personnalité de ses ouailles ; il connaissait aussi quelques secrets et découvrait, peu à peu, avec tact et patience, les histoires de famille.

En ce qui concernait les Vialhe, la rumeur publique l'avait averti de leur malheur dès son arrivée au bourg. Il connaissait l'aventure de Louise et aussi l'attitude de ses parents, et s'il en désapprouvait personnellement la dureté, il n'avait toujours pas trouvé le biais, ou l'alibi, qui lui permît d'aborder ce sujet avec Marguerite ou Jean-Edouard. Aussi pensa-t-il que le ciel lui venait en aide lorsque Marguerite, qui guettait sa sortie de l'église après l'angélus du soir, lui demanda un entretien.

— C'est urgent ? questionna-t-il, bien décidé à ne pas bâcler une entrevue qui, espérait-il, lui permettrait d'inciter les Vialhe à la clémence envers leur fille.

Marguerite acquiesça et il nota alors sa mine défaite, son air sombre.

— Ce serait pour faire dire des messes pour un défunt...

Il réfléchit, et se souvint que le vieux père Vialhe était mort depuis moins de deux ans.

— Pour votre regretté beau-père, sans doute ? Je ne l'ai pas connu, mais on m'en a dit le plus grand bien. Je vous félicite de vous inquiéter ainsi de son salut.

— Non, monsieur le curé, ce n'est pas mon beau-père. C'est pour notre pauvre gendre..., murmura Marguerite qui, pour la première fois de sa vie, usa du mot gendre pour désigner Octave.

L'abbé Verlhac perdit pied ; il n'était pas encore assez au fait de la rouerie humaine pour déceler tout ce que la démarche de Marguerite recelait d'astuce, de calcul et d'hypocrisie. Jamais le vieil abbé Feix n'aurait mordu à un tel appât, il connaissait trop bien ses fidèles et aurait tout de suite éventé la manœuvre. D'ailleurs, avec lui, jamais Marguerite n'aurait engagé une telle partie.

Mais l'abbé Verlhac était jeune, plus disposé à voir le bien que le mal, aussi n'eut-il pas l'ombre d'un soupçon et c'est en toute bonne foi qu'il se fit l'instrument du plan finement mis au point par sa paroissienne.

— Votre gendre est décédé ? s'exclama-t-il. Et il était vraiment très attristé.

Marguerite fit oui dans un reniflement, donna quelques détails, évoqua, avec beaucoup de discrétion et d'humilité, les raisons de leur stupide et déjà si lointaine brouille, se lamenta sur le sort de sa fille et du petit Félix puis tendit au jeune prêtre le prix de vingt-quatre messes, une par mois pendant deux ans.

— Simplement, monsieur le curé, on a déjà tellement de malheur que, nous, on ne veut pas en parler, vous savez comment sont les gens... J'en connais certains qui iraient dire qu'on est contents de cette catastrophe... Alors, si vous annoncez simplement, dimanche, que vous direz des messes pour notre pauvre gendre, ce sera suffisant. Les voisins sauront qu'on ne veut pas de visites, qu'on ne veut pas parler de toutes nos misères. Voilà, c'est tout.

— Bien sûr, approuva l'abbé, je vous comprends. Allez, bon courage, ma pauvre, je vais prier pour vous, et pour lui...

Toute la commune apprit ainsi le deuil qui frappait les Vialhe. On s'apitoya sincèrement. Comment en vouloir à des gens qui, coup sur coup, étaient victimes de tels drames ! De plus, tout le monde apprécia beaucoup leur discrétion et leur geste. Par ces vingt-quatre messes, ils accordaient chrétiennement leur pardon au petit aide-géomètre en l'insérant tout à la fois dans la paroisse et dans la famille, puisque, chaque mois, pendant deux ans, l'abbé Verlhac, conformément à la coutume, annoncerait : « Messe pour le repos de l'âme d'Octave Flaviens, gendre Vialhe. » De même, chaque dimanche, pendant un an, il citerait le défunt à toutes les messes lors du mémento des morts de la paroisse...

Grâce à cette réconciliation posthume, on put enfin reparler de Louise en toute quiétude. Elle n'était plus une dévergondée, une fugueuse, mais une pauvre et pitoyable veuve. Son deuil l'ennoblit et nimba ses parents d'une aura des plus respectables.

Le mariage de la fille aînée de Jean Duroux fut un événement inoubliable. On l'évoqua pendant des lustres et il impressionna autant les mémoires que les festivités et les réjouissances organisées pour l'inauguration de la ligne.

Ce fut fastueux. Même le ciel pourtant exécrable depuis le début de l'année fut, pour un jour, exceptionnellement clément, et c'est sous un tiède soleil de fin octobre que le châtelain conduisit sa fille à la mairie.

Seul le cortège proprement dit — douze demoiselles d'honneur et leurs cavaliers — et les proches parents purent trouver place dans la petite salle où Antoine Gigoux, paralysé par le trac, accueillit les futurs époux.

Le reste des amis — deux bonnes centaines de dames et de messieurs dont on n'aurait su dire lequel était le plus richement vêtu — se groupa sur le perron de la mairie et ponctua par des applaudissements le « oui » des fiancés.

Intimidés par un tel luxe, les habitants de Saint-Libéral, tassés sur la grand-place, retinrent leur souffle. Ils étaient subjugués. Grâce aux confidences des chauffeurs et des valets, pour lesquels Jean Duroux avait loué toute l'auberge, nul ne pouvait ignorer le haut rang des invités. Il y avait là plus d'une douzaine de comtes, trois ducs, plusieurs lords — dont un Ecossais en kilt d'apparat, qui médusa tellement les badauds qu'aucun n'osa rire —, sans oublier deux anciens ministres, trois députés et deux préfets. Et c'était bien pour veiller à la sécurité de ces personnalités que paradaient, en tenue numéro un, tous les gendarmes de la brigade d'Ayen.

Traversant la place, la noce se dirigea vers l'église. Elle fut reçue par l'abbé Verlhac, très intimidé lui aussi par la présence d'un archevêque — cousin du jeune marié — qui devait procéder à la bénédiction des anneaux, recevoir les consentements et prononcer l'homélie.

Depuis plus de trois semaines, l'abbé Verlhac ne savait plus où donner de la tête. Il lui avait d'abord fallu nettoyer l'église de fond en comble, sortir et battre les vieux tapis, astiquer les chandeliers, l'encensoir, la sonnette ; encaustiquer les bancs et les chaises, épousseter les statues, gratter les coulées de cire qui s'étalaient aux pieds de la Vierge, traquer les toiles d'araignées embusquées dans le lustre de cuivre.

Il avait dû aussi faire ravauder ses plus beaux ornements et ses nappes d'autel, laver, repasser et amidonner les huit chasubles rouges des enfants de chœur et leurs surplis empesés de dentelles.

Enfin, pour éviter tout impair, il avait fait répéter aux enfants de chœur cette grand-messe de mariage à laquelle assisteraient tant de sommités plus habituées au décorum des cathédrales qu'à la simplicité et à la pauvreté de son église.

La foule entra et l'abbé Verlhac nota tout de suite un flottement dans l'assistance, une sorte de gêne, une hésitation à prendre place. Affolé, il se tourna vers l'archevêque, quémanda muettement son secours. Le prélat le rassura d'un sourire, se pencha vers lui :

— Ce n'est rien, mon fils. Ils sont habitués à ce qu'un suisse leur indique leur place en fonction de leur rang et de leur parenté avec les mariés. Ici, il n'y a personne pour les guider et ils ne savent où se mettre ! C'est beaucoup mieux ainsi, il est très salutaire qu'ils se souviennent, de temps en temps, qu'ils sont tous égaux devant Dieu. Laissez-les faire, ils finiront bien par s'installer.

L'abbé Verlhac esquissa un pâle sourire et se retourna pour inspecter une dernière fois l'autel. Il entendit des bruits de chaises et un léger brouhaha, puis tout se tut. L'assistance avait enfin pris place.

— Voyez, lui chuchota le prélat, Dieu fait bien les choses ! Le vieil homme, là, à droite, en jaquette, c'est un ancien ministre, franc-maçon naturellement, qui vota à deux mains les lois scélérates de Combes. Vous savez qui est à côté de lui ? Un de mes cousins, chevalier du Saint-Sépulcre, et qui a été reçu et béni par notre Saint-Père le Pape voici moins d'un mois. Amusant, non ?

Et c'est avec un bon sourire et un regard plein de gaieté que l'archevêque s'avança vers le jeune couple.

La cérémonie fut parfaite et si l'abbé Verlhac eut un moment de distraction, nul ne s'en aperçut ; mais il se promit, in petto, une sévère pénitence lorsqu'il se surprit, effaré mais ravi, à évaluer le montant de la quête. Il est vrai que les corbeilles, pleines de pièces et de billets, avaient de quoi troubler le pauvre prêtre qu'il était. Jamais, il n'avait osé imaginer de telles oboles : de quoi oublier, pendant longtemps, tous ses soucis d'argent, et Dieu savait à quel point ils étaient sérieux !

Les cloches sonnèrent à la volée lorsque les nouveaux époux sortirent sur le parvis ; la place était noire de monde et tous les gamins de la commune étaient là. Gentiment, la jeune mariée leur lança des poignées de dragées au milieu desquelles brillait parfois l'éclair d'un louis de dix francs. Il y eut quelques brefs horions pour récupérer cette manne, mais ils ne troublèrent en rien l'allégresse générale.

Ruisselant de bonheur, Jean Duroux savourait son triomphe. Par fille interposée, il réalisait enfin son vieux rêve. Son gendre, gentil garçon de trente-cinq ans, était de pure noblesse — d'Empire certes, mais avec un blason en bonne et due forme, forgé haut la main par des ancêtres qui avaient fait l'Histoire de France en se distinguant à Marengo, Iéna ou Austerlitz ! Son gendre s'enorgueillissait même d'un arrière-grand-oncle cardinal qui, assurait-on, avait été le conseiller et l'ami de Sa Sainteté, le pape Pie IX !

Malgré cela, il était simple et, comme le décidèrent très vite les habitants de la commune, pas fier. Il est vrai qu'il touchait volontiers la main et s'enquérait, sans hauteur, de la bonne marche des travaux agricoles, de la santé des bêtes et des gens. Lui aussi passionné par la chasse, il s'était acquis l'estime de tous les hommes lorsqu'ils avaient appris, par Célestin, qu'il était coutumier du doublé de perdreaux et que son fusil était encore plus beau, et plus coûteux, que celui du châtelain.

Si l'on ajoutait à toutes ces qualités une solide fortune judicieusement placée dans le Crédit foncier de France (en obligations de cinq cents francs qui rapportaient leur 3 % annuels), le Chemin de fer d'Orléans, lui aussi à 3 %, les Sucreries et raffineries d'Egypte, à 4 %, sans oublier l'emprunt russe consolidé (celui de 1901, à 4 %) et des obligations à 5 % dans l'Electricité de Moscou, on comprenait aisément l'immense satisfaction de Jean Duroux. On comprenait aussi très bien qu'il n'ait pas hésité à augmenter les trois cent mille francs de dot de sa fille par un des immeubles de Brest et deux des métairies du château.

Alignée devant l'église, la noce tout entière se figea et posa patiemment pour les photographies. Cela fait, et alors que les invités grimpaient dans les rutilantes automobiles qui allaient les conduire au château, Jean Duroux, sa fille et son gendre se mêlèrent au groupe d'hommes endimanchés qui attendaient devant l'auberge.

Ils étaient presque tous là, Gaston, Jeantout, Léon, et bien d'autres agriculteurs ; mais aussi le forgeron, le boucher, le boulanger, le meunier, le facteur, le garde champêtre et le chef de gare, les charpentiers et les maçons au milieu desquels, ravis et pétants de fierté, se pavanaient les gendarmes d'Ayen.

Seuls manquaient le notaire, les deux docteurs, le maire et le curé, mais eux, on savait qu'ils étaient invités au repas et qu'ils étaient sans doute déjà au château, mêlés à tout ce beau monde. Et tous les hommes présents étaient très fiers de les savoir là-haut, comme représentants de la commune.

Jean-Edouard n'était pas là, il s'était excusé, et tous

approuvaient son absence, son deuil récent la justifiait pleinement.

Jean Duroux les invita à entrer. Dans une très délicate attention, qui l'honorait, il avait décidé d'offrir l'apéritif à tous ceux qui voudraient bien partager sa joie et tandis que les cloches sonnaient toujours à la volée, c'est en plaisantant qu'ils s'entassèrent tous dans la grande salle de l'auberge. Là, à la stupéfaction générale, c'est au champagne que le châtelain les régala, et nombreux furent ceux qui avouèrent n'en avoir jamais bu.

Quant à Léon, le vin pétillant le ramena dix ans en arrière, en cette première nuit du siècle qui avait vu la naissance de sa sœur. Que d'événements depuis ! Et pour lui, quelle progression !

Il était en passe de se hisser parmi les plus importants marchands de bestiaux de la région, et si l'on se méfiait toujours quelque peu de lui, s'il n'avait, pour ainsi dire, pas de vrais amis, du moins le respectait-on. A cause de son argent, certes, mais surtout de son indiscutable savoir-faire et de son infaillible coup d'œil pour juger une bête.

Tout le monde trinqua et souhaita mille bonheurs aux mariés et mille félicitations à l'heureux père, et c'est sous les congratulations et les vœux que tous les convives accompagnèrent leurs hôtes jusqu'à la grosse Renault rouge qui démarra au milieu des vivats.

Au château, la fête se prolongea pendant trois jours et, du bourg, tous purent entendre, dès le soir, les accords de l'orchestre engagé par le châtelain. Et tous applaudirent le merveilleux feu d'artifice qui couronna le premier jour de la noce — cette noce somptueuse qui, désormais, figura en bonne place dans l'histoire de Saint-Libéral.

**15**

1911 commença sous la pluie. On aurait pu croire, pourtant, que toute l'eau du ciel avait chu au cours de l'année précédente et que, après les inondations — même Paris avait eu de l'eau jusqu'au ventre —, viendrait le soleil. Mais la pluie était toujours là, tenace, lancinante et glaciale.

Pierre-Edouard et ses camarades l'affrontèrent pourtant avec allégresse. Qu'importaient les trombes d'eau, ils étaient enfin libres, dégagés de leur service militaire, rendus à cette vie civile dont ils étaient coupés depuis deux ans.

A eux les griseries de la liberté, les filles, le bon vin, la joie. Et au diable la caserne, l'uniforme, les corvées ; et que crèvent tous ces feignants d'adjudants et d'officiers qui leur avaient bouffé vingt-quatre mois de leur jeunesse ; et que jamais, surtout, on ne les revoie, eux, leurs galons, leur règlement à la con et leurs putains de canons !

Encore tout étonnés de pouvoir chahuter sans risque d'être interpellés par une patrouille en ville, Pierre-Edouard et ses compagnons s'égaillèrent dans Besançon. Prudents quand même, car ils étaient sous l'autorité militaire jusqu'à ce qu'ils aient fait viser leur désincorporation par la gendarmerie de leur chef-lieu de canton respectif, ils s'engouffrèrent dans le premier estaminet venu pour troquer leurs uniformes — ils les remettraient pour prendre le train — contre leurs vieux vêtements civils.

Pierre-Edouard constata qu'il avait sérieusement forci. Sa veste le serrait, le gênait aux épaules ; il l'enfila quand même avec délice. Grâce à elle, il rejetait dans le passé le maréchal des logis Vialhe de la 2e batterie du 3e groupe du 5e régiment d'artillerie de Besançon, et redevenait enfin Pierre-Edouard Vialhe, de Saint-Libéral-sur-Diamond! Cela méritait bien une tournée générale, et même plusieurs! D'autorité, il commanda la première...

La nuit venait lorsque la bande de joyeux fêtards — dont quelques-uns titubaient sérieusement — se dirigea en chantant vers la gare. Là, après force claques dans le dos, dernier échange d'adresses et promesses de se revoir un jour, le petit groupe se disloqua, s'éparpilla sur les quais dans l'attente des trains pour Paris, Strasbourg ou Nancy.

Quant à Pierre-Edouard, il dut couper court aux effusions et sauter prestement dans le convoi de Lyon qui, déjà, s'ébranlait en grinçant.

Dès le lendemain de son retour, Pierre-Edouard s'employa à redécouvrir son univers et c'est dans l'allégresse qu'il arpenta les champs, les prés et les bois de la ferme. Tout était bien en ordre, bien tenu et les trente et un noyers de la grande pièce étaient devenus somptueux dans leur impeccable alignement de troncs blancs.

Quant aux bêtes, elles étaient superbes et luisantes de santé; seul le cheval ne lui donna pas toute satisfaction, il lui trouva le poil terne, l'œil triste et se promit d'en parler à son père. Mais, tout à son bonheur, il oublia vite l'animal et entreprit, avec joie, de renouer avec les gens du village, les voisins, Léon, tous ceux qui le hélèrent pour lui offrir le verre du retour.

Il nota tout de suite leur changement d'attitude envers ses parents. Non seulement on ne leur reprochait plus rien, mais on les plaignait, et c'était sincère. Il devina que cela était lié à la mort d'Octave et en fut tout ébahi, mais il se tut, bien décidé néanmoins à tirer l'affaire au clair.

Il n'arrivait pas à croire que ses parents aient, à ce point, jeté un voile sur la fugue de Louise ni que la mort d'Octave les ait poussés à une totale absolution de la faute. Car, si tel était le cas, pourquoi cette lettre qui l'avait rendu si furieux?

De retour chez lui, il observa mieux. Il sentit qu'au sein de la famille planait un sentiment indéfinissable, une espèce de bonhomie factice, outrée, qui sonnait faux. Certes, de prime abord, l'ambiance semblait plus détendue; le père paraissait moins cassant et la mère moins tourmentée, mais cela n'en rendait que plus évidente la mine de chien battu de Berthe et l'égarement total de la grand-mère, les attitudes gênées de tous.

Il devina que c'était bien l'histoire de Louise qui continuait à empoisonner ainsi l'atmosphère et s'insurgea à l'idée d'avoir à passer sa vie à se surveiller, à se mordre la langue pour ne pas réveiller chez ses parents une douleur qu'ils prenaient pourtant un sordide plaisir à entretenir.

Il décida de crever l'abcès tout de suite. Il n'était plus en âge d'être contraint à la ruse et à la dissimulation s'il avait envie d'écrire à sa sœur, d'envoyer un mandat à son filleul, d'épingler sa photo au-dessus de son lit. Les alibis boiteux, les rendez-vous clandestins, les nouvelles par complices interposés, c'était bon pour un gamin ; il était un homme et entendait bien le faire savoir. Il porta le fer dans la plaie pendant le repas du soir.

— Avez-vous des nouvelles de Louise ?

Son père sursauta, surpris par l'assaut ; puis il rougit et sa respiration s'accéléra.

— Miladiou ! gronda-t-il enfin, de quel droit poses-tu de pareilles questions ? Louise fait ce que bon lui semble, ce n'est pas notre affaire ! D'ailleurs, on n'est au courant de rien et on s'en passe bien !

Sa voix s'enfla, il se leva :

— Et puis, nom de Dieu, est-ce que tu crois qu'elle nous a seulement prévenus de… enfin, de la mort de l'autre, quoi ? Rien ! C'est toi qui nous l'as dit ! Alors qu'est-ce que tu viens nous emmerder, petit faux jeton ! Des nouvelles, c'est toi qui pourrais nous en donner ! Mais figure-toi qu'on s'en fout ! Elle veut pas revenir et vivre en honnête fille ? D'accord ! Qu'elle se débrouille, qu'elle fasse sa finaude ! Elle ne veut même pas écrire ? Tant mieux, on n'a pas besoin de répondre ! Et maintenant, prends bien garde, je ne veux plus entendre parler de cette histoire ! T'as compris, oui ?

Pierre-Edouard fouilla dans sa poche, sortit son portefeuille, y puisa une photo qu'il lança sur la table.

— J'en parlerai pourtant si j'en ai envie, assura-t-il avec calme. Louise est ma sœur et lui, dit-il en tendant le doigt vers le cliché, c'est mon filleul. Et un jour, que ça plaise ou non, il reviendra ici, avec Louise !

— Mais, mais…, balbutia sa mère en louchant vers la photo, on t'a bien écrit de lui dire qu'elle pouvait revenir quand elle voudrait! Pense, on fait vingt-quatre messes pour... enfin, pour lui, quoi.

— Ah, c'est donc ça! fit Pierre-Edouard qui comprit d'un coup le changement d'attitude des voisins. C'est ça!... Alors, vous vous servez de lui? Dehors, vous faites semblant et ici... Ici, il ne faut pas en parler! Ah ben, merde alors!

— Quoi, on s'en sert! hurla son père. Tu nous reproches de faire dire des messes?

— Non, je m'en fous des messes.

— Alors, qu'est-ce que tu as à gueuler?

— Moi? Je ne gueule pas... Je pense simplement que Louise a vu juste au sujet de ce qui l'attendait ici si elle revenait.

— Et en plus elle se permet de nous juger! s'exclama Jean-Edouard en cognant sur la table. Non, mais dis, qui est-ce qui est parti comme une fille de rien avec le premier venu? Qui est-ce qui nous a fait deux ans d'affront? Parfaitement, deux ans pendant lesquels toute la commune a ri de nous, hein?

— Et maintenant, il n'y a plus d'affront? demanda doucement Pierre-Edouard. Maintenant qu'elle est veuve, il n'y a plus de honte? C'est ça? Il fallait qu'Octave meure pour que tout s'efface et pour que les gens vous respectent et vous plaignent? Bordel! Vous voulez que j'aille dire aux voisins ce qu'elle fait la fille Vialhe, vous voulez que j'aille leur expliquer, juste pour rigoler un peu? Vous verrez s'ils vous riront au nez avec vos messes!

— Qu'est-ce qu'elle fait? demanda Jean-Edouard soudain très inquiet.

Il s'attendait au pire.

— La bonne, tonnerre de Dieu! La fille aînée des Vialhe fait la bonne! Ses terres sont les plus belles de toute la commune et elle, elle est bonne! Elle lave par terre pour gagner une misère! Mais elle préfère encore ça, elle sait trop bien ce qui l'attend si elle revient. Elle n'en veut pas de vos « Je t'avais prévenue! Si tu nous avait écoutés! Tu as bien mérité ce qui t'arrive! C'est le bon Dieu qui t'a punie... » Bon sang, oui, elle a raison de rester où elle est!

— Où est-elle? interrogea Jean-Edouard.

— Je ne vous le dirai pas. Portez pas peine, c'est loin, personne ici ne le saura!

— Dis-moi où elle est! ordonna son père en marchant vers lui.

Pierre-Edouard se leva, s'aperçut soudain qu'il était plus grand, plus fort, plus robuste que son père et secoua la tête.

— Je ne le dirai pas, ni à vous ni à personne. Et si vous voulez me calotter, faites-le, mais alors, je passerai la porte et pour longtemps...

Ils s'observèrent, se jaugèrent.

— Bon, garde-le, dit enfin Jean-Edouard en se détournant, mais écoute bien, je ne le redirai pas, ne t'avise jamais de me donner des leçons. Plus jamais, tu entends ! Je te l'ai écrit, pourtant ! Ce soir, tu n'en as pas tenu compte, mais je crois que tu as trop bu pour arroser ton retour, alors ça passe pour une fois. Mais c'est la dernière. La prochaine, tu auras ma main sur la figure...

Pierre-Edouard hocha la tête, comme s'il doutait que pareille menace fût jamais réalisée. Il venait de découvrir que son père n'était plus invulnérable, qu'on pouvait lui tenir tête, que c'était presque un vieil homme et que, quoi qu'il fît, il lui faudrait bientôt lâcher des rênes désormais trop lourdes pour lui. Ces rênes que lui, Pierre-Edouard, reprendrait.

Jean-Edouard n'était pas à la veille de céder la place et deux jours suffirent à son fils pour le comprendre.

D'abord, et bien qu'il se gardât toujours d'intervenir dans la vie communale, tout prouvait qu'il avait retrouvé son prestige ; on ne parlait que de lui comme prochain maire. De plus, et Pierre-Edouard le reconnaissait de bonne foi, il gérait sa ferme et son cheptel avec doigté, savoir-faire et d'une grande expérience. Enfin, s'il paraissait céder le pas au cours des discussions orageuses, cela ne changeait rigoureusement rien à sa ligne de conduite.

Sans doute s'emportait-il moins fort et moins vite que jadis, mais ses silences et ses regards suffisaient à maintenir son autorité ; il suffisait d'observer comment Berthe marchait tête basse et dos voûté pour comprendre qu'il ne badinait pas avec l'obéissance, qu'un ordre n'était pas à répéter deux fois et que le seul moyen de vivre en paix sous sa coupe était de se plier à ses désirs.

Pierre-Edouard ne le pouvait plus. Tout le poussait à réagir, à donner son avis, voire à critiquer ; et à chaque fois, ils s'affrontaient.

Le premier accrochage fut sévère. Fouinant sous le hangar, Pierre-Edouard aperçut la faucheuse, vit immédiatement qu'elle avait été malmenée et qu'elle n'était pas entretenue. Plusieurs doigts de la barre étaient brisés, les pignons étaient secs et anormalement usés ; enfin, comble de la négligence, son père n'avait pas retiré la lame après la dernière coupe et elle était là, coincée dans une gangue de rouille. Il lui manquait même deux sections, cassées net par quelque pierre.

— Bon sang ! s'exclama Pierre-Edouard en entrant dans l'étable où son père affourageait les vaches, vous avez vu dans quel état est la faucheuse ?

— Quoi, la faucheuse ? On est en janvier, on n'est pas près d'en avoir besoin !

— Encore heureux ! C'est plus guère qu'une ruine ! Elle était quasi neuve quand je suis parti, c'est plus qu'un tas de ferraille !

— Dis tout de suite que je ne sais pas m'en occuper !

— Parfaitement ! Ça vous aurait coûté cher de foutre de l'huile sur les engrenages ? Et de changer les doigts cassés et surtout, miladiou, d'enlever la lame ! Elle est rouillée à mort maintenant, et c'est votre faute !

— Tu commences à m'emmerder, lança sèchement son père, t'es pas content ? Eh ben, va la nettoyer cette machine, et fous-moi la paix ! Va la gratter, comme ça tu gagneras au moins ta soupe ! Depuis deux ans que tu as rien foutu, il est bien temps que tu t'y remettes !

Pierre-Edouard se maîtrisa, haussa les épaules et repartit vers la faucheuse. Il lui consacra sa journée, la dégrippa au pétrole, changea les pièces, resserra les écrous, huila les engrenages. Mais il ne décoléra pas pour autant.

Il était toujours d'humeur sombre, le lendemain matin, lorsque sortant dans la cour, il vit son père en train d'atteler le cheval à la carriole ; la mauvaise impression que lui avait donnée l'animal lui revint en mémoire. Il s'en approcha, l'observa, fronça les sourcils.

— Vous allez loin avec ?

Jean-Edouard faillit lui dire que ça ne le regardait pas, mais daigna quand même répondre.

— Chez le meunier ; il me doit encore trois sacs de son de la dernière mouture.

— Au moulin ! Avec ce cheval ! Vous l'avez vu, un peu ?

Jean-Edouard sentit monter la querelle. Il avait bien noté

que l'animal boitillait, mais ce n'était sans doute qu'un fer légèrement décloué, il n'y avait pas de quoi annuler une course.

— Je sais, dit-il. Il boite un peu, c'est rien.

— Mais, miladiou ! Vous voyez pas qu'il souffre le diable ! s'emporta Pierre-Edouard. Parole ! Depuis quand il traîne ça pour avoir pris ce poil terne et cet œil triste ? Et vous voulez lui faire faire dix kilomètres, par cette pluie et avec ces chemins de cailloux !

— Parfaitement, et il n'en crèvera pas pour autant, assura son père en resserrant la sous-ventrière.

Il était un peu gêné. Spécialiste des vaches, brebis et cochons, il connaissait mal les chevaux, les trouvait difficiles à comprendre, délicats à soigner et même à nourrir. Mais ce n'était pas à son fils à lui faire une leçon au sujet d'une bête qu'il possédait depuis bientôt deux ans ! Aussi s'interposa-t-il lorsque Pierre-Edouard voulut observer le membre douloureux.

— Lâche cette patte et fous-lui la paix ! grogna-t-il.

— C'est pas une patte, dit machinalement Pierre-Edouard.

Pour lui les chevaux n'avaient plus de secrets, puisque chaque batterie de 75 en employait un minimum de soixante. Soixante bêtes qu'il fallait surveiller sans cesse, panser, soigner, pour déceler le moindre signe de blessure, de faiblesse ou de maladie.

— C'est pas une patte ce que tu tiens ? Et qu'est-ce que c'est, alors ?

— Une jambe, dit Pierre-Edouard distraitement, tout occupé à palper la sole.

Il sortit son couteau, gratta le crottin et la terre, toucha le talon. La bête réagit, chercha à se dégager.

— Arrête de te foutre de moi et laisse-moi partir, dit son père en le secouant.

— Merde, quoi, fous-moi la paix ! lança Pierre-Edouard en oubliant complètement à qui il s'adressait.

— C'est à moi que tu parles ? gronda son père en lui envoyant une violente bourrade dans les côtes.

— Oui, c'est à vous ! Votre cheval a une bleime, humide sans doute, car ça suinte fameusement. Une belle saloperie, et il traîne depuis un sacré bout de temps. Et vous n'avez pas été foutu de vous en apercevoir ! Voyez l'allure qu'elle a, votre monture ? Elle souffre depuis des semaines, ça crève les yeux, non ? Mais si ça vous amuse de la tuer, allez-y, faites-lui faire le tour du pays, faites-la galoper jusqu'au moulin pour que tout le monde sache que vous n'y connaissez rien en chevaux !

— Et toi, morveux, tu t'y connais peut-être ?

— Plus que vous, et j'ai pas grand mal ! C'est à peine si vous savez reconnaître un cheval d'un âne...

— Bon Dieu ! Je t'ai toujours pas attendu pour reconnaître les couillons de ton espèce ! Et maintenant, tire-toi de là que je parte, fous-moi le camp ! Mais, miladiou, vas-tu laisser cette bête ! hurla-t-il en se précipitant vers son fils qui, déjà, dételait le cheval.

— Ecoutez, dit Pierre-Edouard en débouclant les sangles, je vais vous le soigner, moi, c'est pas difficile. C'est au sulfate de cuivre, comme pour le piétin des brebis.

Il encaissa une nouvelle bourrade dans l'estomac, s'ébroua, mais continua malgré tout à dételer la monture. C'est alors qu'il reçut une gifle sur l'oreille ; pas une forte gifle, tout au plus une de celles qu'il acceptait quelques années plus tôt. Mais celle-là était de trop, elle venait trop tard.

Il se retourna vivement, posa la main sur l'épaule de son père, le maintint à bout de bras.

— Je vous ai prévenu l'autre soir. Une calotte et je passe la porte. C'était bien convenu ? Alors on est d'accord.

Il claqua la croupe du cheval qui partit en claudiquant vers l'écurie.

— Vous voyez bien qu'il boite de l'antérieur gauche, dit-il en fourrant les mains dans ses poches.

Il regarda longuement son père, puis se détourna et marcha vers la maison.

Une heure plus tard, il était sur la route de Brive. Il eut la chance d'être doublé, peu avant Perpezac, par la voiture de M. Lardy. Celui-ci le reconnut, s'arrêta et le conduisit jusqu'en ville. En route Pierre-Edouard ne fit aucune difficulté pour expliquer qu'il s'était brouillé avec son père et qu'il partait.

Au soir, le notaire raconta la chose à sa femme ; la porte de la salle à manger était ouverte, la bonne entendit tout. Dès le lendemain, avant même que sonne midi, tout le bourg savait que Pierre-Edouard, fils aîné des Vialhe, après s'être sérieusement battu avec son père, avait fait son balluchon et pris la route.

Certains garantirent même que la querelle avait éclaté au sujet d'un fils naturel qu'il avait fait à une servante de bistrot de Besançon. D'autres assurèrent qu'il était parti pour l'Afrique du Nord. En fait, nul ne savait où il allait, pas même lui.

Curieusement, Pierre-Edouard se sentait, sinon joyeux, du moins serein. Serein et libéré. Il avait pressenti depuis longtemps que ses rapports avec son père seraient difficiles ; il s'y était préparé, sans se cacher qu'il serait incapable de tout admettre, de tout subir.

Deux jours lui avaient suffi pour mesurer l'abîme qui le séparait de son père. Alors, à quoi bon s'entêter ? Il n'avait plus aucune illusion à se faire ; jamais il ne lui serait possible de courber la tête sous la poigne paternelle. Et leur divergence complète au sujet de Louise n'en était qu'une parmi d'autres ; même sans elle, le fossé se serait creusé.

Mais s'il était soulagé d'échapper à l'atmosphère empuantie de la maison, il en avait cependant gros sur le cœur d'abandonner sa terre, sa ferme, Saint-Libéral, tout ce qui avait été sa vie et qui avait bercé ses rêves pendant deux ans de caserne.

Certes, il savait bien qu'un jour il reviendrait en maître, que la ferme, les champs et les bêtes seraient à lui. Mais ce qu'il avait naïvement cru proche, et presque acquis — l'abdication de son père — venait, d'un coup, de reculer dans un lointain nébuleux. Désormais, il devrait patienter des années avant de pouvoir jouir à sa guise, et sans entraves, de ces terres des Vialhe qui lui revenaient de droit.

Cela ne signifiait nullement qu'il en venait à souhaiter son décès, cette pensée ne l'effleurait même pas. Simplement, et candidement, avec ses yeux et ses désirs d'homme tout juste fait, encore presque gamin, il s'insurgeait qu'un vieux de cinquante et un ans ne comprît pas qu'il avait grandement l'âge d'accepter le partage de la décision et de l'action, de se préparer à son rôle d'aïeul et de commencer à s'effacer avec discrétion.

Or, tout démontrait que son père exigeait toujours d'être reconnu comme seul maître. Alors, à quoi bon rester ? Mieux valait partir, tenter sa chance ailleurs, découvrir d'autres horizons et patienter...

En attendant, il fallait vivre... Il possédait environ une centaine de francs d'économies, plus le napoléon de son grand-père auquel il espérait ne pas avoir à toucher. Cent francs, ce n'était pas une fortune, mais cela lui garantissait quand même plusieurs mois de tranquillité. A condition toutefois de s'en tenir à un repas par jour — et les gargotes ne manquaient pas qui en proposaient pour douze sous —, de se contenter le soir d'un quignon de pain et d'un verre d'eau, de passer la nuit dans les écuries et, enfin, d'économiser son tabac — à huit sous le paquet, on gagnait sa vie à réutiliser ses mégots !

De toute façon, il espérait bien ne pas attendre longtemps avant de trouver du travail. Simplement, il n'était pas question pour lui de rester dans la région ; il ne voulait en aucun cas courir le risque de tomber nez à nez avec son père au hasard d'une foire ou au coin d'une rue de Brive ou de Tulle. De plus, pressentant que ses premiers emplois ne seraient peut-être pas très brillants, il se refusait à entacher la réputation de la famille. Personne n'avait besoin de savoir que le fils aîné des Vialhe en était réduit à travailler chez les autres, alors que son père était propriétaire d'une des plus belles fermes de la commune. Or, cela se saurait s'il restait dans la contrée. Tôt ou tard, quelques colporteurs le reconnaîtraient et vendraient la mèche. Ce seraient alors la honte et les ricanements.

A l'inverse, si nul ne savait où il était, il y avait de fortes chances pour qu'on lui invente une situation mystérieuse mais honorable ! N'avait-il pas entendu affirmer au village que Louise avait hérité de son époux une rente de mille francs, que ses beaux-parents étaient largement à l'abri du besoin, ce qui expliquait pourquoi elle préférait rester auprès d'eux pour élever son fils !

Il n'avait pas démenti. Pourquoi dire à tous ces bavards que la maladie d'Octave avait mangé tout l'argent du ménage, qu'en fait de beaux-parents aisés, Louise n'avait plus qu'une belle-mère qui ne survivait que grâce à de modestes travaux de couture. A quoi bon leur dire que sa sœur avait quitté Orléans et qu'elle travaillait maintenant dans un château, une grosse bâtisse perdue dans une région de chasse et d'étangs, quelque part au-delà de Châteauroux, dans un pays plein de brouillard et d'humidité, un triste coin au tréfonds d'une lugubre et gigantesque forêt...

Bien entendu, elle ne faisait pas la bonne, comme il avait dit à ses parents dans un accès de colère ; elle ne lavait pas par terre et ne vidait pas les seaux de nuit. Encore heureux ! Elle était lingère, ne se plaignait pas de son travail, ni de ses patrons, et avait la chance de pouvoir garder son fils avec elle. Mais elle était loin de la rente de mille francs et des beaux-parents fortunés !

Quant à lui, s'il avait l'astuce de se faire oublier, on dirait sans doute bientôt qu'il avait une bonne situation. Peut-être même le jalouserait-on un peu.

Il n'hésita pas longtemps. Peut-être savait-il déjà inconsciemment où il irait, lorsqu'il avait décidé de quitter la maison. L'idée devait être en lui, comme un possible recours pour le cas où l'entente avec son père se révélerait irréalisable. Maintenant, il devait la concrétiser.

Il acheta pour dix sous de pain et de saucisson et s'engagea sur la route de Paris. S'il ne pleuvait pas trop, s'il ne neigeait pas, il se faisait fort d'atteindre son but en une douzaine de jours. Il lui en eût fallu deux de moins en été, mais les nuits de janvier étaient trop longues et tombaient trop tôt pour lui permettre douze heures de marche quotidienne. Non qu'il eût peur de la nuit, mais il ne voulait prendre le risque de se retrouver vers les huit heures du soir sur un chemin inconnu et sans ferme à l'horizon pour l'héberger. Il faisait vraiment trop froid pour coucher à la belle étoile.

Autant l'histoire de Louise avait, naguère, passionné la vie du bourg, autant celle de Pierre-Edouard sombra vite dans l'oubli ; elle fut commentée quelques jours, puis sortit des conversations et des mémoires.

On chercha peu à connaître les véritables mobiles qui avaient poussé Pierre-Edouard à prendre si vite le large. Il n'était pas le premier à vouloir voler quelque temps hors du nid ; ce genre de querelle entre père et fils était relativement courante et ne tirait pas à conséquence.

Il était bien normal qu'un jeune homme jette sa gourme, profite de sa majorité toute neuve et tente de se frotter le museau avec ses aînés. Il était tout aussi normal que ceux-là ne se laissent pas marcher sur les pieds et rappellent qu'ils étaient toujours les patrons.

En se dressant contre son père, Pierre-Edouard avait tâté le terrain, histoire de voir si sa jeune force était capable de supplanter celle du chef de famille ; c'était la preuve qu'il avait du caractère et qu'il était bien le digne fils de son père. Il reviendrait bientôt, trop content de retrouver la maison — y compris les engueulades paternelles —, le travail, le couvert et le gîte. On feindrait de le croire, s'il disait avoir découvert l'Amérique. On accepterait même, sans sourire, l'explication de son retour au bercail — la santé du père à la veille des moissons donnait toujours des soucis, et des excuses aux jeunes repentis — et on ne parlerait plus de cette petite aventure.

Ainsi, personne ne critiqua l'attitude de Jean-Edouard, bien au contraire. D'ailleurs, extérieurement, il ne laissa paraître aucun signe de découragement ou de dépit. Il assura même à Gaston que, depuis deux ans, il s'était très bien habitué à l'absence de son fils et qu'il était tout à fait capable de se passer de lui.

— Et puis, dit Gaston, tu le verras revenir d'ici peu ! Ces jeunes, c'est bien tous les mêmes, c'est chaud de partout ! Tiens, moi je lui donne pas plus de six mois avant qu'on le revoie !

— Sans doute..., approuva Jean-Edouard, mais il n'en croyait pas un mot.

Il savait, lui, que son fils n'était pas parti sur un coup de tête, que sa décision était celle d'un homme qui a bien pesé son problème, que la cassure était définitive et qu'il ne reviendrait pas avant d'avoir la certitude de pouvoir tout prendre en main.

Et cela, bien qu'il le cachât soigneusement, le rendait furieux. Est-ce qu'il n'avait pas dû attendre, lui, d'avoir plus de quarante ans pour devenir enfin le chef ? Et encore, n'avait-il pas dû subir, jusqu'à la fin, les questions, les conseils et parfois les ordres de son propre père ? Alors, de quel droit ce gamin venait-il lui réclamer des comptes, lui apprendre le métier ?

Vraiment, il n'avait pas volé la claque qu'il avait reçue ! Et si d'aventure il s'avisait de revenir bientôt, la queue basse et les poches vides, il n'entrerait dans la maison qu'après s'être excusé. Comme devrait s'excuser Louise si elle reparaissait un jour.

Mais cette scène, si réconfortante, n'était qu'un rêve.

Jamais ni l'un ni l'autre ne lui donnerait la satisfaction de quémander humblement son pardon. Ils étaient bien trop têtus pour cela, trop fiers. Trop Vialhe, peut-être...

Ce qui aggravait encore sa mauvaise humeur, c'était l'attitude de Marguerite. Elle l'avait soutenu dans le conflit avec Louise et, sur ce sujet-là, elle partageait toujours son point de vue. En revanche, elle ne cachait pas que, dans la dernière bataille, elle ne se rangeait pas entièrement de son côté. Bien sûr, disait-elle, Pierre-Edouard avait mal agi, mal parlé ; mais lui-même, n'avait-il pas manqué de patience et de compréhension ? Et qu'allaient-ils devenir, maintenant, sans les bras robustes de leur fils ?

Cela oui, c'était un gros souci. Jusque-là, il avait pu patienter dans l'attente de cette solide main-d'œuvre. Patienter et travailler — mais tant bien que mal, et en ne faisant pas tout ce qu'il était possible de faire pour que la terre rende au maximum. Il ne pouvait plus tout cultiver seul. C'était trop dur, et il n'avait plus vingt ans...

Seul un gaillard comme Pierre-Edouard aurait pu l'aider à mener au mieux tous les travaux de la ferme. Et c'était bien parce qu'il comptait sur son retour qu'il avait emblavé un hectare de plus que l'année précédente, prévu et préparé une belle surface pour cultiver du tabac, du maïs, des petits pois, et même épandu du phosphate sur ses prairies pour accroître leur rendement et acquérir grâce à cela deux ou trois vaches supplémentaires.

Et voilà qu'il se retrouvait seul, désarmé, devant tout ce travail qui l'attendait et qu'il ne pourrait jamais mener à bien.

Il se donna jusqu'au mois d'avril pour prendre une décision. A cette date, si Pierre-Edouard n'était pas revenu, il se résoudrait à embaucher un ouvrier. C'était la seule solution. Il en fit part à Marguerite, qui l'approuva vivement.

— On lui installera un coin dans l'étable. Logé et nourri, qu'est-ce que ça coûte, un commis ?

— Pas lourd, assura-t-il, on verra bien. Ça dépendra de son travail... Mais avec deux paquets de tabac par semaine, quelques hardes de temps en temps, on doit pouvoir s'en tirer avec quatre francs par semaine. Et encore, c'est sûrement trop payé. Pense qu'il y a quelques années n'importe quel chemineau se contentait de la soupe, d'une botte de paille et de quelques sous par mois !

Pierre-Edouard atteignit Meaux onze jours après son départ de Brive. Il avait eu la chance, en cours de route, de bénéficier tour à tour de la carriole d'un tisserand et du fardier d'un marchand de vin. Ces attelages, quoique lents, surtout celui chargé de barriques, lui avaient quand même permis de gagner une journée.

De passage à Châteauroux, il avait failli faire un crochet pour aller voir Louise, mais le détour — presque cinquante kilomètres — l'avait découragé. De plus, il aurait dû quitter la grand-route, s'enfoncer dans la forêt de Niherne, traverser une partie de celle de Lancosme, s'aventurer ensuite dans la Brenne, cette contrée pleine d'étangs et de marais, dans laquelle il redoutait sinon de se perdre, du moins de se retrouver seul, au soir, sans abri pour dormir. Il jugea prudent d'abandonner cette expédition et poursuivit sa route.

Il arriva à Meaux dans le courant de l'après-midi, calcula qu'il pouvait atteindre son but avant la nuit et hâta le pas. Une fois à Villeroy, il n'en doutait pas, il trouverait facilement la ferme du Moureau — cette ferme de cent quatre-vingts hectares qui appartenait aux parents de son camarade de régiment, Jules Ponthier, et dont il avait entendu parler pendant deux ans. Une ferme si belle, si grande qu'il s'était senti tout minable, lui, avec ses quinze hectares de terre !

Heureux d'être si près du but, il allongea la jambe et parcourut les quinze derniers kilomètres en moins de trois heures. La nuit venait quand, après avoir traversé Villeroy et s'être fait indiquer la direction, il s'engagea sur le chemin de terre qui conduisait à la ferme du Moureau. De loin, il admira les immenses bâtiments cernés par les labours qui fuyaient jusqu'à l'horizon. Ici, le travail ne devait pas manquer.

Dès qu'il eut franchi la gigangesque porte cochère qui s'ouvrait sur la cour de ferme, il fut contraint à l'immobilité par l'assaut de trois énormes chiens aux poils longs, à la gueule menaçante et aux hurlements impressionnants. Désappointé et prudent, il patienta, certain que quelqu'un s'inquiéterait du concert d'aboiements.

— Qu'est-ce que c'est ? lança enfin une femme en sortant de l'étable.

Elle s'approcha, fit taire les chiens.

— Je voudrais voir Jules Ponthier.

— Lequel, le père ou le fils ?

— Le fils.

— Bougez pas, je l'appelle.

Elle traversa la cour et, de loin, il l'entendit héler quelqu'un à l'intérieur de la maison :

— Oui, c'est pour toi, perçut-il. C'est une espèce de traîne-savates... Non, il n'a pas dit son nom. Va voir, de toute façon, les chiens le tiennent...

Jules sortit, marcha à sa rencontre.

— Dis donc, brigadier, t'es sacrément bien gardé ! lança Pierre-Edouard.

— C'est toi ! Ça alors ! Mais qu'est-ce que tu fous là ? Ah ben, si on m'avait dit !...

Ils se tapèrent sur l'épaule, se congratulèrent.

— Mais qu'est-ce que tu fous là ? redemanda Jules, je te croyais chez toi !

— Eh ! non, tu vois... J'en viens et j'en suis reparti. Mais ce serait trop long à t'expliquer... Maintenant, je cherche de l'embauche. Voilà. J'espère que tu as de quoi m'occuper, dit Pierre-Edouard en s'asseyant sur une des grosses bornes qui marquait l'entrée.

— Crédieu, murmura Jules, comme tu y vas ! Je suis pas encore patron, moi... Et en cette saison... Vrai, on a notre compte de tâcherons... Faut comprendre, les labours sont finis. Et on a aussi notre compte de charretiers...

— Tu te fous de moi ? Tu ne vas pas me dire que tu ne peux pas me trouver du boulot ?

— Ben, moi je voudrais bien, mais... Crédieu, faut comprendre, je suis pas encore le patron, répéta Jules.

— Alors, j'ai plus qu'à repartir ? C'est ça ? J'ai fait plus de cinq cents kilomètres pour rien ? Vrai, c'est beau les copains !

— Bon, soupira Jules, viens, je vais quand même essayer. Mais faudra pas m'en vouloir si ça marche pas, hein ?

Ils entrèrent dans la grande salle où Pierre-Edouard remarqua d'abord la longue table au bout de laquelle étaient empilés près d'une trentaine d'assiettes et autant de verres. Puis il revit, activant le feu sous une cuisine, la femme qui l'avait accueilli : c'était certainement la mère de Jules. Enfin, assis au coin du feu, il vit le père de son camarade, un homme d'une soixantaine d'années, grand, aux traits sévères, à la moustache grise, aux sourcils touffus.

— Qui c'est ? grogna le vieux.

— Pierre-Edouard Vialhe, vous savez bien, je vous en ai parlé, c'est un ami de régiment.

— Ah, ouais ? Et alors ?

— Ben... Il cherche du travail et il a pensé que...

— Du travail ? En cette saison ? D'où il sort ton copain ? De Paris ? Il sait pas qu'en ce moment y'a pas d'embauche dans les campagnes ?

— Si, je le sais, dit Pierre-Edouard, mais enfin... Je peux faire ce que vous voudrez, le boulot ne m'a jamais fait peur.

— Vingtbleu, je te dis qu'y a rien ! En ce moment, ça manque pas les gars qui cherchent la soupe et le toit ! Mais chez nous, on nourrit pas les gens à rien foutre !

— Ecoutez, plaida Jules, on pourrait le mettre avec l'équipe qui fait les fossés. Un homme de plus ne serait pas de trop, vous savez bien que ce cochon de Polack est saoul à partir de midi et que tous les gars en profitent.

— Je sais, mais rien que le matin, le Polack travaille comme deux, et puis, au moment des binages, y'a pas meilleur comme chef d'équipe.

— Mais je vous assure que Pierre-Edouard ferait bien notre affaire, insista Jules. Et puis, vous savez, il est champion avec les chevaux. Au moment des labours, il tiendra sa charrue comme personne, ça j'en suis sûr.

— Tu sais labourer ? demanda le vieux.

— Bien entendu, coupa Jules, il est de la terre lui aussi !

— Alors, pourquoi t'en es parti ?

— C'est trop petit chez nous, mentit Pierre-Edouard, certain que le véritable motif de son départ braquerait son interlocuteur — il ressemblait tellement à son père ! On ne peut pas vivre à plusieurs. Mais je sais labourer, semer, traire, tout quoi...

— Ben, y'a qu'à l'essayer, décida la mère en s'approchant.

Elle le dévisagea, le jaugea :

— Tu dois pas rechigner sur la soupe, toi... Bon, on te prend, mais c'est bien parce que Jules insiste ! On te prend pour curer les fossés. Au printemps, si t'es encore là, on verra ce que tu sais faire...

Pierre-Edouard jeta un coup d'œil en direction du vieil homme. Il s'était désintéressé de la conversation. Manifestement, la suite ne le concernait plus.

— Alors, c'est d'accord, poursuivit la femme, tu commences demain. On te loge, on te nourrit et t'auras tes... Bah ! allons, disons vingt sous par jour ! Et encore, c'est bien payé, parce que, vrai, on n'a pas besoin de toi! Enfin, on va quand même pas jeter dehors un ami de Jules... Pas vrai?

Pierre-Edouard approuva en silence, encore sous le choc de l'accueil et surtout de la somme dérisoire qu'allait lui rapporter dix à douze heures de travail quotidien.

Vingt sous par jour, trente francs par moi, et encore à condition qu'on lui paie ses dimanches à ne rien faire, ce qui était plus qu'improbable; vingt sous par jour, le prix d'une demi-douzaine d'œufs!

# QUATRIÈME PARTIE

## L'EXIL

# 16

LA campagne pour les élections municipales scinda la commune en clans farouchement opposés. Elle réveilla les vieilles querelles, les rancœurs et les jalousies. Elle fut sévère, parfois même violente et laissa dans bien des mémoires les cicatrices de la rancune, du dépit, de la vexation.

Dès qu'il fut acquis qu'Antoine Gigoux se retirait de la compétition et poussait son fils à sa place, une délégation d'électeurs se précipita chez Jean-Edouard pour le supplier de se jeter dans la bataille. Il tergiversa, invoqua ses drames personnels, son emploi du temps surchargé — certes, il employait désormais un commis, mais s'il n'était pas toujours dans son dos... —, se fit longuement prier, accepta enfin d'entrer en lice et de figurer en tête des citoyens qui, si tout allait bien, pouvaient et devraient s'installer sous peu à la mairie. Bien entendu, il ne fallait pas perdre de vue que les électeurs, ayant droit au panachage, restaient libres de rayer tel ou tel et de le remplacer par un candidat de leur choix. Malgré cela, Jean-Edouard avait bon espoir de conserver à ses côtés une confortable majorité de sympathisants.

Mais il savait qu'il aurait fort à faire pour détrôner l'autre liste. Le fils Gigoux avait beau être plus bête qu'un panier crevé, il bénéficiait de la solide réputation de son père et surtout de la fougue, du bagou et des compétences électorales et politiques de l'instituteur. Et il avait pour lui quelques grandes gueules, comme le charron, et des alliés parmi les commerçants, entre autres les époux Chanlat qui ne se priveraient pas d'abreuver gratuitement dans leur auberge tous les tièdes et les hésitants.

— N'empêche, on doit pouvoir les tordre ! assura Jean-Edouard. Je vais ressortir quelques dossiers... D'abord, les dortoirs et les cantines pour les gars de la compagnie. On sait bien qui les a tous fabriqués, c'est le beau-frère de Gigoux... Ensuite, l'organisation du champ de foire. Moi, avant de démissionner, j'avais demandé, pour les jours de foire, qu'un train supplémentaire soit prévu pour embarquer les bestiaux. On ne m'a pas écouté, pas étonnant si la foire est en baisse. Et puis le syndicat, vous avez vu ce qu'il est devenu ? Comme par hasard, depuis qu'il est fermé, le meunier s'est mis à vendre des semences, bientôt il se mettra aux engrais... Enfin quoi, tout le monde sait qu'il est cousin avec la femme de Gigoux ! Quant aux impôts communaux, là encore il est grand temps d'y mettre notre nez, et ça doit pas être beau... Je vous dis, il est urgent qu'on s'en mêle ! A propos, j'espère que le curé nous soutiendra ?

— Ben, pardi ! assura le boulanger, tu veux pas qu'il soit pour Gigoux ? Pour le coup, faudrait prévenir l'évêque que son curé est rouge !

Personne ne releva, on n'en était plus aux nuances. Pourtant, tous savaient que le fils Gigoux et ses amis étaient loin d'être rouges. A peines rosés, timidement socialistes...

— Oui, conclut Jean-Edouard, le curé sera sûrement avec nous. On doit gagner.

Mais deux jours après cette veillée d'arme, éclata la nouvelle. Une vraie bombe ! Jean Duroux se portait candidat et jetait dans la bagarre tout son poids de châtelain, de conseiller général, d'honnête homme aimé de tous.

Ce coup bas ébranla les antagonistes déjà aux prises et démoralisa tout autant les amis du fils Gigoux que ceux de Jean-Edouard. Ils faillirent même déclarer forfait lorsqu'ils surent que le docteur Fraysse soutenait le châtelain et presque tous les membres de sa liste ; une bonne liste, au demeurant, où figuraient surtout des braves gens, commerçants ou agriculteurs, à qui on ne pouvait rien reprocher.

Un nom pourtant fit sursauter Jean-Edouard et le rendit furieux, mais il se calma très vite, sut où il allait attaquer, et sévèrement. Jean Duroux avait commis une grosse erreur en acceptant Léon Dupeuch dans ses rangs, une faute qui pouvait lui coûter la mairie. On n'était pas à la veille, à Saint-Libéral, d'élire un marchand de bestiaux comme Léon, ce moins que rien, cet exploiteur, cet écumeur de champs de foire, ce malhonnête, ce fils de pendu !

C'était lui qu'il fallait attaquer, et sans pitié, le détruire et faire en sorte que les éclaboussures qui allaient jaillir de ce combat salissent également tous ceux qui l'avaient accueilli dans leur groupe, à commencer par le châtelain...

Ce n'était pas par ambition politique que Léon avait décidé de se lancer dans la course à la mairie. La politique ne l'intéressait pas et c'est à peine si, de loin en loin, au hasard d'un journal, il en suivait distraitement les jeux. Quant à la gestion municipale, il l'acceptait comme elle venait et était tout prêt à voir le fils Gigoux — tout couillon qu'il était — succéder à son père.

Mais la candidature de Jean-Edouard l'avait cinglé comme un coup de fouet et avait réveillé en lui toute la colère qu'il avait dû contenir lorsqu'il s'était fait si malhonnêtement souffler le pré du moulin. Depuis, il détestait Jean-Edouard, le tenant tout à la fois pour un cul béni, un faux jeton, un tyran, une brute. Autant il avait d'amitié pour Pierre-Edouard, autant la seule vue de son père lui gâchait la digestion.

Enfin, il n'ignorait rien, lui, des vraies raisons qui avaient poussé Pierre-Edouard à partir. Non seulement il connaissait tous les dessous de l'histoire, mais il savait, de surcroît, où et comment vivait son camarade depuis son exil.

Il avait été très surpris, mais aussi profondément touché de cette marque de confiance, lorsqu'il avait reçu, deux mois plus tôt, une longue lettre de Pierre-Edouard. Une lettre qui n'était pas une accumulation de plaintes — elle en disait quand même long sur l'attitude du père ! — mais qui avait pour seul but de demander des nouvelles. Et pas n'importe quelles nouvelles : uniquement celles des terres, de toute la propriété, des bêtes... De loin, Pierre-Edouard voulait surveiller son bien par observateur interposé ; il comptait sur Léon...

Ce dernier, fort embarrassé pour répondre, car il savait à peine écrire son nom, mais très conscient de l'honneur que lui faisait son camarade, avait dicté une longue lettre à sa jeune sœur, la petite Mathilde qui, à onze ans, écrivait déjà si bien et qui, aux dires des bonnes sœurs d'Allassac à qui il avait confié son éducation, pourrait peut-être un jour devenir institutrice.

Pierre-Edouard n'avait pas redonné signe de vie, mais Léon savait que d'autres lettres viendraient au cours des mois prochains ; nul doute, par exemple, que Pierre-Edouard s'inquiéterait au moment des foins et des moissons.

Ce fut donc animé d'une double rancune, une pour le pré, l'autre par solidarité avec son camarade, qu'il décida de faire mordre la poussière au père Vialhe. Il comprit tout de suite que Gigoux fils ne faisait pas le poids en face de Jean-Edouard ; celui-ci avait retrouvé tout son prestige et toute sa morgue. Il était beau parleur, bon gestionnaire, excellent agriculteur. Seul un Jean Duroux pouvait l'abattre. Encore fallait-il convaincre le châtelain...

Ce fut beaucoup plus facile que Léon ne le redoutait. Dans le fond, Jean Duroux n'attendait qu'une chose : qu'on le sollicitât, qu'on lui assurât que la commune avait besoin de lui. Léon plaida pour ses concitoyens et fut aussi convaincant qu'il pouvait l'être sur un champ de foire.

Négligeant délibérément la candidature du fils Gigoux, il s'employa à dénoncer tous les dangers que représentait l'élection de Jean-Edouard, honnête homme sans doute, quoique ses trafics de denrées avec l'intendant de la compagnie... Et puis, n'était-il pas inquiétant que ce maire en puissance, appelé à représenter et à servir tous les citoyens de la commune, fût buté et têtu, borné même, au point d'avoir méchamment jeté dehors, non seulement sa malheureuse fille, mais encore son fils aîné ? S'il devait agir avec une telle inflexibilité une fois élu, cela promettait de belles injustices...

— Oui, approuva Jean Duroux, et puis je n'ai pas oublié la façon peu élégante avec laquelle il m'a pris, sous le nez, les terres du plateau. Tu te souviens ? Celles du notaire, nous devions nous les partager avec Gigoux. Il n'a pas été très correct cette fois-là !

— A qui le dites-vous ! Il m'a fait le même coup avec le pré du moulin. Oh ! je ne lui en veux pas, mais enfin, c'est pour dire !

— C'est vrai, ça me revient maintenant. Oui, décidément, je crois qu'il va falloir que je me porte candidat. Mais qui va me soutenir ?

— Toute la commune, pour sûr ! Mais j'ai pensé que ces

220

gens-là iraient bien avec vous, dit Léon en sortant une liste de sa poche.

Jean Duroux l'étudia, hocha la tête.

— Oui, très bien, mais tu n'y figures pas. Pourquoi ?

— Aucune envie, vraiment. D'ailleurs je n'y connais rien.

— Pas d'histoire, je t'y mets d'office, tiens, en troisième position. Avec toi, je suis certain que la foire de Saint-Libéral deviendra vite la plus grosse du département !

De jour en jour, la campagne électorale s'intensifia ; réunions publiques, débats contradictoires, visites à domicile se succédèrent à un rythme dément.

Aux attaques de front ou par la bande répondaient les perfides allusions, les sombres prévisions, la calomnie. On déballa tout, on se jeta à la figure la mauvaise gestion de l'équipe sortante et les prétendus pots-de-vin qu'elle avait touchés. Mais on parla aussi de celui que la ligne avait si bien et si rapidement enrichi... Enfin, on attaqua également la noce fastueuse de la fille du châtelain ; scandaleuse débauche d'argent à une époque où la classe ouvrière et paysanne avait tant de mal à vivre ! Plus de trois cent mille francs de dot pour cette péronnelle alors qu'un travailleur gagnait à peine ses huit francs par jour ! Et cette noce qui avait coûté des cents et des mille !

Parfois, surtout en fin de soirée, après les généreuses libations offertes par les candidats, on en venait aux menaces, puis aux empoignades ; on en arriva même aux coups...

A deux jours du scrutin, nul ne pouvait dire avec certitude qui serait le vainqueur. Léon dévoila alors sa carte maîtresse.

Il s'était jusque-là astucieusement cantonné dans une propagande efficace mais discrète ; et on le laissait dire car il parlait sans violence, sans méchanceté, sans insultes. Il démolissait gentiment les arguments de ses adversaires, mais sans jamais s'emporter, avec douceur, exactement comme il prouvait à un paysan que sa vache était maigre ou trop suiffée. De plus, il savait que toute discussion demande à être parfois ponctuée d'une bonne plaisanterie qui détend l'atmosphère et attire la sympathie. Aussi l'écoutait-on volontiers et même ses contradicteurs les plus acharnés perdaient pied devant son calme, son sang-froid, son humour.

Aussi le prit-on très au sérieux lorsqu'il annonça, en tout petit comité, qu'il tenait de source sûre que ses confrères marchands de bestiaux ne mettraient plus les pieds au bourg s'ils n'avaient pas l'assurance d'y trouver un train supplémentaire les jours de foire.

— Mais, lança un auditeur, c'est bien ce que veut le père Vialhe ! Bon Dieu, il le dit assez, et depuis longtemps !

— Oui, concéda Léon, mais Duroux aussi le dit...

Il se tut, sourit, regarda amicalement les quelques hommes présents :

— Entre nous, les gars, vous savez ce qu'il faut faire pour obtenir un train de plus deux fois par mois ? Hein ? Il faut intervenir auprès de la direction de la Compagnie... Et elle, qui est-ce qu'elle écoutera ? Gigoux ? il est bien trop timide ; je ne le vois pas discutant avec ces messieurs... Vialhe ? Vous le connaissez, il va jouer les fiers-à-bras et les autres le jetteront dehors ! Il ne reste que notre châtelain. Il est conseiller général et il connaît tout le monde, vous avez vu ses invités pour la noce ? Il sait comment parler à ces gens-là, il a l'habitude... Croyez-moi, il n'y a que lui qui pourra faire venir ce train pour les bestiaux. Et ça, tous mes confrères me l'ont dit, pas plus tard qu'avant-hier en foire de Tulle. Ils comptent bien que notre châtelain sera maire, parce que s'il ne l'est pas, ils n'auront pas leur train, et vous, vous pourrez dire adieu à la foire de Saint-Libéral...

Assuré d'avoir semé le doute et la crainte, Léon paya les consommations et quitta le bistrot. Il pénétra peu après à l'auberge, avisa un petit groupe de buveurs et leur renouvela ses confidences.

Très conscient que la moindre maladresse de sa part pouvait réduire sa position à néant, l'abbé Verlhac se cantonna dans une prudente neutralité. Il fit savoir, à qui voulait l'entendre, que les partis pris électoraux n'entraient pas dans son rôle de pasteur ; il était le curé de tous et entendait bien le rester. Inutile, donc, de compter sur sa caution.

Malgré cela, il espérait secrètement la défaite de Gigoux fils. Ce dernier n'était pas méchant bougre, loin de là ; mais il était mal conseillé par le secrétaire de mairie — l'instituteur en l'occurrence, manifestement anticlérical et sectaire, avec qui l'abbé ne pourrait jamais s'entendre.

Vis-à-vis des enfants, l'instituteur était pourtant très correct et, pour autant que le sache l'abbé, jamais il n'avait tenté de les détourner du catéchisme. Malgré cette louable impartialité, sa doctrine laïque et matérialiste était trop éloignée de la foi chrétienne et romaine pour que les deux hommes pussent sympathiser. Ils n'étaient pas ennemis ; ils s'évitaient.

En ce qui concernait Jean-Edouard, l'abbé ressentait une espèce de gêne indéfinissable ; il n'arrivait pas à cerner le caractère du personnage, hésitait autant à le classer dans la catégorie des bons et solides paroissiens que dans celle des opportunistes.

A cela, s'ajoutait la confuse impression d'avoir été manœuvré par les Vialhe. Il y avait quelque chose de trouble dans cette famille, et plus il repensait aux messes payées par Marguerite, plus son malaise s'accroissait. Qu'est-ce que c'était que ces gens qui faisaient dire des offices pour leur gendre défunt — et y assistaient scrupuleusement — tout en laissant leur porte fermée à leur propre fille et en jetant leur fils aîné dehors si rapidement que lui, curé du bourg, n'avait même pas eu le temps de faire sa connaissance ! Vraiment, il y avait là trop de mystères ou de drames sordides pour qu'on pût accorder toute confiance à Jean-Edouard Vialhe...

Restait le châtelain, et l'abbé ne se cachait pas que c'était bien lui qui avait sa préférence. Jean Duroux remplissait toutes les conditions pour être un bon maire. Il était honnête, bien-pensant mais libéral, et jouissait dans tout le pays d'une excellente réputation. Il figurait même parmi les hommes qu'on estimait à l'évêché et dont on aimait soutenir, très discrètement, l'action.

L'abbé ne demandait pas mieux que de l'aider un peu, et pas seulement par la prière ; mais sa position lui interdisait de proclamer à haute voix qu'il fallait voter pour lui. Inutile même, par quelques fines allusions, de tenter quoi que ce soit auprès de ses paroissiennes. Le scrutin ne les concernait pas et elles n'avaient qu'une hâte : que tout soit fini pour que le calme revienne enfin !

Malgré tout, et parce qu'il avait horreur de l'inaction, il décida de mettre la main à la pâte et il savait pouvoir le faire sans se salir les doigts...

L'abbé Verlhac patienta jusqu'à la veille du scrutin. Ce jour-là, vers onze heures et demie, il guetta la venue du châtelain, certain que ce dernier ne manquerait pas d'être présent au village à l'heure de l'apéritif.

Dès qu'il l'aperçut, serrant les mains, saluant chaque

électeur, se découvrant même devant les femmes qui travaillaient au lavoir, il sortit du presbytère et marcha vers lui. Il savait qu'il serait aussitôt le point de mire de tous ceux qui étaient sur la place et dans la grand-rue.

— Monsieur le châtelain, dit-il en s'approchant, je m'excuse de venir vous déranger en plein travail, mais, n'ayez crainte, ce n'est pas le candidat que je viens voir, tout le monde sait que je ne m'occupe pas de politique, ma démarche est purement personnelle...

Trop heureux d'être vu en conversation avec le curé, Jean Duroux s'empressa de lui emboîter le pas et pénétra dans le presbytère. La porte se referma sur leur dos.

— Voilà, commença l'abbé après avoir fait asseoir son visiteur, vous n'êtes pas sans savoir que Monseigneur l'évêque va nous honorer de sa présence d'ici trois semaines. Il vient pour la confirmation de quatorze de nos enfants.

— Je sais, dit Jean Duroux qui ne voyait pas où son interlocuteur voulait en venir.

— Monsieur le châtelain, j'ai un très grave problème à vous soumettre. Vous le savez, la coutume veut que lorsque Monseigneur vient dans la région, il soit reçu avec tous les honneurs qui lui sont dus.

— Je sais, je sais, coupa Jean Duroux en regardant la pendule.

— Depuis plusieurs années, connaissant l'âge, la mauvaise santé et même, oui, l'indigence dans laquelle vivait mon regretté prédécesseur, mes confrères des paroisses voisines s'étaient entendus pour le décharger de cette trop lourde charge, et invitaient donc Monseigneur pour le repas de midi. Mais cette année, ce redoutable privilège me revient...

— Et alors ?

— Alors ? dit l'abbé en désignant la pièce d'un geste du bras, croyez-vous que je puisse dignement le recevoir ici ? Je n'ai rien, monsieur le châtelain, juste deux chaises bancales, trois assiettes, quatre verres, dont deux ébréchés, un plat fendu, deux méchantes casseroles, quelques fourchettes et couteaux tordus... Oh ! je ne me plains pas, c'est très suffisant pour moi. Mais pour Monseigneur l'évêque...

— Mais où diable voulez-vous en venir ? interrogea Jean Duroux. Vous désirez que je vous fasse porter un peu de vaisselle et quelques bonnes bouteilles ? Entendu, vous pouvez y compter, dit-il en se levant.

— Mais non, monsieur le châtelain, c'est beaucoup plus simple. Voyons, nul n'ignore ici vos sentiments envers nous, je veux dire envers l'Eglise, et c'est bien pour cela que je m'adresse à vous. Je sais que vous connaissez personnellement Monseigneur l'évêque. Je sais aussi qu'il vous estime beaucoup, il me l'a dit lorsqu'il m'a nommé ici... Aussi j'ai pensé, vous excuserez mon audace, je me suis demandé dans quelle mesure il ne vous serait pas possible d'inviter ce jour-là Monseigneur à votre table... Il comprendrait sûrement et serait enchanté.

— Bon sang ! s'exclama Jean Duroux en comprenant lui aussi, ça c'est une trouvaille ! Mais bien sûr qu'il sera mon invité ! Je lui écris dès cet après-midi ! Il ne peut pas refuser, n'est-ce pas ?

— Je ne crois pas, dit l'abbé en sortant une bouteille de vin paillé.

Il emplit deux verres, dont l'un était effectivement ébréché, tendit l'autre au châtelain.

— Je ne pense pas qu'il refuse, reprit-il, et je crois même savoir, mais je vous dis ça en confidence, qu'il espère bien être reçu par le maire de Saint-Libéral...

— J'y compte bien, assura Jean Duroux.

Il vida son verre, se dirigea vers la porte :

— Naturellement, dit-il en s'arrêtant, vous ne voyez aucun inconvénient à ce que j'annonce cette bonne nouvelle à quelques amis ?

— On ne cache rien aux vrais amis...

— Tout à fait entre nous, murmura le châtelain en revenant sur ses pas, vous ne craignez pas que Monseigneur désapprouve cette... cette manœuvre ?

— Je ne vois quant à moi aucune manœuvre ! Seuls des jaloux pourraient y voir une opération politique, mais tout le monde sait bien que je ne fais pas de politique...

— Vous êtes très fort, l'abbé, je connais quelques évêques qui ne vous arrivent pas à la cheville en ce qui concerne la diplomatie !

— Elle est bien modeste, et croyez que si j'avais pu recevoir Monseigneur ici... Mais c'est vraiment impossible, n'est-ce pas ? Tout le monde le comprendra, même les mécréants !

On sut très vite que l'abbé Verlhac, bien ennuyé — et tous les témoins étaient d'accord sur ce point — avait transmis un message de l'évêque ; c'était, disait-on, une réponse affirmative à une invitation au château formulée depuis plus de deux mois...

Tout cela était cousu de fils blancs, mais prouvait néanmoins que Jean Duroux était vraiment une personnalité. Les rouges eurent beau crier que le temps des seigneurs était révolu, que les vrais républicains n'aimaient pas les nobliaux, et encore moins les mitrés, les curés et les culs bénis, rien n'y fit, beaucoup d'hésitants optèrent pour Jean Duroux. Il venait, une fois de plus, d'administrer la preuve qu'il avait le bras long et qu'il était efficace. Qui donc, dans la commune, pouvait se vanter de faire venir un évêque à sa table ?

La journée des élections fut calme. Les passions étaient tombées. Déjà, beaucoup estimaient que les jeux étaient faits. Çà et là, dans les bistrots ou à l'auberge, on prenait même des paris sur le nombre de voix qu'obtiendrait tel ou tel.

Les heures se traînèrent jusqu'au dépouillement. Il demanda beaucoup de temps, presque tous les bulletins comportant des ratures, des panachages, des noms qui ne figuraient sur aucune liste. Il y eut aussi quelques bulletins nuls. L'un d'eux souleva même quelques rires anxieux et crispés : « Je vote pour mon âne, il est plus malin que vous tous ! »

Vers neuf heures, on proclama enfin les résultats. Plus des deux tiers des candidats de la liste du châtelain furent élus dès le premier tour ; Jean Duroux recueillit près de 80 % des voix. Quant à Léon, il fit lui aussi un très beau score.

Les applaudissements crépitèrent, les hommes se congratulèrent, firent taire les perdants puis réclamèrent la suite des résultats. Ils applaudirent également de bon cœur lorsqu'ils apprirent que Jean-Edouard, Jeantout et Gaston franchissaient eux aussi la barre de la majorité absolue. Quant aux autres, y compris Gigoux, rien ne les empêchait de maintenir leur candidature ; il restait deux sièges à pourvoir.

On envahit l'auberge pour arroser l'événement aux frais des nouveaux élus. Jean Duroux, juché sur une table, improvisa son premier discours de maire. Il fut parfait, modéré, assura qu'il était ravi d'accueillir dans son équipe des hommes de la valeur de Jean-Edouard, de Gaston et de Jeantout ; grâce à eux, qui avaient déjà une bonne connaissance de la gestion municipale, il allait être possible de se mettre au travail aussitôt.

Coincé au fond de la salle, Jean-Edouard bouillait de colère. Il avait perdu trente-quatre voix par rapport aux élections précédentes ; son total ne lui permettait même pas d'espérer une place de premier adjoint. Et ce qui le rendait surtout fou de rage, c'était d'apercevoir là-bas, au premier rang, ce petit salaud de Léon à qui ces fumiers d'électeurs avaient accordé vingt-neuf voix de plus qu'à lui !

Une seule satisfaction au milieu de cette débâcle : cet imbécile de Gigoux fils avait endossé une belle veste, et si, par hasard, il était élu au second tour, ce ne serait toujours pas grâce à sa voix !

Malgré son dépit et son désir de dire à tous ces abrutis qui l'entouraient ce qu'il pensait d'eux, il trinqua, feignit la joie et la bonne humeur, accepta même les félicitations de quelques vieux amis. Il paya aussi la tournée générale et quitta la salle parmi les derniers.

Seul, enfin libre d'afficher sa peine, il remonta lentement la grand-rue. « Voilà, rumina-t-il, voilà ce que ça rapporte à une famille, une fille perdue et un garçon sans respect... »

Marguerite l'attendait au coin de l'âtre ; elle se leva lorsqu'il entra, vit sa mine, le crut battu.

— Alors ? demanda-t-elle timidement.

— C'est Duroux et toute sa putain de clique !

— Et toi ?

Il haussa les épaules.

— Elu, mais avec trente-quatre voix de moins que l'autre fois ! Tu te rends compte que cette ordure de Léon a fait plus que moi !

— Tu es élu ? Alors ne te plains pas ! Tu sais, tu reviens de si loin, que j'avais peur qu'ils te battent. Ils sont tellement jaloux de nous, ils nous en veulent tellement !

Il la regarda, hocha la tête, sourit enfin.

— Tu as raison, peut-être qu'ils nous en veulent, peut-être qu'ils nous jalousent. Eh ben, ils ne sont pas au bout de leurs peines ! Je vais leur faire voir, moi, que je ne suis pas encore fini ! Parole, ils ne sont pas à la veille de faire plier un Vialhe !

Pierre-Edouard s'appuya sur sa houe, se retourna et sourit. Une fois de plus le Polack était battu ; lui qui passait pour le meilleur bineur avait trouvé son maître, il venait encore de prendre plus de douze pas dans la vue au démariage des betteraves !

Le jeune homme se roula une cigarette, contempla l'immense champ où, pliés vers le sol, dix-huit hommes travaillaient. Certains étaient à plus de trente mètres derrière lui.

Ils allaient, cassés en deux, moulus ; certains, même, trahis par leurs reins, travaillaient à genoux, pour être plus près du sol et pour atténuer les douleurs qui leur sciaient le dos. Ceux-là, les genoux entourés de chiffons et de paille tressée, ressemblaient à des gnomes mutilés et grotesques. Précédés de leur outil, ils claudiquaient entre les rangs, en sautillant sur leurs moignons pailleux où la terre, grasse et lourde, se plaquait en gros bourrelets humides.

Et tous, d'un geste mille fois répété, effectuaient tout à la fois un solide sarclage et un éclaircissage des jeunes plants de betterave, dont la densité était bien trop forte pour permettre un bon développement des racines.

Cette opération, rendue obligatoire par le semis direct, avait beaucoup surpris Pierre-Edouard lorsque, quinze jours plus tôt, le maître les avait expédiés dans cette immense terre. Et c'était presque avec regret et, au fond de lui, le sentiment de participer à un gaspillage, qu'il avait dû trancher dans les jeunes plants, n'en laissant qu'un tous les vingt-cinq ou trente centimètres, coupant les autres, comme s'il s'était agi de mauvaises herbes…

Là-bas, à Saint-Libéral, on n'agissait pas ainsi. On semait d'abord un seul sillon, en prenant grand soin de ne point gâcher les précieuses graines, ces petites boules grumeleuses d'où jaillissaient, peu après, quatre ou cinq fils vert et rouge. Quand les plants avaient atteint quinze centimètres et que, déjà, se gonflait la racine, on les arrachait délicatement, amoureusement, et on allait les repiquer sous l'oreille de la charrue, dans ce ruban de terre fraîche qui s'ouvrait au pas lent des vaches.

Mais là-bas, chez lui, sur le plateau, on s'estimait heureux lorsqu'on avait repiqué trente ares en betteraves…

Ici, bien sûr, dans ce pays où tout avait des proportions monstrueuses, il était impossible de cultiver ainsi. La pièce où les hommes s'échinaient depuis quinze jours faisait quarante-huit hectares, quatre cent quatre-vingts cartonnées. C'était fou !

Il fallait pourtant s'y faire, habituer son regard à ces

étendues infinies, à cette plaine, à ces labours où les sillons s'étiraient parfois sur un demi-kilomètre. Au début, Pierre-Edouard avait cru qu'il ne pourrait jamais s'accoutumer à cette démesure. Tout était trop grand, trop vaste ; même les bâtiments de ferme l'écrasaient de toute leur masse.

Dès le premier soir, il avait été de stupéfaction en stupéfaction. D'abord cette table gigantesque, autour de laquelle, à sept heures moins cinq, se groupèrent les vingt-deux hommes travaillant sur la ferme. Ils attendirent debout que le maître et la maîtresse prennent place, chacun à un des bouts de la table. Alors seulement, ils s'assirent.

D'un geste, Jules lui fit signe de se caser entre un gringalet qui puait le crottin et un vieux d'au moins cinquante-cinq ans, tout sec et racorni et dont la main tremblait en récupérant l'immonde chique coincée contre sa joue, qu'elle déformait comme un abcès.

En bout de table, le maître découpa de larges tranches de pain dans une miche grise et fit circuler les portions. Puis arriva une souillon — maigre fille au regard éteint, au corsage creux et au fessier osseux — qui déposa devant la patronne le chaudron plein de potée, mélange de lard, de choux, de patates et de pain. Alors, tout comme le maître avait réparti le pain, la maîtresse distribua la soupe.

Pierre-Edouard nota que nul ne touchait à son assiette ; il se garda bien de plonger sa cuillère dans la sienne. Médusé, tant par le cérémonial que par le silence, il attendit sans broncher que tous aient eu leur ration.

Le maître, servi en dernier, choqua alors son assiette de la lame de son couteau ; ce fut le signal, les hommes purent enfin manger. Peu de discussions pendant cet étonnant repas, juste quelques murmures çà et là, quelques grognements, quelques rots et le gargouillement de la soupe avalée avec une gloutonnerie d'affamés.

— Eh ! le Polack ! lança soudain le patron, demain, t'auras ce jeune merle pour creuser les fossés avec ton équipe. Il paraît qu'il sait travailler... Combien que vous avez fait aujourd'hui ?

. — Soixante-douze pas, annonça l'homme avec un fort accent.

— Crédieu ! Vous avez rien foutu ! C'est douze de moins qu'hier. Vous croyez que la soupe est gratuite ici ?

— Y' a tout plein de cailloux...

— Dis, tu vas m'apprendre à connaître mes terres ? Continue comme ça et tu pourras te brosser pour ta gnôle du matin !

Pierre-Edouard apprit par la suite que le Polack ne réclamait que dix sous par jour comme salaire. En contrepartie, il avait droit à une bouteille d'eau-de-vie chaque matin et à deux litres le dimanche. Le maître y trouvait son compte et aurait volontiers payé tout son personnel avec cette monnaie-là. La gnôle ne lui coûtait rien. C'était un épouvantable vitriol qui titrait 72° et que le Polack était le seul à pouvoir avaler sans grimace.

— Plus de gnôle, plus de travail, et moi je fous mon camp ! grommela l'interpellé.

Le patron haussa les épaules et se tourna vers le maître-charretier.

— Et ce fumier, combien de tombereaux ?

— Dix-neuf...

— Pouviez pas arriver à vingt, non ? Enfin, ça va...

Il épongea son assiette avec un bout de pain, engouffra le morceau, s'essuya les moustaches et referma sèchement son couteau. La lame claqua, le repas était fini.

Depuis, Pierre-Edouard s'était habitué à ce rituel. Nul ne mangeait avant le maître, nul ne mangeait après lui.

Ce soir-là, c'est encore tout étonné d'une telle rigueur qu'il suivit les hommes jusqu'au dortoir. Ils entrèrent dans un bâtiment accolé aux écuries ; une seule pièce, sombre, au plafond bas, aux murs noirs de crasse. Çà et là, dans une invraisemblable pagaille, les hommes s'étaient fabriqué leur coin, leur bauge. C'était un incroyable amoncellement de vieilles caisses retournées pour servir de table, rafistolées en forme d'armoire, le tout encerclant de vilains châlits de bois aux paillasses avachies et crevées.

Pierre-Edouard faillit partir en courant, rejoindre la grand-route et marcher plein sud jusqu'à l'épuisement. Mais il se maîtrisa, il était moulu. Aussi décida-t-il de passer la nuit à l'abri et de fuir dès le jour.

— Eh, gars ! T'as un coin vide là-bas, contre la cloison, lui indiqua un homme. T'inquiète pas si ça te cogne cette nuit dans les oreilles, l'étalon est juste de l'autre côté et ça lui plaît bien d'envoyer des ruades dans les planches ! Tu viens d'où ?

— De la Corrèze. Du Limousin, quoi.

— Y' a pas de boulot là-bas ?

230

— Pas beaucoup, expliqua-t-il en tendant sa blague à tabac.

L'homme sembla étonné de cette générosité, hésita, puis se roula une cigarette.

— C'est quoi, ton nom ? Moi, c'est Moïse Coutôt. Je suis d'à côté de Lagery, en Champagne, pas trop loin.

— Moi, c'est Pierre-Edouard Vialhe.

— T'es du métier ?

— Oui.

— Tu verras, le Polack est pas mauvais chien. D'ailleurs, dès midi, l'est noir comme une cheminée. Il décuite juste pour la soupe du soir.

— Et les patrons ?

— Oh, eux !... Bah ! sont comme tous les maîtres. Veulent du boulot, toujours du boulot, mais pour ce qui est de sortir leurs sous... Enfin, c'est des maîtres, quoi. Y se prennent pas pour du crottin, mais y'a plus méchants. Tu verras, c'est pas mal ici.

— Ah bon... Et Jules ?

— Tu le connais déjà ?

— Pardi, j'ai fait deux ans de caserne avec lui ! Et comme il m'avait dit que c'était si bien ici.

— Ah ouais ! Ben, Jules, l'est comme nous, y travaille tout pareil. Faut qu'il abatte son boulot, lui aussi, comme tout le monde. Tu sais, la maîtresse, avec elle faut pas compter manger la soupe si tu l'as pas gagnée. Y'a pas à dire, c'est quelqu'un, cette femme !

— C'est quand même pas elle qui commande ?

— De Dieu, non ! Mais c'est elle qui a les sous, et puis la terre aussi ; faut pas se tromper, le maître il est juste rentré là comme gendre, dans le temps. Enfin, c'est ce qu'on m'a dit.

Pierre-Edouard haussa les épaules ; il s'en foutait complètement de tous ces détails. A l'aube, il reprendrait la route.

Il était resté. Au matin, alors qu'il préparait déjà son baluchon, Moïse était venu vers lui.

— Allez gars, dépêche-toi de venir boire la soupe, les autres y sont déjà.

Comment lui expliquer qu'il allait partir, reprendre la route ? L'autre comprendrait tout de suite qu'il baissait les bras comme un gamin ; peut-être croirait-il aussi qu'il avait peur du travail et qu'il n'était, dans le fond, qu'un de ces

231

feignants de chemineaux qui couraient les routes, toujours en quête d'un quignon, mais jamais de travail.

Et Jules penserait la même chose, Jules qui avait tout fait pour qu'on l'embauche. D'ailleurs, fuir, partir, pour aller où ? A Saint-Libéral ? Sa fierté le lui interdisait.

Non, s'en aller tout de suite était impossible. A la fin du mois, passe encore, mais pas ce matin. De toute façon, il devait la soupe de la veille et la nuit à l'abri, et il ne serait pas dit qu'un Vialhe aurait volé le gîte et le couvert ! Il rejeta son baluchon et suivit son compagnon.

Et puis, peu à peu, il s'était habitué à cette vie. Habitué, aussi, à ne rien trouver d'exceptionnel aux vingt-sept énormes percherons, aux cinquante-deux vaches laitières, aux cent vingt-huit brebis et aux trente truies qu'abritait la ferme.

Après avoir récuré les fossés jusqu'à la fin de l'hiver — et il avait tout de suite montré qu'il savait tenir un outil —, il s'était retrouvé, un matin de printemps, avec les manchons d'une charrue entre les mains.

Il n'avait jamais labouré avec des chevaux, et la Dombalse qu'il allait devoir guider était beaucoup plus grosse et lourde que la petite charrue de sa jeunesse, celle avec laquelle il retournait jadis les terres des Vialhe.

— T'es ben sûr que tu sais labourer, au moins ? lui demanda le maître-charretier lorsqu'ils arrivèrent à l'entrée du champ.

— Oui, assura-t-il.

Il se savait épié, jaugé par les hommes qui l'entouraient, onze laboureurs bien alignés, chacun derrière son instrument, fouet roulé sous le bras, qui attendaient le départ d'Octave, le maître-charretier. C'était à lui que revenait la délicate ouverture du premier sillon, ce sillon guide dont la parfaite rectitude et la bonne profondeur leur ouvrirait la voie.

Octave cracha un long jet de salive goudronneuse, noire de cette chique qu'il ruminait à longueur de jour, se retourna vers la ferme, tapie là-bas, très loin dans la brume matinale. Il scruta le chemin de terre qui filait jusqu'à elle, s'assura que le patron ne venait pas vers eux de ses grands pas silencieux.

— Alors comme ça, tu dis que tu sais labourer ? Eh ben, commence, gars !...

C'était une farce qu'il réservait à tous les jeunes. Leur effarement, leur panique même, puis le gâchis qu'ils faisaient sur les quelques mètres qu'il leur laissait parcourir, lui permettaient tour à tour de crever de rire, puis de pousser un grand coup de gueule à l'adresse du novice ; cela lui donnait l'occasion d'affermir son autorité et de bien comprendre qu'il n'usurpait point sa place de maître-charretier.

Pierre-Edouard devina tout de suite le piège, vit les regards sournois de ses compagnons et leur hilarité mal contenue. Un coup d'œil à sa charrue lui fit hausser les épaules.

— Ma parole, vous me prenez pour un con !

A son insu, un de ses voisins avait subrepticement dévissé au maximum l'écrou d'ancrage. Telle qu'elle était, la charrue n'aurait gratté que la surface en zigzaguant lamentablement.

Il régla l'engin, s'assura que nul autre farceur n'avait mis les mains sur les harnais ou sur les chevaux. Alors seulement, il empoigna les manchons, souleva l'arrière-train de la Dombalse, encouragea ses bêtes de la voix et les guida tout en orientant le soc.

— Allez, lança-t-il, Ahu ! mes beaux !

Il ancra vivement sa charrue et commença son premier sillon. Il sut tout de suite qu'il le conduirait jusqu'au bout du champ, qu'il serait droit comme une règle et parfaitement régulier.

C'était un régal de labourer une pareille terre ; une terre fine, aérée, juste assez humide, et qui glissait en chantant sur le versoir. Lui, il avait fait ses premières armes dans les terres du plateau, une bonne glèbe, mais lourde, compacte, qui s'accrochait au sous-sol, se collait parfois contre l'oreille d'acier qui la fouaillait, se pliait souvent mal, exténuait les bêtes et l'homme.

Mais ici, un délice, une joie ! Même les cailloux n'étaient pas bien méchants ; ils crissaient un peu, puis s'effaçaient.

— Arrête ! entendit-il dans son dos.

— Va te faire foutre ! lança-t-il par-dessus son épaule.

— Crédieu, arrête je te dis ! Le maître arrive, je vais me faire fâcher !

Et déjà Octave était à ses côtés.

— Passe-moi les manchons et va prendre la file. Va, va, tu as le temps, y peut pas encore nous voir ! Tu comprends, s'excusa Octave, c'est ma place ici et, s'il t'y trouve, il va croire qu'on passe notre temps à rigoler !

Pierre-Edouard se retourna, vit les hommes qui, un à un, engageaient leur charrue dans le champ. Il courut jusqu'à l'attelage vacant et le poussa dans le labour.

Tout était en ordre lorsque le maître arriva. A compter de ce jour, on respecta Pierre-Edouard. Non seulement il labourait comme un chef, mais, de surcroît, il était bon camarade. Mieux valait ne pas penser à ce qui serait advenu si le patron l'avait trouvé en train d'ouvrir le premier sillon ! Octave pouvait y perdre sa place ; ce n'était pas pour qu'il joue au guignol et gaspille son temps qu'il recevait le salaire considérable de cent sous par jour. C'était pour qu'il fasse travailler les autres, sans faiblesse ni fantaisie, dix heures par jour.

Pierre-Edouard jeta sa cigarette et sourit au Polack qui l'avait enfin rejoint.

— Petit couillon, ça t'amuse de me laisser derrière ! lança l'homme en essuyant son visage ruisselant de sueur ! J'ai bien envie de casser ta gueule. Quoi va dire le maître quand il saura que je suis plus premier, hein ?

— Il ne verra rien, et puis, du moment que le travail est fait !

— Oui, mais moi, pour quoi je passe avec tous ces feignants ? demanda le Polack avec un coup de pouce en direction des hommes qui s'échinaient derrière lui.

— Tu passes pour un bon Polack ! D'ailleurs, ils s'en foutent, ils ne comprennent même pas ce que tu leur racontes ! Alors, cause toujours !

Depuis quinze jours en effet, le maître avait embauché des journaliers pour le démariage. Ils étaient arrivés par petits groupes, baragouinant on ne savait trop quel jargon. Seul Pierre-Edouard parvenait à comprendre leur langage. Il n'avait aucun mérite : le patois limousin avait beaucoup de racines communes avec le catalan, le piémontais, l'italien et l'espagnol, avec les langues de ces pays du soleil, mais aussi de la misère, d'où provenaient tous ces pauvres bougres qui, de ferme en ferme, au hasard des saisons et des travaux, louaient leurs bras pour une assiette de soupe et quelques piécettes. Bien heureux encore lorsqu'ils en entendaient le son ! Quant à la soupe, on la leur servait sous le hangar ; il n'était pas question d'ouvrir la maison à ces étrangers.

— Dis-leur, toi, de travailler plus fort, insista le Polack.

Il sortit une bouteille plate de sa poche arrière, jaugea la hauteur du liquide restant puis enfourna le goulot dans sa bouche édentée.

— Dis-leur, quoi, merde ! répéta-t-il après avoir bu. T'en veux une lichette ? offrit-il en tendant sa bouteille.

— T'es pas fou ! Garde-le ton poison.

— Alors, tu leur dis, quoi !

— Non, ça ne me gêne pas, moi, s'ils ne foutent rien ! Je ne suis pas payé pour les faire travailler, et toi non plus d'ailleurs. Alors, ça te dérange ?

— Ce soir, le maître va gueuler, beaucoup !

— Eh bien, qu'il gueule ! De toute façon, il gueule toujours, cet âne, c'est son vice ! Tu veux que je te dise, ce gars, je ne le comprends pas. Il est riche que c'en est pas permis, il a des terres à perte de vue, des vaches, des brebis, tout, et il passe son temps à gueuler contre tout et tout le monde ! A l'entendre, ça ne va jamais bien et il est entouré d'une équipe de feignants, et même ce pauvre Jules a droit à des avoinées, et des sévères ! Quel couillon, ce Jules ! Si j'étais à sa place... Et la patronne, c'est tout pareil. Quand elle sert la soupe, on a toujours l'impression qu'elle s'arrache les tripes à chaque louchée ! Miladiou, c'est des vrais bestiaux, ces gens-là ! Et en plus, ils se prennent pour des « monsieurs », jamais aimables, pas un sourire, rien. Des bestiaux, je te dis ! Tu sais, Polack, chez nous, on n'est pas riches comme ici, et pourtant on travaille aussi dur, on n'est pas riches, non, mais quand même, on sait rigoler ! Tiens, par exemple, une fois au village...

— Voilà le maître ! chuchota le Polack.

— Et alors ? On peut encore parler, non ? grommela Pierre-Edouard.

Mais il se tut et poursuivit silencieusement son travail.

# 17

LA nouvelle municipalité tint ses promesses. Il fallut moins d'un mois à Jean Duroux pour obtenir de la compagnie le train supplémentaire que réclamaient les marchands de bestiaux.

Du coup, les foires prirent une importance qu'elles n'avaient jamais eue et les retombées financières des transactions réjouirent tous les électeurs. Ce succès, dû à la judicieuse utilisation de la voie ferrée, fut également l'œuvre de Léon, qui ne plaignit pas sa peine pour drainer le maximum de ses confrères jusqu'au bourg.

Il appâta aussi quelques gros expéditeurs de Brive, Objat et Tulle, spécialisés dans les veaux, en leur garantissant que les agriculteurs de Saint-Libéral élevaient les meilleurs veaux blancs de toute la Corrèze.

Dans le même temps — et ce lui fut facile, puisqu'il faisait toujours toutes les foires de la région —, il n'hésita pas à proclamer que les possesseurs de beaux animaux avaient tout intérêt à venir les vendre à Saint-Libéral, les cours qu'on y pratiquait étant, selon lui, les plus hauts du département.

Bientôt, nul n'ignora plus, à quarante kilomètres à la ronde, que la foire de Saint-Libéral était la meilleure, et de loin ! Aussi, deux fois par mois, ce furent des centaines de veaux qui s'alignèrent sur le foirail. De ces veaux limousins amoureusement élevés dans le coin le plus sombre de l'étable, exclusivement nourris au lait — auquel les bons éleveurs mélangeaient secrètement des œufs crus —, bichonnés, cajolés, culards jusqu'à la difformité, dont le fin pelage blond-roux, dit « poil de lièvre », était le garant de leur viande tendre, fondante, d'un rose très pâle tirant sur le blanc.

La réputation de Saint-Libéral fut solidement assise en moins de deux ans. Elle atteignit son apogée lorsque les machines vinrent s'ajouter au bétail. Il y eut alors trois foires supplémentaires par an, dont une primée, au cours de laquelle furent distribués non seulement des prix en espèces, mais aussi ces magnifiques plaques bleues, rouges ou vertes qui faisaient l'orgueil et la fierté des lauréats et conféraient aux étables qu'elles venaient décorer une haute dignité.

A cette foire primée, qui se tint dorénavant le jour de la Saint-Eutrope, patron de la paroisse, la municipalité décida d'adjoindre un comice agricole qui draina vers Saint-Libéral une foule considérable de curieux, d'exposants, de marchands ambulants. Même des romanichels, vanniers, saltimbanques, montreurs d'ours et de singes, installèrent leurs roulottes à l'entrée du village. Ils auraient sans doute bivouaqué là tout l'hiver, si le garde champêtre, fort d'un arrêté municipal sans équivoque, ne les avait contraints à reprendre la route dès la fête finie.

Cette fête au cours de laquelle le député lui-même daigna paraître. Il est vrai qu'on était à huit mois des législatives — prévues pour la fin avril 1914 — et qu'il lui parut avantageux de cautionner et de flatter une municipalité si dynamique, une équipe si bien soudée, vivant modèle de la démocratie et de la fraternelle union républicaine.

Toutes ces réalisations attisèrent la haine que Jean-Edouard nourrissait à l'égard de Léon — ce moins que rien, cet illettré, que Jean Duroux avait osé choisir comme adjoint ! Léon qui, en peu de temps, avait réussi à réaliser sur le plan municipal tout ce que Jean-Eoudard avait prévu si les électeurs l'avaient placé, sinon premier de la liste — le châtelain était vraiment trop fort —, du moins deuxième, troisième à la rigueur. C'est lui, alors, qui aurait bénéficié de la reconnaissance de tous.

Au lieu de cela, c'était Léon qui, après avoir pillé ses plans et ses projets, en récoltait tous les fruits et qui, fort de sa popularité, visait maintenant la direction du syndicat. Ce syndicat que Jean-Edouard avait ressuscité et qui, grâce à lui, et à lui seul, augmentait chaque année son chiffre d'affaires.

Cela, nul ne pouvait le contester. Cette réussite, c'était la sienne, et si elle n'éclipsait pas celles du châtelain, du moins se hissait-elle à leur niveau et prouvait bien que son artisan n'était pas un vieux bougre borné et buté, comme se plaisaient à le dire quelques jaloux.

À toutes ces humiliations, s'ajoutaient, pour Jean-Edouard, des soucis familiaux. D'abord, la santé de sa mère. La pauvre femme qui allait sur ses soixante-dix-neuf ans était devenue pire qu'une enfant. Non seulement elle déparlait à longueur de jour, souillait son lit et ne savait même plus se nourrir seule, mais, par périodes, s'entichait d'une idée fixe qu'elle ressassait avec une obstination qui épuisait toute la famille. Elle voulait voir Louise et ne sortait pas de là pendant des jours et des nuits. Il lui arrivait, parfois à deux heures du matin, de l'appeler à tue-tête et de s'en prendre à Berthe lorsqu'elle voulait la calmer. Impossible de jamais la laisser seule à la maison, la malheureuse aurait été capable de mettre le feu.

Aussi occupait-elle tout le temps et toutes les journées de Berthe qui, heureusement, la soignait sans rechigner — et sans un mot ; à croire, d'ailleurs, qu'elle était devenue muette, celle-là !

Autre souci pour Jean-Edouard : Marguerite était en plein retour d'âge, son caractère s'en ressentait et son humeur sautait comme un vent d'avril. Parfois joyeuse et pleine d'allant, elle sombrait brusquement dans le plus noir désespoir, lui reprochant alors l'absence de Louise, l'accusant d'être méchant et sauvage au point de l'empêcher de connaître enfin leur petit-fils.

De là, elle prenait la défense de Pierre-Edouard, lui donnait raison, approuvait son départ ; c'était odieux. Odieux et fatigant. D'autant qu'il fallait subir tout cela sous le regard bovin d'Abel, le commis qu'il employait depuis plus de deux ans.

Pas méchant, ce vieil homme — il avait presque soixante ans — et relativement travailleur lorsqu'il était surveillé, mais sans idées ni initiatives, bête au point de rester une heure devant un manche cassé sans savoir s'il fallait ou non le changer. Et Abel poussait le crétinisme jusqu'à raconter à tout le monde les folies de la grand-mère, les scènes de Marguerite et les colères du patron...

Et comment aurait-il pu rester calme alors que tout se liguait pour le rendre furieux ? Et d'abord ces cartes postales, toujours adressées à Berthe, que ce morveux de Pierre-Edouard lui expédiait deux fois par an ; une pour la nouvelle année, l'autre pour sa fête !

Jean-Edouard voyait dans ces messages une provocation scandaleuse. Les mots — presque toujours les mêmes : « J'espère que tu vas bien, Louise et Félix vont bien, moi, ça va très bien » — sonnaient pour lui comme un défi, une insulte qu'il devait subir passivement puisque l'expéditeur ne mettait jamais son adresse. Les cartes étaient postées de Meaux — qu'est-ce qu'il foutait à Meaux, cet imbécile, alors qu'il y avait tant de travail à la ferme ! — et même leurs images et leurs textes étaient choisis pour le narguer.

Jean-Edouard voyait rouge lorsqu'il déchiffrait sur le papier glacé, s'étalant au centre d'un cœur ou d'un bouquet de fleurs — qui avaient sûrement sauté aux yeux du postier et du facteur, ces deux bavards —, les lettres en arabesques dorées proclamant : « Je suis loin, mais je pense à vous... »

— Ah, le petit salaud ! balbutiait-il, qu'il revienne un jour et je lui ferai voir que, moi aussi, je pense à lui ! Il va prendre une de ces étrillées !

Mais il était d'autant plus furieux qu'il savait bien, au fond de lui, que son fils ne se laisserait plus jamais faire. Et puis, reviendrait-il ?

Il en doutait parfois et sombrait alors dans le découragement. Il voyait venir la vieillesse et cette terrible fatigue dont elle s'habille ; cette fatigue qui, déjà, et de plus en plus souvent, le rendait moins efficace, moins vaillant. Et ce n'était pas cet abruti d'Abel qui pourrait mener la ferme si, par malheur, il venait à tomber malade...

Depuis qu'il était passé charretier en titre, Pierre-Edouard ne regrettait pas d'être resté à la ferme du Moureau. Il avait fini par s'habituer au caractère taciturne de ses employeurs, à leur dureté, à leur avidité et à leur total manque d'humour. Il avait même bien ri, en songeant qu'ils n'en dormiraient pas de longtemps, lorsqu'ils avaient dû augmenter le salaire de tous leurs ouvriers.

Il avait pourtant bien fallu qu'ils y passent lorsque, en juin 1912, juste après les foins et à huit jours des moissons, plus des deux tiers des hommes, lui compris, avaient fait leur valise et menacé de laisser le père et la mère Ponthier se débrouiller tout seuls avec leurs quatre-vingts hectares de céréales.

En cette période, les journaliers ne couraient pas les fermes, soit qu'ils aient déjà été embauchés pour la saison, soit qu'ils aient suivi l'exemple de beaucoup et fui vers la ville, ses emplois et ses salaires, dont on disait qu'ils pouvaient atteindre les huit à dix francs par jour.

Pris au collet, attaqués dans ce qu'ils avaient de plus précieux — leurs récoltes, donc leur argent —, les maîtres avaient cédé et la mère Ponthier, verte de rage et d'humiliation, avait ouvert sa bourse et aligné les pièces. Depuis, comme charretier, Pierre-Edouard gagnait deux francs soixante-dix par jour en été et deux francs vingt en hiver. C'était quand même autre chose que les vingt sous de ses débuts.

Naturellement, la maîtresse avait aussitôt tenté de rogner sur la nourriture ; la potée était devenue plus maigre, les tranches de pain moins lourdes. Mais, sans doute avertie par la fille de ferme que dix-huit hommes allaient partir, et sans prévenir cette fois, elle s'était empressée d'épaissir son brouet, de le rendre plus consistant et, sinon fameux, du moins nourrissant.

Pierre-Edouard se demandait toujours si la souillon avait parlé par goût du mouchardage ou dans la terreur de voir partir ses clients. Elle grimpait au fenil pour quinze sous, avait les faveurs des trois quarts des ouvriers et se faisait facilement ses vingt-cinq francs par mois, un beau pécule.

Pierre-Edouard, lui, s'était toujours refusé à toucher ce sac d'os. Les belles filles ne manquaient pas ailleurs, et gratuitement ! Le tout était d'aller les chercher où elles se trouvaient...

Grâce à Moïse qui travaillait dans la région depuis dix ans, Pierre-Edouard avait prospecté la contrée à plus de trente kilomètres à la ronde et meublait ses samedis soir et ses dimanches avec les petits bals d'Yverny, de Puisieux, de Nantouillet ou de Villeroy.

Une fois même, Moïse et lui s'étaient aventurés jusqu'à Sevran. Mais il y avait là-bas trop de citadins, trop d'ouvriers, trop de porteurs de rouflaquettes pour que les danseuses daignent se tourner vers les deux malheureux paysans qu'ils étaient.

Un autre jour, ils avaient poussé jusqu'à Coulommiers où, très vite, les jeunes coqs du secteur avaient pris ombrage de leur succès auprès des filles, de leur façon de conduire la polka ou la scottish, et surtout des réflexions de Moïse qui, inexplicablement, cultivait une implacable haine contre les Briards. Avec une mauvaise foi sans limites, il les tenait responsables de toutes les misères de sa chienne de vie et Pierre-Edouard l'avait même entendu traiter une jument percheronne un peu vicieuse de : « Foutue pute de garce de Briarde ! »

— Tous des sournois, assurait-il, pas un pour relever l'autre, et fiers comme des ministres avec ça ! De Dieu, c'est pas comme les gars de chez nous ! D'ailleurs, chez nous, on a le pinard, alors qu'eux, c'est tout juste bon à faire du fromage !

Pierre-Edouard se gardait bien de demander à Moïse le Champenois ce qui l'avait poussé à s'expatrier dans le fief ennemi. Mais ce soir-là, assailli par une douzaine de Columériens, il avait bien dû prendre parti et cogner sévèrement pour se dégager.

— Je te l'ai bien dit que c'étaient tous des voyous et des fils de coches ! T'as vu ces saligauds ! A vingt contre un ! Des voyous, des sournois ! Et leurs filles, c'est jamais rien que des betteraves creuses, d'ailleurs elles puent tout pareil ! avait beuglé Moïse dès qu'ils avaient pu semer leurs poursuivants.

Il avait le nez comme une tomate et reniflait autant qu'un cheval morveux. Quant à Pierre-Edouard, il abondait, pour une fois, dans le sens de son compagnon ; son œil gauche qui prenait des proportions désastreuses ne l'incitait pas à l'impartialité. Ils avaient grimpé sur la bicyclette et repris la route de la ferme.

Moïse possédait en effet un vieux vélo, un engin robuste sur lequel il avait bricolé un porte-bagages où se hissait Pierre-Edouard lorsqu'ils partaient en expédition. Au retour, c'était toujours lui qui conduisait, car Moïse tenait mal le vin, encore moins la gnôle, et ne résistait pas au mélange. Il s'installait donc à grand-peine à l'arrière, ses sabots traînant par terre, et se cramponnait d'instinct à la ceinture du conducteur. Malgré cela, il chutait souvent lourdement, se recroquevillait aussitôt et poursuivait son sommeil. Sans les coups de pied dans les côtes que lui expédiait Pierre-Edouard, et sans son aide, nul doute qu'il aurait fini ses nuits dans le fossé.

Pendant sa première année à la ferme, Pierre-Edouard était également sorti avec Jules. Mais depuis que celui-ci fréquentait une fille d'Yverny — une grande lascarde, roulée comme une poulinière, dont le père exploitait 158 hectares —, il ne fallait plus compter sur lui.

D'ailleurs, Pierre-Edouard n'avait jamais retrouvé chez son camarade le Jules qu'il avait connu à Besançon, ce joyeux luron qui n'était jamais le dernier à chahuter, à payer un verre, à passer sous la lanterne rouge de chez Fifine en braillant toujours la même phrase, complètement usée, mais qu'il trouvait pleine de sel : « Nous les artilleurs, on en a marre des cu-lasses, on veut des culs pas las ! »

Oui, ce Jules-là était resté dans quelque bistrot de Besançon ; il n'avait rien de commun avec le fils Ponthier. Non qu'il fût devenu méchant ou rapporteur, loin de là. Il travaillait comme les ouvriers et n'avait jamais parlé à son père des deux ou trois spécialistes du tir au flanc. Simplement, une fois revenu sous la coupe paternelle — et maternelle —, il s'était éteint.

De plus, il n'avait jamais compris que Pierre-Edouard soit venu travailler à la ferme, qu'il ait accepté de se tuer à la tâche pour un salaire de misère.

— Mais, vingt dieux, pourquoi tu restes ? s'exclamait-il souvent. Moi, si j'étais à ta place, avec le certificat d'études, et ben !...

— Eh ben, quoi ?

— Je serais... Tiens, à Paris ! Tu pourrais rentrer dans l'administration ! Ou alors, j'aurais rempilé, tu pourrais être au moins adjudant, et peut-être même juteux-chef !

— T'es pas malade, non ? Et puis, qu'est-ce que j'y ferais dans ton administration ou dans l'armée ?

— Ben rien, justement ! Et en plus tu gagnerais des sous au moins, et à rien foutre encore !

— Des sous, des sous, tu me fatigues avec tes sous ! Moi, ce que je veux, c'est ma terre.

— Ta terre ? Peut-être bien qu'elle a foutu le camp depuis que t'es parti, peut-être que ton père a tout vendu...

— T'inquiète pas pour ça, je veille...

En effet, grâce à Léon, il avait trois fois par an une longue lettre bourrée de détails, de renseignements, d'anecdotes. Il savait tout sur la vie de Saint-Libéral et de la ferme, sur l'état de ses terres, leurs cultures, leurs rendements. Léon lui donnait même des nouvelles du cheptel : « Ton père a vendu votre Rousselle, elle était vieille, au moins dix-huit ans ; je crois qu'il en a quand même tiré deux cent quinze francs, c'est beau, moi je l'aurais pas prise à ce prix c'est Fleyssac d'Objat qui la lui a embarquée. » Ou encore : « Les prunes sont belles, ton père en fera au moins deux tonnes, d'après ce que j'ai pu voir depuis le chemin... » Enfin : « Berthe va bien, mais elle n'est pas bien joyeuse, faudrait qu'elle aille un peu au bal, mais ça... »

Pierre-Edouard avait été agréablement surpris à la lecture de la première lettre. Après avoir expédié la sienne, un scrupule lui était venu — un remords même — à la pensée que Léon, qui savait à peine écrire, souffrirait comme un damné pour composer sa réponse, si toutefois il le faisait. Au lieu du laborieux pensum attendu, il avait reçu une lettre bien tournée, sans fautes d'orthographe, en bon français, au graphisme un peu enfantin, certes, mais bien délié, parfaitement lisible, avec de belles majuscules et une ponctuation bien venue. Il en avait déduit que Léon s'était mis à l'écriture sur le tard, comme il s'était mis au calcul, pour son métier.

Ainsi, et malgré la distance qui le séparait du bourg, était-il tout proche de Saint-Libéral, de ses terres, de ses bêtes. Si besoin était, il pouvait partir sur l'heure, rentrer chez lui et se mettre aussitôt au travail. Il savait exactement en quoi étaient emblavées les terres et connaissait parfaitement le nombre de vaches, de brebis et de porcs. Mais il attendait, certain qu'il était encore trop tôt pour revenir et vivre d'égal à égal avec son père.

Grâce à cette correspondance régulière, Pierre-Edouard prenait son mal en patience. D'ailleurs, pour terrible que fût parfois son travail, sa fatigue et son découragement, force lui était de reconnaître qu'il découvrait et s'initiait à une tout autre agriculture que celle de sa jeunesse.

Les patrons étaient des gens durs et avides, mais le maître savait cultiver sa terre, la soigner, l'engraisser. Ses assolements étaient judicieux, ses fumures généreuses ; quant à ses épandages d'engrais, ils n'avaient rien de commun avec ceux qui avaient fait la renommée de Jean-Edouard Vialhe.

A Saint-Libéral, son père employait presque exclusivement des phosphates, et en petite quantité, car ils étaient chers.

Parfois aussi, mais avec beaucoup de parcimonie et de prudence, du guano du Pérou.

Ici, le père Ponthier faisait épandre non seulement des phosphates, mais aussi de la potasse et du sulfate d'ammoniaque, sans plaindre les doses. Comme, de surcroît, il employait chaque année des semences de blés sélectionnés, principalement du « bon fermier » et du « hâtif inversable », qu'il faisait directement venir de chez Vilmorin (à Saint-Libéral tout le monde semait en puisant dans la récolte précédente), ses semis étaient merveilleusement réguliers, peu sujets aux maladies comme la rouille ou le charbon, et fournissaient les plus beaux et les plus hauts rendements que Pierre-Edouard ait jamais vus. Et lui qui avait été si fier lorsque son père avait récolté douze quintaux à l'hectare — chiffre énorme pour la Corrèze —, était resté presque sans voix en constatant que le maître, lui, en récoltait vingt-trois. De quoi faire pleurer de honte tous les agriculteurs de Saint-Libéral !

Quant à ses vaches, de plantureuses normandes, elles étaient de loin beaucoup plus grosses et charpentées que les quelques laitières de Saint-Libéral et produisaient aisément huit à dix litres de lait de plus par jour. Il est vrai qu'elles avaient leur crèche pleine de betteraves, de luzerne, de farine d'orge à la mélasse.

Même pour les porcs, la comparaison n'était pas en faveur de ceux élevés par son père. Certes, les porcs limousins, largement tachés de noir, étaient peu exigeants quant à la nourriture ; ils acceptaient de bon cœur les pommes de terre et les raves cuites, le blé noir, les châtaignes et même les glands et donnaient une viande bien meilleure que celle des craonnais engraissés au lait écrémé et à la farine d'orge par la patronne. Mais quelle différence de conformation, de croissance et de poids ! Ici, en quinze mois à peine, les lards frisaient les deux cents kilos, alors qu'à Saint-Libéral, ils n'atteignaient pas les cent cinquante kilos à âge égal. Et que demandaient les bouchers, sinon des bêtes de poids ! Aussi Piere-Edouard rêvait-il d'un croisement craonnais-limousin alliant la saveur de l'un au rendement de l'autre, et il ne désespérait pas de pouvoir tenter un jour cette expérience.

De même, les trois grosses charrues réversibles, dites « brabant double », que le patron avait achetées pour les labours de 1912, étaient de merveilleuses mécaniques, d'un maniement si aisé qu'un gamin de douze ans, un peu costaud, aurait pu les conduire. Il n'avait pas encore eu cet honneur ; seuls Octave et les deux plus anciens charretiers bénéficiaient de ce privilège. Quant aux autres laboureurs, ils devaient se contenter des vieilles Dombasle et en cramponner solidement les manchons, pendant que ce veinard d'Octave et ses deux compagnons marchaient presque les mains dans les poches à côté de leur engin tout neuf.

Et ce n'étaient pas les seuls outils devant lesquels il s'extasiait. Outre les faucheuses mécaniques, qu'il connaissait, il avait découvert le gros râteau faneur qui, en un rien de temps, retournait les andains de foin, les éparpillait délicatement, les offrait au soleil et faisait le travail de dix hommes.

Quant à la moissonneuse-lieuse — il en avait vu fonctionner une dans la ferme voisine —, le patron prévoyait son acquisition pour les moissons de 14. Il s'en était vanté, parlant même du prix — huit cent quatre-vingt-cinq francs —, assurant surtout que, grâce à cette machine, on ne lui ferait plus jamais le coup du chantage au départ à la veille des moissons...

— Ce jour-là, mes salauds, faudra pas vous priver de passer la porte, et même je vous aiderai ! Parce que les augmentations, ben, vous pourrez toujours les attendre !

Méchante phrase qui n'empêchait pas Pierre-Edouard de rêver au jour où, lui aussi, mais chez lui, moissonnerait avec un aussi bel outil.

En attendant, il ne perdait pas une miette de tout ce qu'il observait. Il développait ses connaissances, les engrangeait, les peaufinait. Un jour, elles lui serviraient.

Léonie Vialhe s'éteignit paisiblement à l'âge de soixante-dix-neuf ans, le mardi 28 avril 1914. Etant donné l'état végétatif dans lequel elle s'était engourdie depuis des années, les soins constants qu'elle réclamait, sa mort fut accueillie comme une libération par Marguerite et par Berthe. En revanche, et pour soulagé qu'il fût, lui aussi, Jean-Edouard fut marqué par la disparition de l'ultime lien qui le rattachait encore à sa jeunesse. Dorénavant, qu'il le veuille ou non, il était le plus âgé de la famille, il devenait l'ancêtre, celui qui, en bonne logique, serait le prochain à partir...

Vivante, sa mère avait été pour lui comme un gage de sécurité, une assurance, irrationnelle bien sûr, mais quand même solide ; un rempart contre sa propre vieillesse. Ses cinquante-quatre ans lui semblaient légers tant qu'il pouvait les comparer aux soixante-dix-neuf ans de sa mère. Elle partie, il les trouva soudain plus lourds. Et le fait de savoir que vingt-cinq ans le séparaient de sa mère n'était pas un réconfort. C'était si vite passé, un quart de siècle, si vite rempli ! Vingt-cinq ans, c'était son mariage avec Marguerite, c'était hier... Et puisque les années vécues avaient coulé si rapidement, ne devait-il pas s'attendre à voir s'accélérer le cours des années à venir ?

Il lui fallut plus de quinze jours pour surmonter son abattement. Il se raisonna. Certes, il n'était plus tout jeune, mais il était encore solide, malgré les douleurs qui lui fouaillaient les reins et le dos pendant les gros travaux, malgré sa perpétuelle fatigue, malgré sa moustache et ses cheveux presque blancs.

Le printemps, qui explosait de toutes parts, le fouetta.

L'hiver était vraiment fini, l'herbe croissait à vue d'œil. Aussi, Jean-Edouard décida-t-il de sortir enfin ses vaches. Elles étaient confinées à l'étable depuis novembre et, bien que nourries à satiété, aspiraient maintenant au soleil, à la verdure. Déjà, depuis plusieurs jours, elles meuglaient en tendant le mufle vers la porte, boudaient le foin ; et il avait besoin de toute sa vigilance et de l'aide de Marguerite et d'Abel pour qu'elles ne filent point au pré lorsqu'il les détachait matin et soir pour les faire boire.

Aussi, au 16 mai, décida-t-il de leur rendre la liberté, de les conduire au pacage le mieux exposé, le plus précoce, celui des Combes-Nègres. Il lâcha ses dix bêtes, les poussa dans la cour et ouvrit le portail.

Ce fut la ruée, l'allégresse ! Les vaches, meuglant de plaisir, s'élancèrent dans une charge effrénée, une course joyeuse, pleine de sauts, de virevoltes, de ruades. Elles sortirent du bourg, s'arrêtèrent enfin, se reniflèrent longuement, attentivement, refirent connaissance, testèrent leur force par quelques brefs croisements de cornes, que le chien, les mordant au talon, faisait aussitôt cesser.

Mais en arrivant aux Combes-Nègres, un sévère règlement de compte opposa la Jolie — une grosse limousine de dix ans — à une génisse pleine de fougue, une bête superbe, grasse, lourde, fermement plantée et qui, avant un mois, réclamerait le taureau.

246

Jean-Edouard vit la bataille, expédia son chien et courut à son tour pour séparer les adversaires.

Rien n'y fit, ni les coups de croc du vieux Miro, ni la volée de trique ni les jurons. Les combattantes, solidement engagées dans un front à front plein de beuglements, s'arc-boutèrent, mettant toute leur énergie dans la lutte, se repoussant, regagnant le terrain perdu.

Soudain, la génisse, moins rompue à la bataille, perdit pied, prêta le flanc aux cornes blondes de sa rivale, dérapa. La Jolie lui plaça alors une violente estocade sous le ventre qui la projeta jusqu'au bord du ravin. Le talus s'effondra sous son poids, elle tomba trois mètres plus bas. D'en haut, Jean-Edouard entendit nettement le craquement lorsqu'elle se fractura le tibia droit...

Il dégringola aussitôt dans les éboulis, s'approcha de la bête, jura en voyant l'énorme boursouflure qui tendait le cuir de la cuisse.

— Miladiou de miladiou, c'est réussi! Ah, c'est réussi!

Il regrimpa sur le chemin, poussa les autres vaches dans le pacage et partit en courant vers le village.

— Et tu dis qu'il ne reviendra pas avant ce soir? maugréa Jean-Edouard.

— Ben, oui, père Vialhe. Mais si vous voulez, je peux vous aider moi!

— Petit couillon, grommela-t-il à l'adresse du jeune commis de la boucherie, tu te couperais en deux avec un couteau sans lame et tu voudrais abattre une bête! Mais où il est, ton patron?

— A Brive, il est de noce aujourd'hui, et c'est moi qui tiens la boutique.

— Eh ben, avec toi il est outillé! lança Jean-Edouard en sortant.

Il faillit aller jusqu'à la poste pour prévenir le boucher d'Ayen. Grâce au téléphone — récente installation et orgueil de Jean Duroux —, il pouvait appeler la poste d'Ayen et confier à l'opératrice le soin d'alerter le boucher. Mais serait-il disposé à venir et, si oui, quand?

Or la bête accidentée devait être abattue sur l'heure. Chaque instant qui passait réduisait les chances de pouvoir en tirer quelque argent, car, si par malheur la douleur et le choc la rendaient fiévreuse, seul l'équarrisseur y trouverait son content... Il fallait l'abattre tout de suite.

Dans sa vie, Jean-Edouard avait déjà sacrifié un grand nombre de cochons. Il n'aimait pas cela, mais le faisait de main de maître. Exécuter une vache, c'était autre chose, ça ne s'improvisait pas, il fallait la technique. Qui, au bourg, mis à part ce crétin de boucher absent, était capable de mener à bien une telle opération, assommer, saigner, puis dépouiller et enfin partager la carcasse, et tout cela au fond d'un ravin ? Personne, sauf Léon, cela faisait presque partie de son métier et depuis qu'il remuait des bêtes, il y avait de fortes chances pour qu'il se soit déjà trouvé dans l'obligation d'en achever. Mais être contraint de faire appel à lui !

Pourtant, Jean-Edouard, la rage au cœur, partit en courant, enfila la ruelle qui conduisait chez Léon. Il atteignit la maison, frappa et observa la bâtisse. Elle était toute neuve, grande et bien construite. Rien à voir avec la masure qui avait abrité la jeunesse du marchand de bestiaux. Vraiment ces gars-là faisaient vite fortune ! « Et avec nos sous... », pensa-t-il en cognant contre l'huis de chêne massif.

— Fatiguez pas, je suis là, annonça Léon en sortant de l'étable. Qu'est-ce qui vous amène ?

— Un accident. J'ai une génisse qui vient de se casser une cuisse.

— Et alors ? Moi, je les achète en bon état...

— Je le sais, miladiou ! Mais il faut l'abattre et le boucher est parti pour toute la journée !

— Ça, c'est ennuyeux, mais je vois pas ce que je peux y faire.

— Ah, bon Dieu ! fais pas l'âne, hein ! Faut que tu m'aides. Toi, tu sais abattre. Allez, prends tes outils et viens vite. On ne va pas laisser souffrir cette bête ! J'ai dit à Abel de prévenir les voisins, on sera plusieurs, on t'aidera...

— C'est pas mon travail, et je vois pas bien pourquoi je vous rendrais service, sauf peut-être pour vous remercier de m'avoir pris le pré du moulin...

— Bon sang ! Tu ne vas pas reparler de cette vieille histoire, non ?

— Et pourquoi pas ?

Jean-Edouard faillit s'emporter, mais comprit juste à temps qu'une parole de trop signifierait la perte totale de sa génisse.

— Bon, d'accord, j'ai été un peu fort avec toi, c'est dit. Oublions ça.

— Vingt-dioux! Vous vous pardonnez vite, vous! ricana Léon en roulant lentement une cigarette. Eh! lança-t-il en direction de l'étable où travaillait un de ses commis, prépare le cheval, un câble, la grosse poulie et aussi le jeu de couteaux, demande-le à ma mère... Il va nous suivre, expliqua-t-il. Alors, où elle est, cette bête?

Elle n'avait pas bougé. Autour d'elle, Abel, Jeantout, Gaston, mais aussi, assise contre sa tête et l'apaisant à force de caresses et de paroles, Marguerite, qui pleurait sans bruit

— Alors, comment on fait? demanda Jean-Edouard.

— Pas si vite, pas si vite, recommanda Léon en palpant la bête d'une main experte... Pas belle, cette cuisse, ça va faire perdre plusieurs kilos... Et puis elle est pas grasse. Pas maigre, non, mais il faut bien tout... Voyez vous-même, elle va pas faire un gros rendement... Et puis elle manque de filets... Combien vous en voulez?

— Bon Dieu, est-ce que je sais, moi! Je pensais que...

— Oui, oui, coupa Léon, que j'allais l'abattre, que vous me donneriez la pièce et peut-être un bon morceau d'aloyau et que vous vendriez tout le reste au boucher! Mais ça marche pas. Voilà ce qu'on va faire: j'achète, j'abats et je me débrouille. Autrement, bonsoir messieurs! Alors, ce prix?

— C'est pas la coutume! essaya Jean-Edouard qui se sentit encouragé par les murmures affirmatifs de ses voisins.

— La coutume, je m'en fous! Moi, c'est pas mon métier d'abattre, et si vous êtes pas content, père Vialhe, je m'en vais! assura Léon en souriant.

Il le tenait enfin au bout de sa ligne et il n'était pas prêt à le lâcher! Depuis le temps qu'il attendait ce jour...

— Bon, soupira enfin Jean-Edouard, quatre cent cinquante francs, voilà ce que j'en veux!

— Ah bon, fallait le dire tout de suite qu'on venait là pour rigoler! s'exclama Léon en gravissant le talus. Allez, portez-vous bien, tous!

— Dis ton chiffre! hurla Jean-Edouard.

Léon s'arrêta à mi-pente, haussa les épaules, prit un air franchement dégoûté.

— Qu'est-ce que vous voulez que je vous dise... Vrai, elle est pas grasse et puis, si ça se trouve, elle est déjà fiévreuse.

Il revint vers la bête, souleva sa paupière ·

— Té, regardez cet œil, ça sent la fièvre, je vous dis ! Mais dame, plus on attendra... Allez, et c'est bien pour vous rendre service, je vous en donne... Voyons, qu'est-ce qu'elle pèse, pas lourd, hein ? Allez, disons dix-huit pistoles ! lâcha-t-il en employant instinctivement une antique mesure monétaire propre aux marchands de bestiaux. Soixante écus, si vous préférez...

— Bon Dieu ! s'étouffa Jean-Edouard dont les mains se mirent à trembler, cent quatre-vingts francs pour cette bête ! Tu veux que je t'assomme ! Voyou, ça t'a pas suffi de faire campagne contre moi pour la mairie ! Il faut encore que tu me voles !

— Allons, allons, père Vialhe, à votre âge, c'est pas bon les colères ! Je vous avais dit que je me souviendrais du pré du moulin... Voyez, aujourd'hui, on a changé de côté. C'est moi qui décide. Allez, topez-là pour cent quatre-vingts francs ! Moi j'ai pas que ça à faire. C'est dit, dix-huit pistoles ?

— Fumier ! Elle vaut quatre cent cinquante francs ! s'entêta Jean-Edouard.

— Peut-être qu'elle les valait tout à l'heure, avant de tomber, mais maintenant... Je me demande même si dix-huit pistoles... C'est presque un cadeau que je vous fais... Mais sûr que si on attend un peu elle tombera à quinze... ou à douze...

Jean-Edouard regarda ses voisins qui, gênés, s'étaient éloignés. Ils ne voulaient pas prendre parti. Bien sûr, Léon abusait sans vergogne de la situation, mais tous se souvenaient du pré du moulin... A cette époque aussi, Jean-Edouard avait mal agi. Alors...

— Donne les sous, dit-il enfin.

Il compta ses cent quatre-vingts francs, les empocha.

— Achève-là, ordonna-t-il en entraînant Marguerite et en l'aidant à grimper le remblai.

Ils n'avaient pas encore atteint le chemin lorsque le bruit sourd du merlin brisant le crâne les fit sursauter.

# 18

PIERRE-EDOUARD décacheta en tremblant le petit bleu que venait de lui remettre le facteur. Celui-ci était venu à sa rencontre, alors qu'il rentrait du champ de blé où il avait ouvert, à la faux, le passage pour la lieuse flambant neuve du père Ponthier.

— Tenez, fit-il en lui donnant une pièce, je peux pas vous offrir à boire, ma fillette est vide...

— T'excuse pas, gars, assura le facteur en s'épongeant le front, je sais ce que c'est. C'est pas bon ?

— Quoi ?

— Le télégramme...

— Non.

— C'est bien rare que ça soit bon...

Pierre-Edouard le salua et piqua à travers champs en direction de la ferme. Peu avant de l'atteindre, il relut le message :

« Félix au plus mal, viens. Louise. »

Il regarda la date : 15 juillet. L'appel était parti le matin même, et peut-être que depuis... Il alla droit au dortoir, serra ses quelques affaires dans un vieux sac et marcha vers la maison des maîtres.

— Qu'est-ce que tu veux ? Et où vas-tu avec ton sac ? l'interpella le patron depuis le hangar où il travaillait.

— Je pars, annonça-t-il en avançant vers lui.

— Comment, tu pars ? En pleine moisson ! Parole, t'as pas dessoûlé depuis hier ! Ou alors, c'est'y que tu voudrais me refaire le coup d'y a deux ans ? Alors là, crédieu, tu peux courir !

251

Pierre-Edouard haussa les épaules.

— Faut que je parte, ma sœur m'appelle...

— Ah, ouais ? Alors comme ça, elle claque des doigts et tu y vas ? Et les moissons, tu y penses ?

— Ta gueule ! gronda Pierre-Edouard en avançant d'un pas, tes moissons tu peux te torcher avec ! Je m'en vais, payez-moi mes quinze jours !

— Ecoute, petit salaud, puisque tu le prends comme ça, on va te payer, ouais, mais t'avise pas de revenir. Jamais ! Si tu essaies, parole, t'auras les chiens au cul !

— Portez pas peine, ça risque pas ! J'en ai mon aise de travailler pour vous et de me crever dans vos putains de champs ! C'est pas tout de suite que vous m'y reverrez ! Allez, donnez-moi mes sous et je m'en vais.

— Va voir la maîtresse, et va au diable !

— Ça revient au même ! lança Pierre-Edouard en s'éloignant.

La patronne lui compta minutieusement son argent et poussa les pièces vers lui.

— Vrai, grinça-t-elle, quand je pense qu'on t'a pris pour faire plaisir à Jules ! Et tu pars au moment des moissons, c'est pas des agissements bien honnêtes, ça !

— Parlez pas d'honnêteté, il va vous tomber un œil !

Il plaça sa paie dans son porte-monnaie et s'en alla. En sortant de la cour, il aperçut, au loin, ses camarades qui confectionnaient une énorme meule d'orge ; il les salua du bras et prit la route.


— Si c'est pour de l'embauche, c'est point au château qu'y faut venir quémander, c'est à la ferme, mon fieu, là-bas, derrière les arbres, prévint le jardinier en le dévisageant.

— Non, c'est pas pour ça, je viens voir ma sœur, Louise, Louise Flaviens, elle travaille ici, au château, expliqua Pierre-Edouard.

Il avait voyagé toute la nuit, changé trois fois de train et loué, pour finir sa route, les services d'un brave homme possesseur d'un tilbury.

— Ah ben, ouais, gars, je me disais quasiment... C'est ben vrai qu'elle te ressemble. Dis, tu sais au moins que son chti est quasi rendu ?

— Vous savez quelque chose ? C'est pour ça que je viens, demanda Pierre-Edouard.

— Le médecin est passé ce matin, y vient tous les jours, mais, dame, y m'a rien raconté.

— Mais vous le sauriez si... Enfin si...

— Si le chti' gars était passé ? Sûr, ma femme me l'aurait bien dit quand même !

Pierre-Edouard respira mieux.

— Où loge ma sœur ?

— Là-haut, dans les combles, indiqua l'homme en tendant le bras vers les toits. Tu passes par la porte des domestiques, tout de suite à droite quand tu seras dans la cour, sous la première tour. Tu grimpes et tu trouves les chambres des communs.

Pierre-Edouard remercia et marcha vers le château de la Cannepetière, une énorme bâtisse dont tout un côté était cerné de douves, tandis que les autres étaient assis au cœur d'un jardin à la française, aux merveilleux massifs de rosiers et aux allées de marronniers où crânaient quelques paons.

Il perçut la toux avant même d'avoir atteint le dernier étage ; une toux rauque, épouvantable, qui semblait engloutir toute la respiration et s'achevait en un couinement poussif, douloureux comme l'ultime râle d'un coq égorgé au paroxysme de son chant.

Il grimpa en courant les dernières marches, se précipita vers la pièce d'où sortait maintenant un souffle haletant, brûlant, plein de borborygmes caverneux. Il entra sans frapper.

— Si, si, je t'assure, ça va beaucoup mieux, lui expliqua Louise peu après, mais hier matin j'ai cru que... Alors je t'ai appelé. C'est bête, je me suis affolée.

— Tu as bien fait, dit-il en caressant le front moite de l'enfant.

Il lui sourit, lui parla doucement, gauchement, tout ému de retrouver en Félix, non le bébé qu'il avait connu, mais un petit homme, au nez en trompette, aux yeux vifs, aux cheveux blonds tout bouclés. Et qui parlait, qui voulait savoir, qui le dévorait du regard, fou de joie de le connaître enfin.

— Mais qu'est-ce qu'il a ?... Dis, qu'est-ce que tu as ? demanda-t-il à l'enfant.

— La coqueluche, articula faiblement le petit malade. C'est là, ça me brûle, expliqua-t-il en se touchant la poitrine et la gorge.

— Oui, mais ça va mieux, le docteur me l'a dit tout à l'heure. Bientôt tu seras guéri, assura Louise, et comme ça, tu auras vu ton parrain.

L'enfant sourit, mais fut aussitôt repris pas une longue quinte, terrible, éreintante, qui le laissa pantelant, à bout de souffle.

— Bon Dieu, quelle saloperie ! dit Pierre-Edouard. Qu'est-ce que tu lui donnes ?

— Le docteur a laissé des médicaments, du sirop ; et moi, je lui fais de la tisane, tu te souviens, celle que nous donnait mémé pour chasser les rhumes, de l'althæa des coquelicots, de la mauve et du miel.

Il renchérit :

— Et on avait aussi des cataplasmes à la moutarde !

— Je lui en fais.

— Et ça pique..., murmura l'enfant.

— Oui, mais ça guérit aussi, assura Pierre-Edouard. Plus ça pique, plus ça guérit ! Et toi, comment ça va ? demanda-t-il à sa sœur.

Elle avait changé en trois ans, repris des kilos et une bonne mine. Certes, elle semblait lasse, fatiguée par ses nuits de veille et d'inquiétude ; malgré cela, elle était en bien meilleure forme que lors de leur dernière rencontre.

Ils parlèrent longuement. Il lui donna tous les détails que lui transmettait fidèlement Léon, lui nomma les voisins et les cousins venus pour l'enterrement de leur grand-mère, parla de tout avec une précision qui aurait pu faire croire qu'il arrivait tout droit de Saint-Libéral. Enfin, il raconta son départ de la ferme du Moureau.

— C'est ma faute, se lamenta-t-elle, je t'ai fait perdre ta place.

— C'est pas une grosse perte ! Maintenant que j'en suis parti, je me demande comment j'ai pu y rester aussi longtemps. Trois ans et demi, tu te rends compte !

— Et pourquoi tu ne reviens pas chez nous, maintenant ? Peut-être que le père...

— Non, il n'a pas changé, Léon me l'aurait dit. Et puis, à ce compte, pourquoi ne rentres-tu pas, toi ?

— Oh, moi !... Moi, c'est différent. Tu vois, maintenant, ça ne me manque plus. Ici, je suis bien habituée, les maîtres sont gentils. Et puis, je suis bien logée, bien nourrie, bien payée. Pense, on me donne maintenant trente francs par mois, c'est bien tu sais ! Surtout qu'en plus je peux garder le petit avec moi. Et puis… Elle hésita, rougit sous le regard interrogatif de son frère. Oui, reprit-elle, j'allais te l'écrire lorsque Félix est tombé malade, je vais me remarier…

— Oh merde, alors !… souffla-t-il.

Il n'avait jamais imaginé que sa sœur pût tirer un tel trait sur Octave, qu'elle pût avoir envie de refaire sa vie. Une onde de colère le traversa. Bon sang ! Ce n'était pas la peine d'avoir fait un tel gâchis, bouleversé toute la famille, de s'être brouillée avec les parents, pour sauter dans les bras d'un autre homme quatre ans après la disparition du premier ! Ça donnait presque raison au père lorsqu'elle assurait qu'elle n'était qu'une coureuse !

— Tu m'en veux ? demanda-t-elle tristement.

Il se reprit et se reprocha sa première réaction. Dans le fond, sa bouffée de colère était aussi stupide et injuste que, jadis, la réaction des parents. Aujourd'hui, comme cinq ans plus tôt, Louise agissait en opposition à ce qu'on voulait pour elle, à ce qu'on prévoyait, sans même lui demander son avis, sans tenir compte du fait qu'elle était libre d'avoir d'autres projets. Ainsi, lui, il l'avait définitivement rangée parmi les veuves qui, leur vie durant, portent le deuil et la tristesse, qui acceptent passivement et discrètement leur sort. Jamais il n'avait pensé qu'elle pût, un jour, tomber amoureuse d'un autre qu'Octave et être heureuse avec cette espèce d'usurpateur.

— Oui, insista-t-elle, je vois bien que tu m'en veux. Oh ! je comprends, tu m'as tellement aidée pour Octave…

— Non, je ne t'en veux pas, mais tu me prends de court. Jamais je n'aurais cru…

Il se tut. Qu'avait-il cru ? Que sa sœur était d'une trempe à se laisser abattre ? C'était bien mal la connaître !

— Tu sais, lui rappela-t-elle, je n'ai que vingt-trois ans.. Tu crois que c'est drôle d'être toujours seule ? Bien sûr, j'ai Félix. Mais quoi, c'est mal d'avoir envie de vivre avec un homme ? C'est mal de vouloir tenir sa maison, préparer ses repas, l'attendre, l'aimer, dormir à ses côtés, vieillir avec lui ? Tu crois que c'est mal ?

— Mais non ! assura-t-il sincèrement, ce n'est pas mal ! Tu as raison. Simplement, je ne m'y attendais pas, c'est tout. D'ailleurs, ça ne me regarde pas. Tu sais bien ; ce qui compte, c'est que tu sois heureuse. Et lui aussi, dit-il en désignant l'enfant.

Elle sourit.

— Il le sera, ne t'inquiète pas. Jean l'a tout de suite aimé. Et puis, tu sais, la vie est curieuse... Jean a perdu sa femme il y a trois ans, elle est morte en couches et leur petite fille n'a pas survécu. Alors, quand on s'est rencontrés... Tu vois, on va regrouper nos misères, quoi... Je sais bien que, pour lui, ça ne sera pas comme avec sa première femme, et moi, c'est pareil, ça ne sera jamais comme avec Octave. Mais on n'y peut rien, c'est comme ça...

— Je comprends. Et que fait-il?

— Il est garde forestier, ici. Il gagne bien sa vie. Et puis, le baron va nous laisser une petite maison, en pleine forêt. On sera bien, il y a même un jardin.

— Et il est jeune?

— Trente-deux ans, c'est quand même pas bien vieux. Tu sais, je lui ai beaucoup parlé de toi. Je suis certaine que vous vous entendrez très bien.

— Pourquoi pas... Et vous vous mariez quand?

— On avait choisi le 25, avant que le petit soit malade. Alors puisqu'il va mieux, on ne va pas reculer la date.

— Le 25 de quel mois?

— De celui-ci...

— Miladiou, si vite!

— Pourquoi veux-tu qu'on attende encore? Nous nous connaissons depuis deux ans.

— Et tu ne me l'as jamais dit...

— Par lettre, c'est pas facile. Mais je t'assure, j'allais t'écrire, juste avant la maladie du petit. Tu me crois, dis? Je ne me serais pas remariée sans te prévenir!

— Je te crois. Mais tu sais, en venant, je ne pensais pas que tu m'annoncerais ton mariage pour la semaine prochaine.

— Oui, comme ça, si ça tourne mal bientôt, on sera quand même mariés...

— Qu'est-ce qui risque de tourner mal?

— La situation. Jean m'a dit qu'on allait peut-être avoir la guerre. Enfin, tu le sais bien, quoi!...

— Bah! J'y crois pas beaucoup, c'est des histoires politiques tout ça, pas plus.

— Jean y croit, lui, il lit le journal tous les jours. Il paraît que ça va très mal depuis l'assassinat de ce pauvre prince, ou roi, je ne sais plus...

— Allons donc! Moi aussi je lis quelquefois le journal. Bon, d'accord, il y eut cet assassinat, là-bas au diable. Et alors, qu'est-ce que ça change pour nous? Et puis, tiens, dans le train, j'ai lu sur le journal d'un voisin que le Président venait de partir pour la Russie. Tu crois qu'il irait se promener si loin si c'était aussi grave que ton Jean le dit? Allez, va, je sais bien, moi, pourquoi il te dit ça : c'est parce qu'il est pressé de t'amener devant le maire!

Malgré son grand âge, le docteur Fraysse n'avait rien changé à ses habitudes. Aussi, comme chaque soir, poussa-t-il la porte de l'auberge pour disputer sa partie de billard avec Antoine Gigoux. Ils choisirent leurs queues, les apprêtèrent, commencèrent à jouer et reprirent aussitôt la conversation interrompue la veille.

— Alors, plaisanta l'ancien maire, vous êtes toujours prêt à pourfendre les Prussiens?

— Mon bon Gigoux, je vous le redis, ce n'est plus de mon âge; je ne peux, hélas, plus pourfendre grand-chose. Il n'empêche que vos ricanements et votre scepticisme n'arrêteront pas la guerre. Et ça, je vous en fiche mon billet!

— Mais si, on l'arrêtera! C'est Jaurès qui a raison, il faut créer un grand mouvement de pacifisme international. C'est d'ailleurs ce que tous les gens sensés espèrent!

— Je vais vous dire, moi, votre Jaurès est bien gentil, mais sans penser, comme certains, qu'il s'est vendu aux Allemands, je dis quand même que c'est un fieffé couillon!

— Vous n'avez pas le droit de dire ça! Jamais personne n'a fait autant que lui pour la paix.

— La paix éternelle, oui, celle des cimetières! Quand je pense qu'il était contre la loi des trois ans et pour le désarmement! Mais nom de Dieu, Gigoux, ouvrez donc un peu les yeux! Vous ne voyez pas que les Autrichiens et les Allemands ne rêvent que d'en découdre! Allez parler de paix à François-Joseph ou au Kaiser! Vraiment, vous êtes stupide, il y aurait de quoi rigoler, si ce n'était pas si triste!

— Vous n'êtes qu'un belliciste! Heureusement que tout le monde n'est pas comme vous!

Le docteur haussa les épaules, s'appliqua à son jeu et réussit un superbe massé.

— Belliciste, moi ? Je vous rappelle que j'ai passé ma vie à soigner les gens. Dites tout de suite que je les ai achevés, et pour le plaisir !

— Mais non, je ne voulais pas dire ça ! s'excusa Antoine Gigoux.

— Je sais. Il n'empêche que votre cécité m'inquiète.

— Ma quoi ?

— Votre aveuglement, mon pauvre Gigoux. Vous et quelques autres, dont ce cher instituteur, ne rêvez que de paix universelle. Moi aussi. Mais moi, je sais qu'il y a des rêves impossibles... Nous allons avoir la guerre, je le sens, il ne peut pas en être autrement. Et, croyez-moi, ça ne me réjouit pas. Je sais ce que c'est, voyez-vous ; j'ai fait 70. C'est atroce, la guerre... Et c'est ce que je dis à tous ces jeunes du village qui, eux, veulent vraiment se battre. Les malheureux, s'ils savaient ce que c'est !

— Vous voyez bien qu'il faut faire campagne pour le pacifisme !

— Bien sûr, soupira le vieux docteur, mais allez donc expliquer ça à des chiens enragés qui vous grondent aux talons ! Ils ne vous laisseront même pas le temps de parler, et une fois mordu, vous aussi vous aurez la rage ! Alors, adieu les beaux rêves de paix universelle !... Tiens, voilà notre châtelain et son conseil municipal qui viennent arroser quelque nouvelle décision. Faites pas cette tête, mon vieux, après tout, votre fils n'a été battu que de douze voix ; et puis, c'est du passé.

— Vous connaissez la nouvelle ? demanda Jean Duroux en s'approchant d'eux. L'Autriche vient de mobiliser huit corps d'armée. Cette fois, je redoute le pire...

— Et pourquoi le pire ? lança Léon. On va aller leur casser la gueule, oui. Depuis le temps qu'on en parle !

— Surtout toi, grinça Jean-Edouard, ça te va bien de dire ça ; tout le monde sait que tu es réformé !

— Allons, mes amis, allons, intervint Jean Duroux, nous n'en sommes pas encore là ! Moi, je fais toute confiance au gouvernement, je suis certain que tout va être mis en œuvre pour éviter le conflit.

— Que Dieu vous entende, murmura le vieux docteur d'une voix grave qui impressionna tout le monde.

Pierre-Edouard empoigna la grosse javelle de seigle, la lia prestement, déposa la gerbe derrière lui et reprit une nouvelle brassée de paille. A ses côtés, onze hommes s'affairaient au liage; ils marchaient sur les talons des douze faucheurs qui, sur un rythme presque parfait, balançaient leur longue faux à moisson et couchaient les hautes tiges de céréales.

Pierre-Edouard n'en revenait pas de sa chance. D'abord, grâce à Louise bien sûr, il n'avait eu aucun mal à se faire embaucher à la ferme du château, et pour un salaire inespéré — deux francs quatre-vingt-dix par jour, vingt centimes de plus que chez les Ponthier pour un travail identique. Ensuite, le petit Félix allait beaucoup mieux; il reprenait de bonnes couleurs et de la gaieté. Enfin, il avait pu, la veille, assister au mariage de sa sœur.

Une cérémonie discrète, célébrée tour à tour dans la mairie et dans l'église de Mézières-en-Brenne, à douze kilomètres de là. Aujourd'hui, Louise, Jean et Félix avaient emménagé dans leur petite maison forestière, un vrai logis d'amoureux, niché en plein bois, à plus de six kilomètres du château.

Il n'avait pu les aider dans leur installation; le temps menaçait terriblement, l'air puait l'orage, les moissons devaient se faire. On avait beau être dimanche, il fallait être sérieux. D'ailleurs, l'intendant avait annoncé une prime de un franc pour tous ceux qui voudraient travailler, et tous étaient venus.

En trois ans et demi passés à la ferme du Moureau, Pierre-Edouard s'était habitué aux vastes espaces, aux grandes plaines que tachaient, par place, quelques belles forêts. Aussi était-il tout dépaysé, tout étonné par ce pays où il vivait depuis dix jours.

Ici, pas d'immenses étendues de bonnes et grasses terres, mais des champs, grands certes, mais pauvres, sableux, pleins de mouillères, coupés d'un profond lacis de fossés et encerclés par les bois ou par les brandes de bruyères et de fougères. Maigre région où même le seigle — il s'en rendait bien compte en le ramassant — semblait avoir du mal à pousser. Pays d'eau, aussi; il n'en revenait pas du nombre d'étangs et de marécages.

Et, au milieu de tout cela, un foisonnement de gibier, un gibier qu'il fallait respecter malgré les dégâts qu'il occasionnait; et ce gâchis ne semblait pas émouvoir l'intendant.

Pourtant, même dans ce champ de seigle, qui n'était déjà pas bien fameux, Pierre-Edouard estimait à plus de quarante gerbes la part sacrifiée aux cerfs, chevreuils ou sangliers ; ils s'étaient vautrés là comme des goujats et ça ne devait pas faciliter le travail des faucheurs.

— Mais, avait expliqué son nouveau beau-frère, le baron a mille deux cents hectares, dont mille de forêts ; il compte plus sur elles que sur les terres. Et puis, il n'attend pas après ça pour vivre. D'ailleurs, la chasse c'est sa passion. Je vous ferai voir sa meute, vous verrez, c'est quelque chose…

Et en effet, Pierre-Edouard était resté pantois devant les soixante-quinze anglo-saintongeois qu'abritait le chenil. Puis il s'était mis à rire doucement en songeant aux trois ou quatre chiens dont, là-bas, au village, Jean Duroux tirait tant d'orgueil.

Il avait dû se faire violence pour ne pas paraître trop froid lorsque Louise lui avait présenté Jean. Il ne pouvait s'empêcher de penser à Octave, avec son air doux, sa voix calme. Mais il avait été vite convaincu que sa sœur ne s'était pas trompée dans son choix.

— Alors, c'est vous, Pierre-Edouard ! Christi ! Louise ne me parle que de vous. Grâce à elle, je vous connais depuis deux ans ; je suis bien content de vous serrer la main ; il paraît que vous avez fait les quatre cents coups ensemble, là-bas, dans votre Corrèze !

Oui, il avait été séduit par ce grand gaillard bien bâti, bel homme, qui était aux petits soins pour Louise et plein de tendresse pour Félix. Qui assurait même, qu'un jour ou l'autre, il irait, avec sa femme, découvrir cette Corrèze dont elle lui rebattait les oreilles. Et Louise approuvait ce projet. Il plaisantait aussi, et volontiers :

— Vous n'avez pas d'arbres là-bas, en Corrèze, c'est trop pauvre ?

— Pas d'arbres ! On a les plus beaux châtaigniers du monde ! protestaient Pierre-Edouard et sa sœur.

— Allons donc ! Quelques baliveaux tordus, de méchants trembles, quelques genêts ! Non, ce n'est pas là-bas que je gagnerai ma vie. Moi, j'ai besoin d'arbres ; vous avez vu ces chênaies que nous avons ici ?

Effectivement, elles étaient belles, bien tenues, et lui, Jean, qui en avait la garde, n'en était pas peu fier.

— Bien sûr, ajoutait-il soudain sérieux, à côté de celles de la forêt de Tronçais, c'est minable. Mais si j'étais resté là-bas, où j'ai travaillé cinq ans, je n'aurais pas connu votre sœur, alors je me console comme ça.

Il se consolait, de ça et du reste, et Louise aussi; que pouvait-on demander de mieux?

Pierre-Edouard lia prestement une nouvelle gerbe et observa le ciel; l'orage s'éloignait. Il se sentit tout joyeux, heureux d'être là à faire un travail qui lui plaisait, au milieu de compagnons qui paraissaient l'avoir adopté, et pourtant, il ne comprenait pas la moitié de ce qu'ils disaient tant leur accent était épouvantable! Heureux de pouvoir se dire : « Ici, je suis bien, il y a Louise, Félix, Jean, la paie est bonne et le pays me plaît, et si je veux, je peux rester, et c'est ce que je vais faire! Demain, j'écrirai à Léon. »

Il fit virevolter une nouvelle gerbe entre ses bras et se mit à siffloter. La vie était belle.

# CINQUIÈME PARTIE

# LES SILLONS ROUGES

# 19

QUAND il sortit dans la grand-rue, Jean-Edouard fut frappé par le silence ; un silence si lourd, si épais, qu'il en devenait effrayant, qu'il incitait à parler, à dire n'importe quoi, juste pour s'assurer qu'il était possible de briser ce calme anormal, pesant, inhumain, qui écrasait toute la région. Même les bêtes semblaient frappées de stupeur, rien ne bronchait, tout semblait paralysé, figé.

— C'est Dieu pas possible ! murmura-t-il. A croire que tout le bourg est mort, depuis qu'ils sont partis...

Partis dans une joyeuse folie, une sorte d'hystérie collective. Quelle démence pendant quelques jours !

D'abord, au matin du 1er août, cette scène dramatique jouée par l'instituteur planté comme un diable au milieu de la place. L'instituteur qui brandissait son journal, courait de droite à gauche vers les témoins attirés par ses plaintes. L'instituteur, cet homme si calme pourtant, qui pleurait, qui pleurait vraiment, avec d'énormes larmes qui lui faisaient des joues toutes luisantes. Ce pauvre homme qui, entre deux hoquets, des sanglots pathétiques, balbutiait en tendant son journal :

— Ils l'ont assassiné, comme une bête ! Ils ont tué le seul homme qui pouvait nous sauver, tout est perdu ! Ils ont tué Jaurès !

Et puis, le même jour, vers 17 h 30, alors que tout le monde était encore sous le choc de la scène du matin, le postier jaillissant du bureau, agitant une dépêche, hurlant :

— Ordre de mobilisation. Extrême urgence. Premier jour de la mobilisation dimanche 2 août...

Alors, sur fond de tocsin, la folie. Les hommes accourant, croyant au feu, apprenant la nouvelle.

Ces cris, alors! De joie, de haine. Et toutes ces paroles!

— Il faut partir, tout de suite!

— Et les moissons, bandes de cons, vous y pensez?

— Ta gueule!

— Appelez le train, vite, vite! On nous attend!

Et, dès le soir, les premiers départs, les premiers adieux. Puis, le dimanche, l'hémorragie massive de tous les jeunes. Enfin, le lendemain et les jours suivants, le départ des hommes plus âgés qui, obéissant aux instructions établies depuis des années sur les pages coloriées de leur livret militaire, allaient se présenter à leur corps les deuxième, troisième ou septième jours de la mobilisation.

Et depuis, au village, le silence, le vide, la paralysie. Et encore, tous n'avaient pas rejoint leur unité; il restait quelques pères de famille et les vieux de quarante à cinquante et un ans qui allaient être appelés dans les jours suivants. Mais ceux-là ne faisaient pas de bruit, ils se préparaient.

Jean-Edouard remonta la grand-rue, marcha vers la mairie.

— Je t'attendais, lui dit Jean Duroux en lui serrant la main. Alors, combien restons-nous en fin de compte?

— Au conseil? Quatre, non cinq avec Dupeuch; vous, Gaston, Jeantout, moi, et Léon donc. On ne peut pas compter André et Jacques, ils partent après-demain...

— Il va falloir nous organiser. Tu te rends compte!

Plus de facteur, plus de garde champêtre, plus de boucher ni de boulanger, plus personne quoi. Même le docteur Delpy, notre curé et l'instituteur sont partis...

— Oui, et presque tous les cultivateurs de la commune. Qu'est-ce qu'on va faire? Déjà qu'avec le mauvais temps, on s'est mis en retard pour les moissons! Vous avez vu tout ce qui reste à rentrer et à battre?

— J'ai vu... Mais, tu sais, tout le monde est d'accord pour dire que ce ne sera pas long, un mois ou deux peut-être. Pas plus.

— Et tout le monde se trompe! assura le docteur Fraysse en entrant dans la pièce. Croyez-moi, je la vois longue, cette guerre. Un an, peut-être plus... Mais non, je ne suis pas un défaitiste! insista-t-il en remarquant le regard désapprobateur de Jean Duroux. Je vous dis simplement qu'elle va être terrible et longue. Je les connais, les Pruscos! Je les ai assez

266

vus en 70... S'ils ont attaqué, c'est qu'ils sont sûrs d'eux ! Oh, ils ne gagneront pas cette fois ! Poincaré n'est pas Badinguet, heureusement ! Mais ils ne seront pas à genoux dans deux mois comme vous dites. Et c'est ce qui m'amène. Vous pouvez prévenir tous ceux qui restent que je reprends mon travail.

— Mais, s'inquiéta le châtelain, vous ne... Enfin, ce n'est pas à vous que j'apprendrai que c'est pénible et...

— Je sais, j'ai soixante-dix-neuf ans, et alors ? Il faudra simplement que vous me trouviez un cheval et une carriole. Mais je pense que Léon pourra me fournir ça.

— Vous pouvez prendre mon attelage, et gratuitement, coupa Jean-Edouard. Il vaudra bien tous ceux que pourrait vous vendre ce petit salaud qui se pavane comme un monsieur alors que tous ceux de sa classe sont sous les drapeaux !

— Il est soutien de famille, plaida Jean Duroux, et puis, quoi, heureusement qu'il reste quelques hommes comme lui. On va en avoir besoin.

— Des vieux aussi, assura le docteur. Il va vous falloir retravailler avec Antoine Gigoux et tous les anciens du conseil. Et avec les femmes aussi.

— Oui, mais nous allons organiser tout ça. Et puis, je reste persuadé que tout sera vite fini.


Saint-Libéral reprit vie, discrètement, au ralenti. Il manquait vraiment trop de bras pour que renaisse la bouillonnante activité d'avant-guerre, cet incessant va-et-vient de ruche en pleine miellée, cette puissante respiration d'hommes au labeur.

Jean-Edouard administra la preuve de son remarquable sens de l'organisation, et ce fut en partie grâce à lui que la commune émergea de sa paralysie.

Très vite, avec tous les hommes valides, avec toutes les femmes et tous les enfants, il mit sur pied des équipes qui partirent vers les champs pour terminer la moisson, rentrer les gerbes, mettre les récoltes à l'abri.

Spectacle étonnant que ces vieillards perclus qui s'appuyaient parfois sur des gamins, mais reprenaient d'instinct leurs gestes de moissonneurs ! Que ces femmes s'attelant à des tâches d'hommes, liant les bêtes, conduisant les attelages, maniant la faux et la faucille, pétrissant la farine, débitant la viande, allumant la forge, s'instaurant chef de famille avec une autorité et une poigne insoupçonnées !

Jean-Edouard travailla sans trêve ni repos, on le vit partout et on lui sut gré de mettre sa faucheuse à la disposition de tous pour coucher les derniers lopins de céréales. Toujours suivi d'Abel, au sourire de plus en plus niais, et de Berthe — devenue bien belle fille, au dire de tous —, il passa dans les fermes qu'il savait privées d'hommes, n'eut de cesse d'avoir engrangé la dernière gerbe et prouva, une fois de plus, que les drames, aussi exceptionnels soient-ils, loin de l'abattre, le retrouvaient chaque fois plus solide, plus décidé. Comme s'il n'attendait qu'eux pour donner toute sa mesure.

Il était animé d'une ivresse exaltante, il se vengeait de ses revers familiaux, des humiliations, de cette écharpe de maire qu'on lui avait refusée, de tout ce qui l'avait blessé depuis cinq ans.

On l'avait cru amoindri, découragé ; il surgit plus fort que jamais, redevint celui qui s'était battu comme un lion pour le passage de la ligne, pour le syndicat, pour la foire, pour tout ce qui lui tenait à cœur et qu'il jugeait devoir accomplir.

Si Jean-Edouard, aidé, il est vrai, par Jeantout et Gaston, fit merveille dans son rôle, le châtelain, lui aussi, fut à la hauteur de sa fonction. Il se dévoua sans compter, dressa la liste des familles les plus touchées par l'absence des hommes, celles où, le père mort depuis longtemps et le fils désormais absent, ne restaient que les femmes et les enfants. Il veilla à ce qu'on leur vînt en aide en priorité et, parfois même, donna quelque argent de sa poche aux plus déshéritées.

Et puis, pour lui, le maire, l'élu de tous, vint la plus terrible épreuve, celle qui, de toutes, le marqua à vie. Quel choc en décachetant la dépêche annonçant le premier mort de la commune, le premier sacrifié, celui dont le décès allait rendre folles d'angoisse toutes les mères et toutes les épouses, toutes ces femmes qu'il croisait chaque jour ! Ce mort qui allait bouleverser toute l'existence de cette famille chez qui, lui, Jean Duroux, devait se rendre sans plus attendre et qu'il allait, en quelques mots, plonger dans le plus noir désespoir !

Pendant un fugitif instant, il eut la tentation de se décharger de ce fardeau sur un tiers, un de ses adjoints par exemple, ou le vieux docteur. Mais il se reprit aussitôt, regretta simplement que l'abbé Verlhac ne soit pas là pour l'accompagner, et sortit.

C'est d'un pas hésitant, le dos voûté, qu'il se dirigea vers l'auberge. Le premier mort de la commune était André Chanlat, fils de Jacques et Léonie, aubergistes. Il était tombé le vingt-quatrième jour de la guerre. Il avait trente et un ans et deux enfants.

Berthe entassa ses affaires dans le grand sac d'épaisse toile bleue qui lui servait ordinairement à porter le linge au lavoir, et le déposa contre la porte. Puis elle chaussa ses sabots du dimanche et fit bouffer sa robe tout en jetant un coup d'œil en direction de la place, noire de monde.

Presque tous les habitants de la commune étaient là, pour le service funèbre célébré par le vieux curé d'Yssandon, à la mémoire d'André Chanlat. Sa mort avait été accueillie par tous avec consternation. Aussi, malgré l'absence du corps et de cercueil, absence qui conférait à la cérémonie une sorte d'irréalité, le maire et le conseil municipal avaient décidé d'honorer le sacrifice du jeune père de famille.

Berthe regarda la pendule, puis entrebâilla la porte. Elle perçut alors le sifflement du train; il sifflait toujours en arborant la dernière courbe, peu avant le bourg, puis ralentissait et s'engageait, au pas, le long de la grand-rue.

Elle empoigna son baluchon, sortit sans se retourner, courut vers la voie et se dissimula dans le fossé. Le convoi défila lentement devant elle. Elle se redressa soudain, bondit dans un compartiment, et s'y blottit.

D'après ses calculs, rares seraient les curieux qui se détourneraient pour voir passer le train. Si elle avait bien raisonné, ils devaient tous être attentifs au discours que Jean Duroux prononçait en ce moment même, un discours sûrement très beau, très pathétique. Quant aux voyageurs, il était plus qu'improbable qu'un seul grimpât en gare de Saint-Libéral. Qui pouvait avoir besoin d'aller à La Rivière ou à Brive, depuis la guerre! Et quand bien même quelqu'un monterait dans son compartiment, que pourrait-il dire? N'avait-elle pas le droit de prendre le train?

Le convoi traversa la place, glissa vers la gare, s'arrêta dans un couinement métallique.

Elle retint son souffle, s'obligea à compter jusqu'à trois cents. Si elle ne se pressait pas, le train repartirait lorsqu'elle atteindrait ce chiffre; il ne s'arrêtait jamais plus de cinq minutes.

Il s'ébranla plus tôt que prévu, presque sans bruit, sans joyeux sifflements, comme si le chauffeur avait hâte de s'éloigner au plus vite d'un lieu où, comme l'indiquait le drap noir tendu sur la porte de l'auberge, la mort avait frappé.

Berthe respira mieux. Elle avait réussi. Elle avait triomphé de tout et conduit à sa première étape — de très loin la plus difficile — un plan qu'elle méditait depuis des années, qui l'avait soutenue, qui lui avait permis de vivre sans devenir folle lorsqu'il lui avait fallu subir tout à la fois l'implacable caractère de son père, la dureté de sa mère, la sénilité de sa grand-mère.

Elle allait enfin pouvoir commencer à vivre, à rire, sans plus jamais redouter les colères du père, les remontrances de la mère. Dieu que Louise et Pierre-Édouard avaient eu raison de partir ! Et comme elle avait compté les jours qui la séparaient de sa libération !

Mais fuir plus tôt eût été la pire des erreurs, la faute impardonnable, celle qui l'aurait condamnée à poursuivre cette existence sans joie, sans but, sans amour. Elle connaissait bien son père ; il ne fallait pas lui laisser le plus petit atout. Cette carte dont il usait et abusait, il l'avait eue en main jusqu'à l'avant-veille ; elle venait de lui échapper, et il ne s'en était même pas rendu compte. Depuis hier, le 25 août 1914, Berthe était majeure...

Majeure, oui, mais prudente comme une genette, forte d'une acuité affinée par des années d'observation, de silence, de rébellion dissimulée sous une fausse passivité. Elle savait que son père n'hésiterait pas, si elle lui en fournissait l'occasion, à tout mettre en œuvre pour la contraindre à rentrer au bercail. A lui expédier, par exemple, en gare de Brive, une paire de gendarmes pour l'accueillir à sa descente du train. Non pour l'arrêter, ils n'en avaient plus le droit, mais pour la retenir une heure ou deux, le temps qu'il arrive, lui. Lui qui, fort de son bon droit, de son devoir, même, lui poserait alors la main sur l'épaule et la ramènerait à la maison, bon gré, mal gré...

Mais elle était plus fine que lui, plus rouée ; il y avait trop longtemps qu'elle préméditait son départ pour ne pas en avoir étudié les plus infimes détails, ceux qui, négligés, pouvaient tout réduire à néant.

Le mot qu'elle avait glissé sous le couvre-lit de ses parents ne serait pas trouvé avant des heures. Pour l'instant, tout portait à croire que ses parents ne s'étaient pas encore aperçus de son absence. Et même lorsqu'ils rentreraient tout à l'heure à la maison, rien ne prouvait qu'ils découvriraient immédiatement sa fugue. Ils penseraient sans doute qu'elle était aux étables ou au potager.

Après, bien sûr, à l'heure du souper... Mais il serait beaucoup trop tard, plus rien ne pourrait être tenté pour la rattraper. Oui, chaque minute qui passait lui disait qu'elle avait gagné.

Quand le train arriva à La Rivière-de-Mansac, elle sauta sur le quai, hésita à peine, aperçut l'autre convoi, celui qui l'emporterait définitivement.

Elle savait pouvoir disposer de cinq minutes pour acheter un billet. S'il était relativement simple de voyager sans payer entre Saint-Libéral et La Rivière, ce n'était pas une faute à commettre sur la grande ligne. Sûre d'elle, avec la démarche et l'aisance d'une habituée qui ne s'étonne de rien et sait parfaitement où elle va, elle marcha vers le guichet.

Si son père la faisait rechercher, ce serait à Brive. Mais lui qui croyait tout voir, tout savoir, n'avait pas pensé à tout. Il n'avait pas songé que les femmes parlent autour du lavoir municipal, et que la mère Bouchard, par exemple, la femme du sabotier, expliquait que, faute de correspondance adéquate le matin, son mari était contraint de partir la veille des foires à Thenon — où il avait une très belle clientèle — en empruntant chaque fois le train de 18 h 16 pour Périgueux...

Jean-Edouard et Marguerite s'aperçurent de son absence beaucoup plus vite que Berthe ne l'avait prévu, et sans doute eût-elle improvisé en toute hâte un nouveau plan si elle avait pu se douter que sa fugue serait découverte avant même que le train ne la déposât en gare de La Rivière-de-Mansac.

Ce fut d'abord Marguerite qui tiqua. Elle aussi avait chaussé ses sabots du dimanche pour se rendre à la cérémonie. Elle les posa dès son retour à la maison, les glissa à leur place habituelle, sous l'escalier, et fronça les sourcils quand elle constata la disparition des beaux sabots de sa fille.

— Mais elle est folle, cette pauvre Berthe! lança-t-elle à Jean-Edouard qui, dans leur chambre, revêtait ses habits de travail. Appelle-la! Qu'est-ce qui lui prend de mettre ses plus belles socques pour curer les étables! Je vais lui apprendre ce qu'elles coûtent, moi!

Cinq minutes plus tard, ils durent se rendre à l'évidence : Berthe n'était ni dans les étables ni au jardin ; elle ne gardait pas non plus les bêtes, puisque Abel les avait conduites dans les chaumes du plateau.

Alors, traversée par une intuition, Marguerite ouvrit la penderie et resta un instant sans voix ; la plupart des effets de Berthe avaient disparu. Il n'en restait que quelques hardes, des jupons et tabliers usés jusqu'à la corde.

— Jean ! appela-t-elle faiblement, regarde, elle a tout pris, toutes ses affaires, elle est partie. Elle nous a fait ça, elle aussi...

— Miladiou ! sacra-t-il. Puis il se reprit : Mais, nom de Dieu, qu'est-ce que tu racontes ! Avec qui veux-tu qu'elle soit partie ! Il n'y a plus que des vieux dans le pays ! Alors ? Elle n'est quand même pas partie toute seule, elle en est bien incapable. Et puis, où veux-tu qu'elle aille, hein ?

— Je ne sais pas, fais quelque chose, il faut la retrouver...

— Bon Dieu, oui, je vais la retrouver ! Qu'est-ce qu'elle croit cette gamine ? Qu'elle va faire la loi, comme les autres ! Attends un peu, elle va prendre une de ces danses... Allez, viens avec moi, il faut qu'on interroge tout le monde. Quelqu'un l'aura sûrement vue...

— Mais alors, ils seront tous au courant ! Qu'est-ce qu'on va encore penser de nous ! protesta Marguerite.

— Je m'en fous ! Il faut que tous les voisins nous aident. Allez, presse-toi, on va les questionner.

La mère de Jeantout, une vieille femme impotente depuis des années et dont la seule distraction était d'observer la grand-rue, leur annonça, peu après, qu'elle avait vu la jeune fille grimper dans le train en marche.

Jean-Edouard courut à la poste, téléphona à la gendarmerie d'Ayen, expliqua la situation en quelques mots.

— Et surtout, dit-il à son correspondant, un brigadier-chef qu'il connaissait depuis des années, dites bien à vos collègues de Brive de la retenir le temps que j'arrive ! Quoi ? Qu'est-ce que vient foutre son âge dans cette histoire ? C'est ma fille, non ? Elle a...

Soudain il réalisa, et sa voix, si énergique quelques secondes plus tôt, se cassa, devint un souffle à peine audible :

— Elle a vingt et un ans depuis avant-hier, avoua-t-il enfin. Ah ! bon... Bien.

Certains, en le voyant revenir de la poste, crurent qu'il venait d'apprendre la mort de son fils.

Berthe arriva à Paris le lendemain dans la matinée. Étourdie et fatiguée par une nuit de train, elle sortit de la gare d'Austerlitz en titubant un peu, et là, malgré sa force de caractère, son désir de changer d'existence, de vivre enfin, elle faillit abandonner, reprendre le train et rentrer vers Saint-Libéral, son calme et son silence.

En fait de grande ville, elle ne connaissait que Brive. Aussi fut-elle affolée, presque paralysée, par le bruit, la foule, la cohue des fiacres et des taxis, le grondement terrifiant du métro aérien qui défilait au-dessus d'elle et, sur le boulevard, le roulement presque continu des convois militaires.

Hébétée, soudain consciente de l'incroyable folie qui l'avait poussée à fuir et qui la mettait dans l'obligation d'agir, elle resta de longs instants pétrifiée d'angoisse, figée au milieu de l'esplanade.

Puis, peu à peu, elle se raisonna, s'obligea à réfléchir, à résoudre un à un les problèmes qui l'assaillaient.

Elle se félicita d'abord de n'être pas partie sans argent. Les huit cent trente-deux francs qu'elle avait serrés sous ses jupons étaient bien à elle. Ils provenaient d'abord des piécettes que lui avaient données, jadis, ses grands-parents et qu'elle avait précieusement gardées depuis des années ; ils représentaient surtout les économies que la vieille Léonie avait accumulées patiemment et déposées dans son bahut, entre deux piles de draps.

— Ces sous, lui avait dit sa mère au retour de l'enterrement, ils seront pour toi, pour ta dot. Pour le moment, je les garde, tu n'en as pas besoin. Mais sois sans crainte, ils te reviendront le jour de ton mariage...

Elle avait pris la somme dans l'armoire de ses parents, juste avant de partir. Grâce à ce pécule, un peu entamé par le prix du voyage — vingt-cinq francs soixante-quinze — mais encore important, l'avenir était moins sombre. Cet argent lui garantissait le gîte et le couvert pour plusieurs mois.

Il était néanmoins urgent de trouver rapidement du travail. Persuadée qu'une ville aussi vaste que Paris offrait toutes les propositions possibles d'embauche, elle jeta son baluchon sur l'épaule et s'engagea sur le boulevard de l'Hôpital.

A Saint-Libéral, on parla peu de son départ et rares furent

ceux qui plaignirent ses parents. Que représentait la fugue d'une fille par rapport au carnage qui saignait le pays et couchait les jeunes gens dans les chaumes !

Déjà, le village comptait un mort de plus — un gamin de vingt-trois ans, tué trois jours après le fils Chanlat — et six blessés, dont deux grièvement. Alors, qu'importait que la petite Berthe se soit enfuie pour vivre sa vie ! C'était bien la preuve que son père était toujours aussi dur, aussi sévère et qu'il n'avait tiré aucune leçon de ce qui s'était passé avec Louise et Pierre-Edouard !

Et si elle était partie pour rejoindre un galant, comme l'assuraient quelques femmes, tout ce qu'on pouvait lui souhaiter à cette gamine, c'était d'en profiter, de son homme ! D'en profiter tant qu'il était bien vivant, bien solide, apte à la contenter nuit et jour, à lui apprendre combien la vie était belle avant... Avant que les hommes ne soient devenus fous et ne se mettent à se massacrer sans discernement, tuant aussi bien les gosses de vingt ans que les pères de famille.

Même les plus proches voisins des Vialhe, les amis, les Jeantout, les Gaston, le maire, et aussi le vieux docteur, s'employèrent à démontrer à Jean-Edouard que le départ de Berthe était sans conséquence, sans déshonneur. Tous insistèrent sur le fait qu'elle était majeure et libre de conduire sa vie comme elle l'entendait, même si, dans un premier temps, c'était une épreuve pour ses parents.

— Bien sûr, ironisa Jean-Edouard un soir où le châtelain tentait de le raisonner, je perds mon troisième et dernier enfant et il faudrait que je chante !

— Ne dis pas ça ! tu n'as rien perdu du tout. Ils sont vivants tes enfants ! A propos, tu as des nouvelles de Pierre-Edouard ?

— Oui, il nous a quand même écrit. Il est au front, je ne sais où. Vous savez ce que c'est, ils ne peuvent même pas dire où ils se trouvent. Et vous, votre gendre ?

— Ça va, lui non plus ne peut pas dire où il est, quelque part là-haut, comme tous les autres... Allons, ne te ronge plus au sujet de Berthe. Elle ne risque rien, elle... Au fait, tu sais que Léon s'est engagé ?

— Pas possible ! Ce petit salaud ! Dans quoi, dans l'intendance, je parie ! Je croyais qu'il était réformé.

— Comme soutien de famille, simplement. Il a fait valoir que ses sœurs sont maintenant tirées d'affaire. L'une est placée à Brive, et Mathilde va sur ses quinze ans. Non, il n'est pas dans l'intendance, mais dans l'infanterie. Il est parti hier au 126e de Brive...

Jean-Edouard hocha la tête d'un air mécontent; il lui déplaisait de devoir reconnaître que Léon avait bien agi.

— Mais alors, dit-il soudain, s'il est parti lui aussi, il n'y a plus du tout de jeunes dans la commune! Plus que des vieux comme nous?

— Eh oui! rien que des vieux...

— Qu'est-ce qu'on va devenir? Vous y pensez aux vendanges, aux labours, aux semailles, à tout? Comment on va travailler tout ça?

— Avec les femmes, mon pauvre, avec les femmes. Il faut se faire à cette idée : si cette guerre persiste, et je le crains de plus en plus, ce sont les femmes qui vont prendre la place des hommes. Partout. Dans tous les champs, dans toutes les fermes...

— Ça ne s'est jamais vu! protesta Jean-Edouard. Bon sang, il y a eu d'autres guerres, et jamais on n'a vu ça! Vous imaginez des femmes en train de labourer? Passe encore pour les moissons et les bricoles, mais labourer! Allons donc! Cette guerre ne va pas durer, parce que d'un côté comme de l'autre on a besoin d'hommes pour travailler la terre, pour produire. Quand le blé manquera, il faudra bien qu'ils l'arrêtent, leur foutue guerre, ou alors ils crèveront de faim! Voilà ce qui va se passer, et vos histoires de femmes aux labours, c'est pas pour demain, ça ne s'est jamais vu!

Jean Duroux haussa les épaules.

— Et une fille qui saute dans le train le lendemain de ses vingt et un ans, tu l'as déjà vu, dans le temps? Ne te vexe pas, je ne dis pas ça pour me moquer de toi, tu me connais. Mais, crois-moi, notre monde, le vrai, celui qui nous a vus naître et vivre jusqu'au mois dernier, ce monde-là n'existe plus. J'ai bien peur qu'il soit mort.

Se nourrissant d'un quignon de pain et logeant chaque nuit dans un garni différent, Berthe erra pendant cinq jours. Chaque soir la trouvait plus épuisée, plus découragée que la veille.

Perdue dans une capitale en délire qui se préparait à subir un siège, voire des combats de rues, la jeune fille arpenta sans relâche les artères les plus misérables du quartier de la place d'Italie ou d'Alésia et les riches avenues du 7$^e$ arrondissement. Elle dut même éconduire de galants admirateurs attirés par la fraîcheur de son teint, ses formes déliées et gracieuses de petite paysanne. Mais nul ne lui offrit le moindre travail honnête.

Paris vivait dans la fièvre et dans l'angoisse. Jour après jour, le front cédait, craquait de toutes parts. Déjà, des centaines de milliers de Parisiens fuyaient vers les provinces du Sud et de l'Ouest, laissant à d'autres le soin de contenir ces hordes barbares qui, assurait-on, brûlaient tout sur leur passage, coupaient les mains des enfants, massacraient les vieillards, violaient femmes et jeunes filles.

Les bruits les plus extravagants fusaient comme les mouches d'une charogne ; on disait que Gallieni, gouverneur de Paris, venait d'être assassiné par un espion, que Joffre s'était suicidé, que le gouvernement allait fuir à Bordeaux, que von Kluck était à Montdidier et qu'il fonçait vers Compiègne, Senlis et Paris et que, déjà, plus de cinq cent mille Parisiens avaient quitté la ville...

Le vrai et le faux s'imbriquaient étroitement, jouaient de la crédulité populaire, créant d'heure en heure un climat survolté, proche de la démence, un incroyable mélange dans lequel s'exacerbaient la lâcheté et le défaitisme des uns, la colère, l'énergie et le patriotisme des autres.

Comment trouver du travail au milieu d'une telle folie ! Découragée, harassée par ses longues heures de marche des jours précédents, Berthe reprit malgré tout sa quête au matin du sixième jour. Mais c'est en vain qu'elle offrit ses services dans plusieurs blanchisseries, dans des épiceries, des boucheries et même des bistrots. En vain qu'elle demanda aux concierges des immeubles cossus si nul locataire ne cherchait une bonne, une femme de chambre, une cuisinière.

Elle emprunta par hasard la rue Saint-Jacques ; un attroupement l'arrêta devant le Val-de-Grâce. Un long convoi de camions — sur certains se voyait encore, malgré la croix rouge, le nom du grand magasin dont ils assuraient les livraisons un mois plus tôt — venait d'arriver et c'était par dizaines qu'en étaient extraits les blessés ; corps exsangues, gémissants, aux pantalons garance sur lesquels le sang faisait des taches plus sombres, aux capotes gris de fer bleuté, maculées de boue, lacérées par le trou pourpre d'un éclat ou d'une balle, aux têtes moites de sueur, de crasse et de poudre, aux membres disloqués, brisés, absents parfois.

Une impulsion traversa Berthe, l'électrisa, la poussa vers l'avant. Ici, il y avait du travail pour elle ; et du travail qui ne la rebutait pas, qu'elle savait faire. N'avait-elle pas soigné sa grand-mère pendant des années ?

— Laissez-moi passer, ordonna-t-elle en se frayant un passage dans la foule des badauds.

Elle arriva au premier rang, marcha vers les ambulances. Un vieux sergent de ville voulut la repousser. Elle se redressa, le toisa :

— Je travaille ici, vous ne voyez pas que je suis infirmière !

L'homme marmonna de vagues excuses et la regarda s'éloigner vers les civières.

## 20

PIERRE-EDOUARD grogna, lança un sévère coup de pied au grand flandrin qui venait de lui marcher sur le ventre et essaya de reprendre son sommeil. La paille du wagon puait la sueur, le crottin et le pissat de cheval.

Il se retourna, expédiant son coude dans la poitrine de son voisin qui protesta mollement. Le train roulait depuis des heures. A ses cahotements, à ses grincements, s'ajoutaient les gros soupirs et les brefs hennissements des chevaux qui étaient là, de l'autre côté du wagon, et qui, parfois, pour se dégourdir les jambes, expédiaient de formidables ruades dans les bat-flanc.

Incapable de se rendormir, Pierre-Edouard se leva, marcha jusqu'à la porte grande ouverte. Par là, un bon air frais entrait dans le wagon et en rendait l'atmosphère à peu près respirable. Mort de fatigue, il se pencha à l'extérieur, offrit son visage au vent et scruta la nuit. Elle était d'encre et ne dévoilait rien qui permît de repérer vers quelle direction se dirigeait le convoi. D'ailleurs, quelle importance...

Il eut envie de fumer, faillit sortir son paquet de tabac et sa pipe, puis se souvint de l'interdiction. Evidemment, avec toute cette paille... Il se contenta de ficher son brûle-gueule entre ses dents et d'en suçoter le tuyau. Cette pipe, il l'avait adoptée depuis le début de la guerre. C'était le seul moyen de fumer à peu près tranquille et sans se faire repérer des lignes ennemies. Et, même éteinte, elle constituait d'abord un bon remède contre l'envie de fumer, et aussi, dans une certaine mesure, contre les épouvantables maux d'oreilles et de tête dus au bruit diabolique d'une batterie de 75 en pleine action.

Il revint se coucher à tâtons, écrasa un corps.

— Crédieu, quoi ! Tu pourrais faire gaffe !

— M'emmerde pas, Jules, rétorqua-t-il paisiblement en se nichant dans la paille.

Jules ! Quelle tête il avait fait, le pauvre Jules, en le retrouvant à la caserne ! Et pourtant, il était logique qu'il en fût ainsi. N'étaient-ils pas l'un et l'autre du même régiment, du même groupe, de la même batterie ? Un seul détail amusant, qui l'avait rempli de joie : avoir travaillé presque quatre ans sous la poigne du père de Jules — et quelle poigne ! — pour retrouver le même Jules, non plus fils du patron, mais simple brigadier, c'est-à-dire sous ses ordres à lui, l'ouvrier agricole à vingt sous par jour !

Pierre-Edouard ne gardait d'ailleurs aucune rancune à son camarade, qui, il le savait bien, n'était responsable ni de sa brute de père ni de sa garce de mère. Et puis, tout cela était si loin, si puéril même, presque attendrissant comme des souvenirs de gosses, comme la vie avant la guerre ! Cette guerre à laquelle il n'avait pas cru, qu'il pensait impossible, et qui, d'un coup, l'avait projeté en pleine bataille, en plein carnage, là-bas, dans cette Alsace que le train avait quittée la veille au soir pour une destination inconnue.

L'Alsace ! Quelle joie en foulant ce sol, quelle exaltation d'être parmi les premiers libérateurs, ceux que l'on embrasse, que l'on étreint, qui font pleurer de joie ; ceux à qui tout un peuple voue une éternelle reconnaissance ! Ça n'avait pas duré.

Le 5e régiment d'artillerie, sous les ordres du colonel Nivelle, avait été incorporé au 7e corps d'armée de la 1re armée du général Dubail, puis affecté à l'armée d'Alsace du général Pau. Point extrême de l'aile droite, il avait poussé, dès le 7 août au matin, vers Thann. Baptême du feu pour Pierre-Edouard et tous les autres. Inoubliable initiation à la folie meurtrière, celle qui incite à tuer, à tuer toujours, encore plus vite, à accélérer le rythme de tir, à pousser la cadence jusqu'à l'extrême limite de résistance des tubes et des hommes ; qui transforme de bons bougres, naguère incapables d'immoler un poulet, en espèces de barbares allègres qui crient leur joie lorsque leurs shrapnels éclatent au milieu des uhlans, des fantassins ou, mieux encore, au centre de la batterie ennemie, cette batterie de 77 qui les guettait, dont les projectiles les encadraient et qui soudain lance vers le ciel sa volute noire et rouge de caissons touchés de plein fouet, et explose en projetant alentour les corps déchiquetés.

Puis étaient venus les incessants et épuisants déplacements, les pièces qu'il faut mettre en batterie, le tir qu'il faut régler, et le rassemblement des chevaux qui s'affolent et qui ruent, les canons et les caissons qu'on attelle à la hâte en courbant le dos sous le feu ennemi, la progression, le recul, les virevoltes. Mulhouse libérée puis reprise, bombardée, massacrée. Puis l'avance vers des lieux aux noms difficiles — Buetwiller, Guewenheim, Burbach, Munster.

Un soir, enfin, le 22 août, alors qu'on avait réinvesti Mulhouse, l'invraisemblable nouvelle, démentie par les officiers, mais commentée et propagée par les hommes de troupe et les sous-officiers : l'armée britannique recule, contraignant l'armée française à lâcher pied à son tour, à se replier, à laisser l'ennemi reprendre un terrain chèrement conquis...

— On ne sait même pas où on va! songea Pierre-Edouard dans un demi-sommeil.

Il chercha un point d'appui pour sa tête, tâtonna pour prendre son sac et, ne le trouvant pas, posa la nuque sur le dos de Jules et s'endormit.

Le 5ᵉ régiment d'artillerie débarqua le lendemain à Amiens. Le 25 août, le colonel Nivelle fit savoir à ses hommes que le 7ᵉ corps d'armée auquel ils étaient toujours attachés était désormais à la disposition de la 6ᵉ armée du général Maunoury et qu'il venait d'être chargé de la défense nord de Paris...

Malgré la démarche tressautante de sa monture et le grincement de tout le convoi d'artillerie, Pierre-Edouard devait faire un effort pour ne pas s'assoupir, pour maintenir son équilibre sur cette selle qui lui mâchait les fesses depuis quatre heures.

La veille au soir, le 3 septembre, alors qu'à l'horizon nord le ciel palpitait du rougeoiement sinistre de Senlis et de Creil en flammes, le 7ᵉ corps d'armée, délaissant les positions défensives qu'il occupait depuis Le Mesnil-Aubry jusqu'à Dammartin-en-Goële, s'était mis en marche vers le sud-est.

Le long convoi d'artillerie pénétra dans un bourg endormi — ou déserté. Pierre-Edouard observait les masures d'un regard vague. Il sursauta soudain.

— Ah ben, ça, alors!... murmura-t-il en scrutant les ténèbres, y'a pas à se tromper, on est à Nantouillet!

Il poussa son cheval, rattrapa Jules qui était avec le caisson de munitions, trente mètres plus loin.

— Eh! Jules, t'as vu où on est?

— Oui, à Nantouillet. On vient juste de passer devant le café du père Lachaud...

— Bon sang, si on m'avait dit..., souffla Pierre-Edouard. Tu te rends compte, on va droit sur Monthyon!

— Oui, et la ferme est là-bas, un peu à droite, dit Jules en tendant le bras vers la plaine. Crédieu, pourvu que...

— Mais non, le rassura Pierre-Edouard, ils n'y sont pas encore. Tu vois bien, c'est calme.

— Peut-être, mais ça pète rudement du côté de Meaux... Tiens, pourquoi on s'arrête? Ils ne vont quand même pas nous faire bivouaquer ici, en pleins champs!

« Pied à terre, pied à terre », chuchota-t-on de bouche en bouche.

— Je crois bien qu'on va finir la nuit ici, dit Pierre-Edouard. Vrai, on aurait bien pu pousser jusque chez toi ; ça m'aurait pas déplu de voir la tête de ton père, lui qui m'a interdit de remettre les pieds chez vous! Allez, je rigole, va. Dans le fond, c'est un bon bougre ton père, j'ai rien contre lui.


La journée du 4 fut lourde, oppressante. La 6e armée prit position, renforça sa défense, verrouilla les routes qui, par Claye-Souilly et Dammartin, filaient droit sur la capitale et s'articula sur l'aile gauche de l'armée anglaise du maréchal French, tapie elle aussi entre Lagny et Signy-Signets, pour bloquer la Marne.

Heures angoissantes qui préludaient à cette formidable poussée qui devrait bousculer et tronçonner la 1re armée de von Kluck qui, on le savait depuis la veille au soir grâce aux observations aériennes, menaçait désormais l'est de Paris avec ses 2e, 3e et 4e corps d'armée qui s'étalaient impudemment depuis Betz jusqu'à Meaux.

Deux groupes du 5e R.A. se mirent en route vers 16 heures et poussèrent vers Le Plessis-au-Bois. Pierre-Edouard et Jules virent sur leur droite, à moins de deux kilomètres, la ferme du Moureau, ses champs, ses grands bâtiments, ses grosses meules de céréales qu'ils avaient eux-mêmes érigées un mois et demi plus tôt.

— C'est trop con, trop con..., fit Jules en scrutant chaque parcelle de cet horizon qui était le sien.

— T'en fais pas, on reviendra, assura Pierre-Edouard, ému, lui aussi, de retrouver ce paysage connu.

Tous ces villages et hameaux qu'il devinait là-bas, au loin, Neufmontier-les-Meaux, Penchard, Saint-Soupplets... Tous ces lieux qu'il avait parcourus avec Jules, avec Moïse, sa bicyclette et ses cuites mémorables ; où il avait dansé, courtisé les filles, vécu — sans bien mesurer à quel point vivre, danser, boire, s'amuser, travailler constituait une chance immense, un don du ciel, un cadeau royal.

Au soir, ils bivouaquèrent à Cuizy, noyé dans un flot de fantassins, de zouaves, de cavaliers, une masse compacte d'hommes en armes.

L'ordre d'offensive générale leur parvint dans la nuit du 5 septembre, à 2 h 55, accompagné d'un communiqué sans équivoque :

*... Le moment n'est plus de regarder en arrière. Une troupe qui ne peut plus avancer devra, coûte que coûte, garder le terrain conquis et se faire tuer sur place plutôt que de reculer... Aucune défaillance ne peut être tolérée...* JOFFRE.

Depuis le décès du fils Chanlat, Jean Duroux et ses amis du conseil n'osaient plus aller clore les débats au zinc de l'auberge. L'établissement était devenu sinistre et la grande photo du défunt — crêpée de noir — en tenue de hussard, qui s'étalait au milieu du mur central, interpellait les buveurs, comme une accusation, leur coupait toute envie de s'attarder là, de consommer et de discuter comme si de rien n'était.

D'ailleurs, comment évoquer devant les époux Chanlat et leur bru ce qui faisait la trame de toutes les conversations : la guerre, les nouvelles du fils, du neveu, du frère... Seul Gaston, qui n'avait que deux filles non mariées, n'était pas touché. Mais les autres, Duroux, Jeantout, Jean-Edouard, Antoine Gigoux même, ne vivaient que dans l'attente de la lettre, celle qui annonçait que tout allait bien. Et ils se réconfortaient mutuellement, se transmettaient les très vagues bribes de renseignements que le soldat avait parfois réussi à glisser dans sa missive. La censure était impitoyable.

Quant aux journaux, dont ils commentaient inlassablement

les informations, on commençait à se rendre compte qu'ils étaient surveillés, muselés — et tendancieux. Que leurs articles — bien stupidement lénifiants, voire euphoriques — n'étaient qu'un ramassis de mensonges et d'imbécillités.

Qui pouvait encore croire, comme l'affirmaient triomphalement quelques plumitifs, que les armes allemandes ne valaient rien, que leurs obus n'éclataient pas, que les Boches — le mot venait de naître — ne savaient pas se battre, qu'ils étaient plus peureux que des lapins et qu'ils avaient tellement faim qu'ils étaient des milliers à faire la queue pour une gamelle de soupe ! Cette bonne soupe que les braves Français leur donnaient sans rancune...

— Oui, mais qui croire, que croire ? demanda Jean Duroux en sortant ce soir-là de la mairie avec ses conseillers.

Instinctivement, mûs par une vieille habitude, ils se dirigèrent tous les quatre vers l'auberge, s'arrêtèrent soudain, gênés, comme pris en faute, comme suspects d'avoir oublié.

— Allons, messieurs, ne soyez pas aussi bêtes que les Boches ! leur lança le docteur Fraysse depuis son jardin.

Il émonda délicatement de ses fleurs fanées un gros rosier grimpant, glissa son sécateur dans la poche ventrale de son tablier de jardinier et s'avança vers eux.

— Je vous observe depuis plus de quinze jours, vous êtes stupides ! Vous voulez donc que les Chanlat ferment l'auberge ? Vous ne trouvez pas que le bourg est suffisamment lugubre comme ça ?

— Pas du tout ! s'insurgea le maire, mais si vous croyez que c'est gai...

— Qui parle de gaieté ! Pour le moment, tout ce qu'il faut, c'est essayer de vivre, de tenir. Les Chanlat ont besoin de vous, de nous tous, de notre présence, de nos conversations et de nos parties de billard. Et j'ai fait promettre à Gigoux qu'il viendrait, dès ce soir, pousser les billes avec moi. Allons, les Chanlat ont assez de peine comme ça, vous n'allez pas, en plus, les mettre en quarantaine !

— Mais ce n'est pas ça ! protesta Jean Duroux, c'est simplement par respect pour eux, pour leur deuil !

— Je sais ce que je dis ! s'emporta le vieux docteur. Je connais les hommes mieux que vous ! Je vous répète qu'ils ont besoin de nous. Besoin, vous comprenez ? Pour vivre ! Vivre, nom de Dieu ! Pas se laisser crever de chagrin ! Et s'ils restent tout seuls, c'est ce qui va arriver. Allons, on y va tous ensemble, comme au bon vieux temps. A propos, Duroux, les nouvelles ?

Jean Duroux correspondait très régulièrement par téléphone avec sa fille. Elle était courageusement restée à Paris et disposait donc d'informations plus fraîches — mais pas plus véridiques — que celles qui arrivaient à Saint-Libéral par la voie postale.

— Pas grand-chose de nouveau, assura le maire. Voici ce que titraient ce matin les journaux parisiens : « 7 septembre. Depuis hier, contre-attaque générale sur l'ensemble du front, brillant succès de nos troupes... » Vous avouerez que c'est vague, et puis, on ne sait même pas où se trouve exactement le front !

Pierre-Edouard éperonna sa monture, bondit par-dessus le cadavre déjà gonflé d'un cheval ouvert comme un fruit pourri, s'assura que la pièce et le caisson suivaient. Il hurla des encouragements, mais n'entendit même pas le son de sa propre voix tant le vacarme était puissant.

Tout autour d'eux, à travers les champs ravagés et les grosses meules calcinées, les obus tombaient comme une averse de grêle, et leurs éclats brûlants, auxquels se mêlaient les traits fulgurants des balles, ronflaient comme une myriade de guêpes dont le nid vient d'être éventré par un soc de charrue.

Et partout des cadavres, d'innombrables cadavres, pauvres corps déchiquetés qui mordaient la terre à pleines dents, l'étreignaient à grands bras, ou s'y étalaient mollement, dos contre les chaumes blonds, comme pour suivre, de leurs yeux pleins de mouches, le vol paisible des nuages ; misérables dépouilles que, parfois, les roues des attelages lancés à plein galop mutilaient une nouvelle fois.

Cinq batteries, dont celle de Pierre-Edouard, fonçaient vers Puisieux qui sombrait sous la poussée ennemie, où l'on s'entre-tuait déjà dans un impitoyable corps à corps, et sur lequel, par gros paquets grisâtres, se jetaient inlassablement d'énormes vagues de casques à pointe. Puisieux que seul pouvait peut-être sauver le feu nourri de ces vingt pièces de 75 qui venaient à la rescousse.

Vingt canons et leurs caissons, près de trois cents chevaux conduits à toute allure, dans une charge démente, qui se

284

précipitent au plus chaud de la mêlée, vers cette chaudière en fusion, ce mortel tas de ruines qu'il faut défendre.

Le convoi plonge dans la bataille, dans ce brouillard opaque tout alourdi par l'âcre fumée de la poudre, des pierres, de la terre et des corps pulvérisés. Les ordres fusent, précis, réglementaires. Directives qui semblent superflues, dérisoires car, déjà, les servants s'affairent, détèlent les montures, abattent les caissons, apprêtent la pièce. Ordres utiles pourtant, rassurants, qui prouvent à tous que la batterie est au complet, que chaque homme est à sa place, conscient de son rôle, prêt à le remplir au mieux, comme à l'exercice, jadis, au polygone de tir...

Vite, plus vite puisque chaque seconde compte, puisqu'il dépend de vous que le tube soit prêt au feu, prêt à cracher, à refouler ce flot qui monte, approche, grossit, va vous anéantir; puisque ces hommes qui courent vers vous en hurlant vont vous submerger, vous massacrer. Ils sont si proches que toutes les théories du tir — le site, la dérive, les corrections — sont réduites à néant. Un seul ordre, qui vole de pièce en pièce :

— Débouchoir à zéro! A zéro, nom de Dieu, aux fusants et à volonté! Attention au recul!

Et tout de suite la salve, qui résonne, roule, enfle, s'accélère.

— Attention, ça ripe! hurla Pierre-Edouard. Bon Dieu, calez-moi cette putain de pièce, elle recule!

La bêche mordit enfin dans le sol, creusa son trou, stabilisa l'affût.

Méthodique, le feu se déchaîna.

Pierre-Edouard se retourna vivement et regarda le trompette qui était en train de le secouer. L'homme, bouche ouverte, braillait sûrement un ordre.

— Quoi? hurla-t-il.

— Halte au feu!

Il perçut enfin l'ordre, lointain, étouffé, un murmure. Alors, d'un geste las, il fit signe à ses hommes d'arrêter le tir, se dirigea vers eux en titubant et s'accouda contre la roue gauche de la pièce brûlante. Comme beaucoup de ses camarades, il saignait du nez et mille cloches lui sonnaient dans le crâne.

Devant lui, dans les champs bouleversés et les bosquets

massacrés, s'étalaient à perte de vue des hommes cueillis en pleine course, à bout portant ; petites taches grises recroquevillées, désormais dérisoires, au-dessus desquelles, parfois, s'allumait le trait d'une balle traçante.

— Qu'est-ce qu'on leur a mis ! Ah ! dis donc, qu'est-ce qu'ils ont pris, ces enculés ! cria le deuxième pourvoyeur en s'appuyant sur l'autre roue.

Pierre-Edouard eut un vague sourire, poussa du pied quelques douilles ; puis il s'essuya le nez et souffla dans sa pipe vide. Devant lui, le pourvoyeur allumait une cigarette.

— Passe-moi un peu de tabac.

L'homme tendit le bras par-dessus le fût. Un claquement sec arrêta son geste. Son képi voltigea comme un papillon. Hébété, Pierre-Edouard vit son compagnon qui glissait mollement contre la roue. La balle lui avait perforé tout le haut du crâne. Par ses lèvres entrouvertes, s'échappait doucement la fumée de la cigarette qu'il venait d'allumer.

— Miladiou, faudra vraiment tout voir ! jeta-t-il en s'agenouillant à côté de son camarade.

Il pensait pourtant avoir tout vu depuis la veille, même l'invraisemblable, le monstrueux. Tout vu, même des taxis bondés d'hommes en armes et qui fonçaient vers Nanteuil-le-Haudouin. Un flot de taxis, des centaines de véhicules qui montaient en première ligne. Spectacle ahurissant, fou, mais qui les avait fait hurler de joie, lui et ses compagnons.

De joie, oui. Ils en avaient tellement besoin après le carnage, le pilonnage, les cadavres ; après l'explosion d'une des pièces de sa batterie touchée par un obus de 150, un monstre expédié par un tube contre lequel on ne pouvait rien, tant il était loin, hors de portée, très au-delà des cinq kilomètres que pouvaient atteindre leurs 75.

Tout vu, même les fermes incendiées, comme celle du futur beau-père de Jules, à côté d'Yverny, aux murs noirs, encore fumants, entre lesquels, au milieu des gravats et du foin calciné, s'apercevaient les squelettes carbonisés des vaches à l'attache. Même les grosses meules de céréales qui flambaient en crépitant comme des torches de résine. Même des vagues entières d'hommes, couchés d'un coup, comme effacés par la mitraille et les obus.

Journées longues comme un siècle, avec les prises de Neufmontier, Monthyon, Saint-Soupplets, Villeroy même, à deux pas de la ferme du Moureau, elle aussi bombardée, aux toits écornés, mais encore debout, du moins trois heures plus tôt... Comment savoir ce qui pouvait advenir en trois heures, puisqu'un homme pouvait mourir en moins de temps qu'il ne lui en fallait pour exhaler la fumée de sa dernière cigarette...

Il sentit qu'on le secouait, ferma les yeux du mort, se redressa.

— Faut partir, disait un brigadier.

— Où ?

— Je ne sais pas.

— Tu ne sais jamais rien ! jeta-t-il méchamment, mais il se reprocha aussitôt son accès de colère.

Avait-il su, lui, six mois plus tôt, lorsqu'il faisait danser les filles dans l'auberge dont les ruines se dressaient à vingt pas de là, qu'il reviendrait à Puisieux le 7 septembre — et non plus pour rire, boire et peloter les filles, mais pour massacrer à bout portant des hommes de son âge qui, eux aussi, aimaient sûrement boire, rire et faire l'amour ?

Depuis qu'une impulsion l'avait poussée vers les ambulances, Berthe vivait dans l'odeur de la mort, des plaies infectées, du sang. Mais rien ne la rebutait, rien ne la dégoûtait ; non qu'elle fût insensible à la douleur des autres, loin de là, mais simplement parce que, pour la première fois de sa vie, elle se sentait autre chose qu'une fille obéissante, docile, soumise à la volonté paternelle, contrainte d'étouffer ses désirs ou ses idées. Elle avait enfin le sentiment d'exister, et même si c'était au milieu des cris, du pus, de la gangrène, c'était au moins avec la certitude d'accomplir une tâche que nul ne lui imposait et qu'elle avait choisie — comme l'avaient choisie les dizaines et les dizaines de femmes ou de jeunes filles, de tous milieux et de toutes origines, qui, comme elle, de leur propre volonté, s'astreignaient à laver, à changer, à panser, à nourrir tous ces hommes.

Pendant les quinze premiers jours, elle n'osa pas sortir du Val-de-Grâce. Elle redoutait tellement de ne plus pouvoir y entrer, qu'elle préféra vivre là, dans cet univers de souffrance, picorant de temps à autre un sandwich, dormant quelques heures dans la salle de repos, mais toujours disponible, prête à toute heure du jour et de la nuit à courir au chevet d'un blessé ou d'un moribond.

Plusieurs années de soins dispensés à une vieillarde l'avaient habituée aux pires corvées. Rien ne la rebutait et elle fraternisa vite avec ses camarades. Ces infirmières bénévoles, toujours pleines de bonne volonté, mais que des spectacles, des odeurs, des plaies trop atroces poussaient parfois à la nausée et à l'évanouissement, appréciaient sa force de caractère, son sang-froid, sa gentillesse et sa spontanéité.

Puis elle se lia d'amitié avec une jeune modiste qui venait là, chaque soir, après son travail et qui lui proposa, en toute simplicité, de partager sa chambre, rue Servandoni. Elle accepta mais n'eut de cesse, pour payer sa pension, de se mettre, elle aussi, à la confection de chapeaux pour dames. Il lui fallut moins d'un an pour acquérir une technique parfaite qu'elle mit aussitôt au service d'un goût très sûr qui, pressentait les modes, savait les devancer et offrait ainsi aux élégantes exactement ce qu'elles voulaient au moment où elles le voulaient.

Elle devint rapidement plus parisienne qu'une native du quartier Saint-Germain et fut vite reconnue comme une modiste exceptionnelle. Cela ne l'empêchait pas d'effectuer tous les matins son travail d'infirmière. Jamais il ne lui vint à l'idée de l'abandonner ; elle l'avait choisi, rien ni personne ne l'empêcherait de le mener à bien.

Contrairement aux prédictions de Jean-Edouard, les femmes se mirent aux labours. Il le fallait bien, puisque tout démontrait que cette guerre serait longue, et que les hommes ne seraient pas de retour pour les semailles. Alors, si on voulait qu'ils trouvent quelque chose à moissonner, encore fallait-il emblaver les terres...

Tout le monde s'y mit, enfants et vieillards compris, et l'on vit même le châtelain, qui n'avait jamais touché un outil de sa vie, tenir la herse, la guider et la secouer dans les labours tout frais semés.

Quand arriva la rentrée scolaire, un nouveau problème se posa. A elle seule, la femme de l'instituteur ne pouvait assurer l'éducation de quatre-vingt-sept gamins. La femme du notaire proposa alors ses services, comme si rien ne s'était passé ; comme si, coup sur coup, les fiancés de ses deux filles — un garçon de Saint-Robert, l'autre d'Allassac — ne s'étaient pas fait tuer, le premier sur la Marne, l'autre en Lorraine.

Grâce à elle, la rentrée put s'effectuer dans de bonnes

conditions et, dès octobre, la cour de l'école résonna des cris des enfants et de leurs rires. Ils ne jouaient plus à chat perché, aux barres ou à la marelle, mais à la prise de Château-Thierry ou aux taxis de la Marne.

Parmi tous ces écoliers, et puisque trois nouveaux morts étaient venus endeuiller la commune, il y avait déjà huit orphelins.

Le gendre du châtelain, lieutenant au 5e dragons, fut grièvement blessé le 25 octobre. On apprit plus tard qu'il avait participé à la bataille de l'Yser et qu'il était tombé près de Dixmude, touché au ventre par un éclat de 105.

Dès qu'il connut la nouvelle, Jean Duroux se précipita chez Jean-Edouard. Il le trouva en train d'écaler les noix, le vit pâlir soudain et se souvint que, cinq fois déjà, il avait été le plus sinistre des messagers, celui dont chaque famille redoutait la venue.

— Non, non, balbutia-t-il, ce n'est pas pour vous, ce n'est pas Pierre-Edouard...

— Qui alors ? demanda Jean-Edouard d'une voix blanche.

— Mon gendre. Blessé. Ma fille vient de me téléphoner, je pars tout de suite pour Paris, pour longtemps peut-être. Voilà, tu vas prendre ma place à la mairie, il n'y a plus que toi...

— Et Jeantout, et Gaston ? Et pourquoi pas plutôt le vieux Gigoux, il a l'habitude...

— Ne discute pas, je n'ai pas le temps. C'est toi qui dois prendre ma place. On va prévenir les autres et je sais qu'ils seront de mon avis. Mais va d'abord rassurer ta femme, elle pleure derrière les carreaux, là-haut. Elle aussi doit croire que je suis venu pour...

— Oui, murmura Jean-Edouard, et désormais c'est moi qui devrais faire ces visites... Bon Dieu, elle va être lourde votre écharpe !...

Jean-Edouard se consacra entièrement à ses nouveaux devoirs. Il essaya de sortir la commune du coma économique dans lequel le départ des hommes l'avait plongée. Mais c'est en vain qu'il tenta de rétablir les foires supprimées depuis le début de la guerre. Trop de marchands de bestiaux étaient au front et ceux qui restaient — des vieux ou des embusqués — avaient vite compris que leur intérêt était d'écumer discrètement les fermes, une à une, systématiquement. Les femmes étaient plus faciles à berner lorsqu'ils pouvaient discuter avec elles, seul à seul, au fond des étables. Réunies sur un champ de foire, sans doute eussent-elles été aussi retorses que les hommes, mais, isolées, souvent ignorantes des cours, affolées par une inflation à laquelle rien ne les avait préparées, inquiètes des bruits qui couraient au sujet des réquisitions, elles devenaient des proies sans défense.

Pour limiter cette razzia, Jean-Edouard décida d'afficher chaque semaine, à la porte de la mairie, la liste des cours de chaque denrée. De même, il organisa avec Jeantout et Gaston, des livraisons de bestiaux pour les foires de Brive ou d'Objat qui, elles, existaient toujours. Ils groupèrent ainsi les animaux à vendre et en discutèrent le prix, pied à pied, avec le même acharnement que s'il s'était agi de leur propre bien.

Il tenta aussi de maintenir l'activité du syndicat, en vain : les livraisons d'engrais se faisaient de plus en plus mal. D'ailleurs, qui pouvait employer des engrais ? leur prix avait doublé depuis le début de la guerre.

Puis vint ce qu'il redoutait le plus et qui le rendit malade pendant des jours : le télégramme laconique annonçant la mort d'Edouard Duffraisse, un des fils du charpentier. En l'espace de quinze jours, il dut faire trois autres visites et laisser à chaque fois un foyer dans les larmes.

La commune comptait neuf morts quand l'année s'acheva.

# 21

JAILLISSANT de l'épaisse fumée qui stagnait au sol, deux fusées vertes zébrèrent le ciel.

— Allongez le tir ! commanda Pierre-Edouard, les yeux fixés à ses jumelles. Plus vite, bon Dieu ! ordonna-t-il en courant jusqu'à une des pièces de sa batterie, celle dont le pointeur venait d'être évacué, un éclat dans la gorge.

Il régla le tambour et le plateau, corrigea l'angle de site.

— Aux percutants, en réglage ! lança-t-il en scrutant à nouveau la ligne de combat, cette côte 196, entre Beauséjour et Mesnil-les-Hurlus, que les 122e et 142e R.I. tentaient d'enlever depuis ce matin, 14 mars, au prix d'un affreux carnage.

Il repéra l'explosion des premiers obus, trop courts...

— Allongez, nom de Dieu ! On tape encore dans les nôtres !

Là-bas, devant ce qu'il espérait être les lignes françaises, s'allumèrent les grosses pivoines rouges des obus.

— Correct ! Gardez cette fourchette, mais surveillez la bulle ! Par 12 ! Accélérez !

Il n'entendit même par arriver l'obus de 210, perçut à peine le bruit fantastique de l'explosion. Il se sentit projeté en l'air, vit un immense morceau de ciel et fut submergé par une grosse vague rouge.

Pour la troisième fois depuis le début du mois, Jean-Edouard inscrivait, en belles rondes, la naissance d'un nouveau citoyen de la commune de Saint-Libéral.

— Jean, Marie, Léon Mouly, né le 14 mars 1915, à

12 h 40... Mets plutôt 13 heures, suggéra le docteur Fraysse en se penchant pour lire par-dessus son épaule. Un beau gars, commenta-t-il, un de plus. C'est fou ce que j'ai comme accouchements prévus pour ce moi-ci. Et encore, ce n'est rien à côté du mois prochain ; là, ça va battre tous les records ! Vrai, je n'aurais jamais pensé que l'annonce d'une guerre fût un aphrodisiaque d'une telle efficacité, dit-il en souriant. Oui, expliqua-t-il devant l'air interrogatif de Jean-Edouard, je ne pensais pas que ça allumerait autant ces pauvres bougres, et leurs femmes aussi, d'ailleurs.

— Ben, ils en ont profité avant de partir, et je les comprends, parce que depuis...

— De toute façon, dit le docteur d'un ton grave, pour autant qu'il y ait de naissances, jamais elles ne combleront les vides ouverts depuis huit mois... Tiens, je regrette presque de n'être pas mort plus tôt, ça m'aurait évité de voir un tel désastre.

— Allons, dites pas ça. D'ailleurs on a besoin de vous !

— Pas beaucoup. Depuis la guerre, plus personne n'est malade ! Les gens n'ont plus l'idée de penser à leurs petites misères. Même les vieux s'accrochent, ils veulent voir la victoire ! A propos, tu sais que la commune va devoir aider la veuve Marty, elle n'a toujours pas reçu sa pension.

— Je sais, je m'en suis occupé, j'ai écrit à la préfecture, mais c'est un tel bordel partout ! Si le châtelain avait été là, il aurait pu faire activer, lui, mais moi...

— Pauvre Duroux, je crois qu'on ne le reverra pas de sitôt...

Le châtelain était pourtant revenu une fois au bourg, en coup de vent, pour régler quelques affaires ; mais il était reparti aussitôt pour Paris où son gendre était toujours entre la vie et la mort.

Jean-Edouard ferma le registre d'état civil, puis farfouilla sur son bureau et tendit une circulaire au docteur :

— Tenez, au lieu de payer les pensions aux veuves de guerre, voilà ce qu'ils inventent, ces imbéciles ! Tout ce texte pour me rappeler une fois de plus qu'il faut économiser la lumière et avancer les pendules d'une heure ! A quoi ça sert, toutes ces couillonnades ?

— C'est bon pour les villes, concéda le docteur, ça limite la consommation d'électricité. Mais pour ici, bien sûr, c'est

292

grotesque, Ils devraient pourtant savoir que nous n'avons pas l'électricité !

— C'est comme leurs affiches pour l'emprunt, je ne sais plus où les mettre ! Tenez, regardez celle-là : « Pour la France, versez votre or ! L'or combat pour la Victoire ! » Ça leur suffit pas d'avoir déjà pris tous nos jeunes ! Maintenant, en plus, ils veulent qu'on se ruine ! Je vous dis, tout ça finira mal...

— Tu as souscrit, pourtant, comme tout le monde !

— Naturellement, mais ça fait dépit... Dites, vous savez ce que coûte un obus de 75 ? Dites un peu ?... Cinquante-deux francs !

— D'où sors-tu ça ?

— J'ai été voir André Lachaud, à l'hôpital. Il était à côté d'un gars qui travaillait aux arsenaux.

André Lachaud, premier grand blessé de la commune — il était tombé le 18 août — venait d'être rapatrié dans ses foyers. Pour lui, la guerre était finie, mais la pêche à la ligne aussi — il avait perdu ses deux bras...

— Oui, s'entêta Jean-Edouard, cinquante-deux francs pour un obus ! Miladiou, je les gagne pas tous les jours, moi. C'est le prix d'un petit veau ! Et il paraît qu'ils en envoient des milliers par jour ! Elles peuvent vêler les vaches, jamais on ne pourra tenir !

— Et pourtant, il faut bien répondre à ceux d'en face... Au fait, tu as des nouvelles de Pierre-Edouard ?

— Oui, oui, ça va. Il écrit de temps en temps, juste trois lignes pour rassurer sa mère. Rien, quoi... C'est elle qui répond ; d'ailleurs, moi je n'ai rien à lui dire.

— Tu ne vas pas me dire que tu lui en veux encore ?

— Je vous dis que je n'ai rien à lui dire. Comprenez bien, il ne demande jamais des nouvelles des terres, ni des bêtes ni des récoltes. Il s'en fout ! Alors, on n'est pas près de s'entendre. Et puis, je ne crois pas qu'il veuille jamais revenir ici... Il a dû trouver un bon travail, là-haut, du côté de Paris. Ça ne m'étonne pas, il a son certificat d'études, alors... La terre est trop basse pour lui, maintenant.

— Et Louise ? Et Berthe ? insista le vieux docteur, qui était vraiment le seul à oser poser de telles questions.

— Rien, avoua Jean-Edouard en haussant les épaules. Allez, ne parlons plus de tout ça. Moi, j'ai tourné la page.

Pierre-Edouard tenta de se débattre, mais ses bras étaient trop lourds, trop pesants pour ébaucher le moindre geste. Il essaya de parler, mais eu l'impression de souffler dans un grand bol de lait, un lait très crémeux, épais, douceâtre, tiède. Alors, il se résigna et attendit. Mais son cerveau travaillait.

Sa première pensée fut qu'une des pièces de la batterie venait d'exploser, c'était devenu tellement courant ! L'état-major avait beau tout faire pour cacher cette histoire, tous les artilleurs savaient que près de deux cents tubes de 75 avaient explosé depuis la fin décembre... Plus de soixante par mois sur toute la ligne du front. Et ce n'était pas le genre d'accident qu'on pouvait dissimuler longtemps, car, à chaque rupture, c'était au minimum six hommes qui se faisaient déchiqueter. Naturellement, la psychose aidant, on parlait de sabotage ; mais ce n'était même pas ça, juste une mauvaise fabrication et surtout la cadence trop rapide imposée aux canons. Ils chauffaient à mort et pétaient tout d'un coup comme des verres de lampe à pétrole. C'était ce qui avait dû se passer. Pierre-Edouard sentit qu'on le remuait, qu'on le tripotait, qu'on chuchotait, très loin au-dessus de lui.

— C'est l'adjudant, prends son paquet de pansements...

Adjudant ? Alors, il ne s'agissait pas de lui. Lui, il était maréchal des logis-major. A moins que... Si, il était adjudant, depuis huit jours. Pour remplacer l'ancien, coupé en deux par un éclat de 150 large comme la main et plus coupant qu'un rasoir, puisque, après l'adjudant, il avait encore traversé un cheval et s'était fiché dans le collier du second !

Il sentit qu'on lui nettoyait le visage, les yeux, et qu'un doigt s'insinuait dans sa bouche pour en extraire ce gros morceau de lait caillé qui le gênait. Il se débattit, cracha.

— Faites pas chier, merde ! lança-t-il.

Il ouvrit les yeux et vit ses camarades, dans un rose flou et grumeleux. Même Jules était là.

— Ce grand putain de Jules ! Qu'est-ce que tu fous ici ? bégaya-t-il.

— Crédieu ! tu as eu chaud, lui expliqua Jules en s'accroupissant à ses côtés. Un 210. On a sept morts et on a bien cru que toi aussi...

— Qu'est-ce que j'ai ?

— Au moins un mois à l'arrière ! plaisanta l'infirmier en épongeant le sang qui ruisselait toujours.

— Déconne pas ! Qu'est-ce que j'ai ?

— Un beau trou dans la tête, on voit l'os ; un autre sur le front, un troisième à la joue. Ça pisse beaucoup, mais ça doit pas être trop grave.

— Et pourquoi je vois tout rouge ? demanda-t-il, inquiet.

— C'est rien, le sang et la terre. On va nettoyer ça.

— Dis, si j'ai la gueule en miettes, je vais faire peur aux filles !

— Penses-tu ! Elles adorent ça, ces garces. Plus t'es amoché, plus elles deviennent chaudes. Ça les excite...

Il tenta de se relever, parvint à s'accroupir, puis sombra dans le noir.

Il passa un mois dans un hôpital de l'arrière. Dès qu'il le put, il écrivit une longue lettre à Léon en lui reprochant de ne pas lui avoir donné signe de vie depuis le début de la guerre. Puis il écrivit un mot à sa mère, laconique comme toujours, et ne jugea pas utile de lui parler de ses blessures.

Cela fait, il meubla ses loisirs par d'interminables parties de belote et tenta, comme tous ses compagnons, de séduire quelques jeunes infirmières. Mais elles étaient plus farouches que ne l'assuraient les rumeurs qui couraient au front, et une ou deux seulement acceptaient, sans ameuter tout le bâtiment, de se laisser effleurer le corsage ou tapoter les fesses. Par charité, presque.

Il n'en fut pas vexé. S'il avait tenté sa chance, ce n'était pas tellement pour aboutir, mais plutôt pour respecter une tradition qui voulait que tout blessé — pour peu qu'il en soit capable — devienne, auprès des filles, le représentant de tous ses camarades du front.

On avait craint qu'il n'eût une fracture du crâne, mais il n'en était rien. Ses plaies se cicatrisèrent vite et même l'estafilade qui lui barrait la joue ne laissa pas une trop vilaine trace, juste un sillon, une ride, un souvenir.

Il retourna au front, retrouva son régiment dont les batteries déchaînées pilonnaient sans discontinuer les lieux dits Gussainville, Maizeroy, Les Eparges, à vingt kilomètres au sud-est de Verdun.

Trois jours plus tard, il fallut évacuer Jules ; il avait un éclat de shrapnel dans le ventre, un autre dans la poitrine. Si tout allait bien, si aucune infection ne s'en mêlait, il serait peut-être sur pied dans quelques mois...

Pierre-Edouard l'accompagna jusqu'à l'ambulance.

— Veinard, lui dit-il en s'efforçant de sourire, tu vas être chez toi pour les moissons, c'est une sacrée chance ! Dis bonjour pour moi à tes vieux, et aussi au Polack. Et dis-lui de prendre une belle cuite à notre santé, on en a bien besoin.

Après un an d'une guerre qui devait durer un mois, l'état-major décida enfin d'instaurer des tours de permissions. Pierre-Edouard reçut la sienne en septembre 1915. Six jours, que faire en six jours ? Il hésita, faillit partir pour Saint-Libéral. Sans réponse de Léon, il s'inquiétait de l'état de la ferme et du cheptel. Certes, sa mère lui donnait quelques nouvelles, mais elles étaient sommaires, incomplètes, vagues. La pauvre femme était épuisante à force de recommandations, de conseils, de jérémiades au sujet de Berthe et de Louise, ces fugueuses, de l'emploi du temps surchargé de son père, des travaux à la traîne, de la vie chère, de cette maudite guerre qui n'en finissait pas.

Craignant de retrouver chez lui la sinistre atmosphère de jadis, sans doute aggravée depuis le départ de Berthe, il décida d'aller passer sa permission à Paris. Et puis, le retour serait moins douloureux s'il n'avait pas à s'arracher d'une terre qui lui manquait de plus en plus, celle de Corrèze, la seule qui comptât vraiment pour lui.

Il débarqua à Paris le 3 septembre, trouva une chambre d'hôtel près de la gare de l'Est, fit immédiatement couler un bain et se lava. Il se frotta presque jusqu'au sang, comme pour effacer le souvenir des rats, des poux, de toute la vermine qui grouillait au front. Enfin propre, il se coucha et dormit quinze heures d'affilée.

Le lendemain, reposé mais ahuri par l'animation et même la gaieté qui régnaient dans la capitale, il déambula de boulevard en boulevard, de café en café, avec l'atroce sensation de ne pas être à sa place au milieu de cette foule insouciante et joyeuse, de ces femmes enrubannées de bleu, blanc, rouge, ou déguisées en infirmières, de ces hommes jeunes, gras et luisants, dont on devinait tout de suite que la guerre, celle qui tue, ne les concernait pas, qu'ils étaient les profiteurs de l'autre guerre, celle qui rapporte, et qu'ils en étaient fiers.

Sa stupéfaction, mais aussi sa rancœur, atteignirent leur comble lorsque, boulevard de la Madeleine, son regard se porta sur la vitrine d'un chocolatier à l'enseigne de *la*

*Marquise de Sévigné*. Il crut rêver. Là, devant lui, offert à la gourmandise des clients, se trouvait un obus de 75. Un obus, nom de Dieu ! En aluminium bagué de cuivre, peint aux couleurs de la France, garni de chocolats fourrés. Prix : quinze francs pour le petit modèle, vingt francs pour le grand ! Et là encore, un caisson d'artillerie, en carton, représentant en relief un canon et rempli de vingt-quatre petits obus en chocolat. Prix : huit francs cinquante...

— Ben, ça alors !... murmura-t-il.

Il n'en revenait pas d'une telle inconscience. Des obus farcis de chocolat ! Et pourquoi pas des bouteilles de parfum en forme de grenade ou de masque à gaz !

— S'emmerdent pas les civils, hein ? constata à côté de lui un sergent-chef attiré lui aussi par la vitrine.

— Tu peux le dire ! Ah ! les fumiers, ils mériteraient des vrais obus sur la gueule, oui ! s'exclama-t-il, heureux de pouvoir partager son indignation... Tu es du 120ᵉ de ligne ? demanda-t-il après avoir observé les écussons de son voisin.

— Ben, oui.

— Vous étiez à Mesnils-les-Hurlus, début mars ?

— Plutôt, oui !

— Nous aussi.

— Oh ! vous les artilleurs, dit l'autre, vous êtes plutôt planqués à l'arrière des lignes ! Juste bons à nous tirer dans le dos. Même pas foutus de régler vos canons, peinards comme à l'état-major... Allez, je rigole, s'excusa-t-il en voyant Pierre-Edouard caresser la cicatrice de sa joue. N'empêche, c'est vrai, quoi, des fois, vous tirez comme des cons. Vous pourriez faire gaffe quoi !

— On fait ce qu'on peut, tu sais... Allez, viens, on va boire un coup à la santé des artilleurs et biffins réunis !

— Et après, on cherchera des femmes. Ça me plairait bien moi de faire cocu un de ces salauds de civils !

Ils partirent vers Montmartre en devisant comme deux vieux amis.


En revenant de l'hôpital où il venait de fermer les yeux de son gendre, mort après onze mois de souffrances, Jean Duroux fut foudroyé par une crise cardiaque.

Il tomba rue de Bellechasse, à quelques mètres de son immeuble. Il avait cinquante-cinq ans. On l'enterra dans un caveau de famille qu'il possédait au cimetière de Montparnasse.

La nouvelle de son décès parvint deux jours plus tard à Saint-Libéral. Toute la commune fut touchée par ce nouveau deuil que Jean-Edouard fit annoncer en place publique par la femme du garde champêtre. Mais après avoir pris conseil auprès du docteur Fraysse, de ses amis et de quelques vieillards, Jean-Edouard, désormais maire en titre, décida de ne pas organiser de service funèbre.

La pratique en avait été abandonnée depuis le début de l'année, et seuls les trois premiers morts de la guerre avaient eu droit à cet honneur. Mais depuis, comment décemment poursuivre cette tradition, qu'il eût fallu renouveler tous les mois... Ce n'était pas possible, c'était remuer le fer dans la plaie et alourdir encore le climat de tristesse et d'angoisse qui régnait sur le village. En treize mois de guerre, la commune avait perdu onze hommes, tués au hasard du front.

Ainsi, nul service ne marqua le décès de Jean Duroux ; il n'était qu'un mort parmi tant d'autres. D'ailleurs, le vieux curé d'Yssandon ne voulait plus se déranger pour ce genre de cérémonies ; il avait la charge de plusieurs paroisses et n'avait matériellement plus le temps de courir de bourg en village chaque fois qu'un homme tombait au front.

Le décès du châtelain peina tout le monde, mais il y avait déjà tellement d'affliction, de larmes, qu'on en parla peu. Chacun était fermé sur sa propre douleur, sa propre inquiétude.

Avec le retour des premiers permissionnaires ou des blessés définitivement réformés, les gens de Saint-Libéral découvrirent la vraie guerre, celle que les journaux cachaient soigneusement. Pourtant, les hommes venant du front parlaient peu. Ils semblaient étrangers à tout, sonnés, comme ivres. Ils en dirent néanmoins suffisamment pour accroître le malaise général.

Tout sombrait. Les prix étaient devenus fous et, quoi qu'on fît, l'argent entrait mal. Chacun faisait pourtant son maximum mais, faute d'hommes, faute de bras, il avait fallu laisser nombre de terres en friche ; toutes celles, par exemple, qu'on travaillait à la main, avant la guerre, et elles étaient nombreuses. C'étaient les champs des pentes abruptes, où la charrue ne pouvait passer mais qui, avant août 1914, donnaient les meilleures récoltes, les plus précoces, ces primeurs qui faisaient la réputation et la richesse de la région. Et ces terres n'étaient pas les seules qu'il avait fallu délaisser ; d'autres, pourtant bonnes aux labours, se couvraient d'herbes folles. Le temps avait manqué pour les retourner au bon moment.

Bien sûr, les permissionnaires y allèrent de leur coup de main ; mais que pouvaient-ils faire en quelques jours, les pauvres bougres ? Et puis, ils étaient déjà tellement fatigués, tellement las, ils avaient un tel besoin de repos !

Léon débarqua à son tour le 10 septembre, mais on le vit à peine. Lui aussi dormit d'abord comme une brute, puis il arpenta solitairement toutes ses terres, traîna en foire de Brive et de Tulle, puis repartit sans même daigner mettre les pieds à la mairie. Jean-Edouard lui en voulut de ce mépris.

Huit jours après son retour de permission, Pierre-Edouard reçut une longue lettre de Léon, plusieurs pages d'une écriture fine. Grâce à elle, il renoua enfin avec la ferme ; mais il s'inquiéta d'apprendre que, faute de main-d'œuvre et de temps, son père avait dû laisser leur pièce des Malides en jachère et aussi toutes les terres des jardins.

Cela dit, les bêtes allaient bien, elles étaient en pleine forme. D'après Léon, elles atteignaient un prix incroyable ; il avait vu, en foire de Brive, des génisses de deux ans, tout juste pleines, se vendre six cent vingt-cinq francs pièce ! Un an plus tôt, elles valaient deux cents francs de moins... Quant aux veaux, il en avait vu partir à cent cinquante francs, encore n'étaient-ils pas terribles ! Tout cela était fou, mais tout n'était-il pas fou depuis la guerre ?

Ce fut par le post-scriptum qu'il apprit que son camarade était au front depuis plus d'un an. Aussi ne pourrait-il plus donner de nouvelles. Néanmoins, si Pierre-Edouard y tenait, il pouvait toujours écrire à sa sœur Mathilde, elle le renseignerait aussi bien que lui. Parce que, autant qu'il le sache, c'était elle qui, depuis le début, écrivait toutes les lettres...

— Quel voyou ! pensa Pierre-Edouard en riant silencieusement. Et moi, comme un âne, qui croyais qu'il avait appris à écrire ! Mais aussi, ça m'étonnait bien cette belle écriture de notaire ! Quel fieffé mercanti, ce Léon !

Mais il ne lui en voulut pas et se promit de correspondre désormais avec la petite Mathilde, cette gamine qu'il avait vu naître.

Deux jours plus tard, un bref mot de Louise le laissa sans voix, au bord des larmes. Jean, le doux garde forestier qui aimait tant les arbres, Jean était mort, quelque part dans un coin de Champagne...

Sur l'ensemble du front, le deuxième hiver commença et plus rien ne prouvait qu'il serait le dernier.

1916, 1917, années terribles, mois de cauchemars sans cesse renouvelés, jours et nuits d'horreur. Atroces tueries sur fond de gaz s'insinuant dans les boyaux glacés, figés par un hiver sans fin. Gaz aux sinistres volutes s'appesantissant dans les tranchées boueuses, puantes, nées d'un printemps sans espoir ; faux orages étalant ses nappes verdâtres sur la poussière lourde de mouches d'un champ de bataille écrasé par une canicule qui ne mûrissait nulle moisson ; crachin sournois, presque invisible, se mêlant aux brumes de l'automne, aux brouillards de novembre. Gaz ignoble qui corrodait tout, posait partout sa pourriture mortelle.

Pierre-Edouard subit tout cela, connut le désespoir, l'abattement et cette immense lassitude qui paralysait la volonté, l'engourdissait dans la gangue épaisse du fatalisme et ne laissait au fond de l'homme que les sentiments les plus élémentaires : manger, dormir, survivre ; en oubliant la minute passée, en annihilant jusqu'à l'idée de celle à venir, en subissant simplement l'instant présent.

Il délaissa même les souvenirs et les idées qu'il aimait évoquer, jadis : ses champs, ses terres, Saint-Libéral. Tout cela était trop loin, trop humain, intouchable, dans un autre monde, un univers inaccessible. Et s'il continua à donner parfois des nouvelles à sa mère, il n'écrivit jamais à la sœur de Léon, tant l'idée de s'inquiéter pour des terres, des bêtes ou des récoltes lui semblait dérisoire, enfantine. De telles choses n'avaient plus aucun poids devant la mort ; cette mort qui avait rendu Louise veuve pour la deuxième fois et qui continuait, tout autour de lui, à faucher ses camarades.

Les mois coulèrent, ponctués par des combats hallucinants. Ceux d'Eix et de Douaumont, en février ; du bois de la Caillette et de Thiaumond, en avril. Puis la Somme, en juin, avec ses batailles de la ferme Monacu, de Cléry. Et surtout, à la fin du mois, six jours durant, sans arrêt, méthodiquement, le plus gigantesque, le plus long, le plus dense des bombardements jamais effectué par l'artillerie française. Pilonnage sans précédent, préparant la formidable ruée qui, à 7 h 30, le matin du 1er juillet, et sur quarante-cinq kilomètres de large, jeta les troupes d'assaut vers Bapaume et Péronne.

Et puis, une fois encore, la stagnation, l'enlisement dans un nouvel hiver. Longs mois pendant lesquels un froid exceptionnel figea les deux armées dans la boue durcie des tranchées. En février 1917, la température tomba à moins 20º, paralysa les hommes, les chevaux, la guerre même.

Courte trêve qui déboucha sur l'immonde boucherie du Chemin des Dames et du plateau de Craonne. A compter de ces jours, ni Pierre-Edouard ni ses camarades ne se flattèrent d'avoir eu, en début de guerre, un colonel nommé Nivelle.

En octobre, alors que le souvenir des mutineries et des exécutions flottait encore çà et là, Pierre-Edouard bénéficia d'une nouvelle permission. Il avait un tel besoin de repos, de calme, de paix, qu'il partit sans hésiter pour Saint-Libéral.

# 22

Rares furent ceux qui le reconnurent. Il ne restait plus rien du jeune homme qui avait pris la route un matin de janvier 1911. On avait cru alors qu'il reviendrait bientôt, calmé, repentant. Il ne réapparaissait qu'aujourd'hui, presque sept ans plus tard, modelé, ciselé, durci ; homme mûr en qui rien ne subsistait des traits encore juvéniles dont on avait gardé le souvenir.

Il arriva par le train du matin et fut tout de suite frappé par le silence du bourg, par le vide de la grand-place, le manque d'animation et l'absence des hommes.

Il croisa quelques femmes, plusieurs en deuil, qui lui rendirent timidement son salut, avec gêne, comme on répond à un étranger dont on ne comprend pas l'amabilité.

En pénétrant chez lui, il fut surpris par l'état de la cour, son désordre, la saleté accumulée un peu partout, les outils qui traînaient, épars. Jadis, la cour était toujours propre, rangée, nettoyée par le grand-père et la grand-mère qui mettaient leur point d'honneur à offrir aux passants, aux voisins, l'aspect d'une ferme bien tenue. Maintenant, il était clair que nul n'avait plus le temps de racler les bouses, d'élever le tas de fumier au carré, de remettre chaque outil à sa place.

La maison était vide. Là, rien n'avait changé ; il posa son sac, ressortit, alla aux étables et y trouva un vieillard rabougri, à la lippe d'idiot et au regard fuyant. Il reconnut le commis dont Léon lui avait parlé.

— C'est toi, Abel ?

L'autre recula, s'abrita derrière sa fourche, avala péniblement sa salive.

— Réponds, quoi ! Je vais pas te bouffer, t'es bien trop maigre. Alors, où sont les parents ?

— Tu serais pas le fils Vialhe, des fois ? balbutia le vieux.

— Si. Où sont les parents ?

— T'es plus vieux que j'aurais cru. Dis, si tu reviens, je vais perdre ma place, alors ?

— T'es encore plus couillon qu'on me l'avait dit ! Où sont les parents ?

— Au plateau, dans la terre du Peuch, ils labourent. Dis, c'est vrai que t'étais à la guerre ? Elle est finie peut-être, si t'es de retour ?

Pierre-Edouard maugréa quelques insultes et sortit. Il s'élança peu après dans le chemin qui grimpait jusqu'aux terres du plateau et se sentit renaître.

Les rapports qui s'établirent entre son père et lui furent curieux. Ni bons ni mauvais — neutres.

Trop d'années avaient passé et trop d'événements s'étaient accumulés pour que Jean-Edouard, comme il se l'était maintes fois promis, pût reprendre en main un fils qu'il jugeait rebelle et à qui il ne pardonnait toujours pas son départ. Mais comme, d'un autre côté, il était secrètement ravi de le retrouver sain et sauf et aussi, sans vouloir se l'avouer, très fier de ses galons d'adjudant-chef, de ses brisques et de sa croix de guerre où scintillaient deux clous, il jugea prudent, pour éviter toute effusion — de rancœur ou de joie — de se cantonner dans un attentisme bourru.

En fait, et bien qu'il ne voulût point le reconnaître, son fils le déconcertait, l'étonnait même, comme étonne et surprend un homme que l'on croyait bien connaître et qui, soudain, se révèle sous un aspect totalement inconnu, désarmant.

De son côté, Pierre-Edouard était trop las, trop fatigué pour avoir envie d'entamer la moindre discussion et, à plus forte raison, la plus petite dispute. Croiser le fer avec son père lui semblait puéril. Il adopta donc, lui aussi, une ligne de conduite proche de l'indifférence.

Enfin, et bien qu'il s'y fût préparé, la mort de plusieurs de ses camarades du village le toucha profondément. Jacques Bessat et Edmond Vergne, morts ; morts aussi André Duplat, Edouard Delpy et son frère Jacques, Serge Traversat, François Laval, tant d'autres encore ; c'était à hurler.

Aussi ne fut-il pas tendre avec sa mère. Il la trouva aussi

geignarde et larmoyante que dans ses lettres, se plaignant sans cesse de l'absence de Berthe, dont elle était sans nouvelles, de Louise qui n'écrivait jamais, du travail insurmontable, de la vie qui ne cessait d'augmenter et de toutes ces belles pièces d'or que son père avait échangées contre du papier.

— De quoi vous plaignez-vous ? lui jeta-t-il dès le premier soir, pendant le souper. Berthe n'est pas au front ? Alors, qu'est-ce qu'elle risque ! Vous avez donné votre or ? Tant pis pour vous, ça vaut mieux que de donner ses bras, ses jambes ou le reste ! Quant à Louise, parlons-en ! Vous êtes là à pleurer dans la soupe pour des bêtises, alors, qu'est-ce qu'elle doit faire, elle ! Elle qui est veuve pour la deuxième fois ! Parfaitement, elle s'était remariée, et c'était son droit ! Son mari est mort il y a deux ans, en Champagne. Et elle est seule ! Et vous qui êtes là, tranquilles comme des embusqués, vous venez vous plaindre ! Merde alors !

Jean-Edouard, qui assistait à la scène, n'ouvrit pas la bouche pour le faire taire mais sa colère se déversa brutalement sur Abel, ce sinistre crétin, qui lapait sa soupe en bout de table et qui avait le culot de ricaner en bavouillant.

Pierre-Edouard évita soigneusement de s'afficher dans le bourg. Il y avait là trop de femmes en deuil qu'il ne fallait pas provoquer, trop d'épouses et de mères inquiètes qu'il lui aurait fallu rassurer, informer ; il n'en avait pas le courage.

·Ce fut donc vers les bois, les puys, le plateau qu'il dirigea ses pas. Là, dans le silence, la douceur d'un automne qui ne troublait aucune mitraille, il refit ses forces, se retrempa, retrouva peu à peu la saveur des journées sans alertes, sans tirs de barrage, sans camarades éventrés.

Au troisième jour de sa permission, sa flânerie l'amena jusqu'en haut du puy Blanc, où, dix-sept ans plus tôt, Léon l'avait entraîné avec Louise pour relever les collets à grives — ces grives qu'il avait fallu jeter aux loups ! Il sourit, contempla tout le plateau où, là-bas, au loin, son père et sa mère labouraient la pièce du Peuch. Ni l'un ni l'autre n'avaient voulu de son aide.

— On fera bien tout seul, on a l'habitude. Repose-toi, va, lui avait dit son père.

Il n'avait pas insisté. D'ailleurs, il ne se sentait pas, au fond de lui, cet attrait au travail, cette excitation, qui le poussaient joyeusement dans les labours, avant la guerre...

A ses pieds, au bas du puy, à cinquante mètres de là, au milieu des buis et des genévriers où sifflaient les merles, il aperçut sept à huit vaches qui grimpaient parmi les vestiges des murettes effondrées. De belles limousines, dont les formes rebondies ne devaient rien à la maigre pâture dans laquelle elles s'égaillaient comme des folles. Un chien bondit, les regroupa, tenta de les pousser vers une prairie encore riche de sainfoin. Mais les vaches, folâtres, galopèrent dans les buissons, s'y frottèrent avec délice pour chasser leurs mouches.

« Dans le temps, cette pièce de sainfoin était au châtelain », pensa Pierre-Edouard. Puis il s'amusa de la soudaine apparition d'une petite silhouette qui courait à travers les genévriers en agonisant les vaches d'injures. Il se leva, dévala la pente, coupa la route des bêtes, et les poussa vers la prairie.

— Merci, Pierre !

La voix, un peu essoufflée, mais fraîche, le fit se retourner. Il resta un instant stupéfait devant la jeune fille qui lui souriait. De là-haut, il l'avait prise pour un gamin.

Elle était mignonne à croquer, cette brunette, plutôt petite, mais bien faite, aux yeux vifs d'un marron profond, au petit nez légèrement retroussé, aux bonnes joues rosies par le grand air et au sourire très doux, esquissé par des lèvres d'un rouge vif. Il apprécia aussi les seins, menus certes, mais qui remplissaient bien le corsage, admira la finesse de sa taille, aima la courbe douce des hanches que ne parvenaient pas à épaissir la lourde jupe et le tablier bleu.

— Tu me connais ? demanda-t-il enfin.

— Oh oui !

— Eh bien, moi, je ne te connais pas. Tu es du village ?

— Bien sûr.

— Ça y est, dit-il après l'avoir dévisagée, je sais ! Tu es la dernière fille de Gaston, la petite Françoise.

Elle éclata d'un rire frais qui fit briller ses yeux d'un éclat malicieux.

— La Françoise a vingt-cinq ans ! Vous me croyez si vieille ?

— Alors, de qui êtes-vous la fille ? interrogea-t-il en

adoptant sans même s'en rendre compte le voussoiement dont elle usait à son égard.

— Je suis la sœur de Léon.

— Bon Dieu ! C'est toi, Mathilde ?

Il la détailla de nouveau, hocha la tête, Mathilde ! Il ne l'avait pas revue depuis qu'il était parti au service et gardait d'elle le souvenir d'une gosse joufflue, presque un bébé.

— Vous ne m'avez pas reconnue, c'est vrai ? insista-t-elle.

— Fichtre non ! Comment voulais-tu ! Alors c'est toi qui écrivais les lettres, ça alors ! Mais où étais-tu il y a sept ans, quand je suis revenu du régiment ?

— Chez les sœurs, à Allassac. Léon a voulu que je m'instruise, dit-elle sans cesser de sourire.

— Et il a eu bougrement raison ! Dis, dans le temps, tu me tutoyais, tu as oublié ?

Elle rougit un peu.

— Non, je n'ai pas oublié, mais enfin je ne savais pas si…

Il s'approcha d'elle, lui posa la main sur l'épaule.

— Alors, c'est toi Mathilde, répéta-t-il. Ça alors… Tu sais, tu es devenue vraiment très jolie, ajouta-t-il sincèrement, oui, très jolie. Et je suis bien content de connaître enfin celle qui m'écrivait de si belles lettres. Au fait, où est Léon ? Comment va-t-il ?

— Bien. Il est venu en permission au mois d'août. Il est caporal-chef, ajouta-t-elle fièrement, et lui aussi il a la médaille !

— Ça ne m'étonne pas de lui. Et où est-il ?

— Quand il est venu, il m'a dit qu'il était du côté de Reims. C'est très dangereux là-bas, n'est-ce pas ? demanda-t-elle soudain angoissée.

Il se souvint que, pour elle, Léon avait été le père, le chef de famille, une sorte de dieu qui l'avait élevée, qui lui rapportait une babiole de chaque foire, qui l'adorait. Il l'attira doucement contre lui, caressa ses cheveux.

— Dangereux, là-bas ? Penses-tu ! C'est un des secteurs les moins exposés, presque le plus calme du front, dit-il sans que sa voix ni ses yeux ne trahissent son mensonge. Là-bas, à la place du pinard, les copains ont du champagne ! Tu te rends compte de la chance qu'il a, Léon !

— Pourtant, les journaux disent…

— Les journaux disent n'importe quoi, comme d'habitude.

Allez, ne t'inquiète pas pour lui. Débrouillard comme il est, tu penses bien qu'il a trouvé un bon coin !

— Ce n'est quand même pas un embusqué ! protesta-t-elle en lui lançant un regard scandalisé.

— Pas du tout ! La preuve, il a eu la croix, alors !

— C'est vrai, dit-elle soudain tranquillisée. Elle le dévisagea intensément. Et vous, enfin... toi, là où vous êtes, c'est très dangereux ? demanda-t-elle en lui posant les mains sur les épaules.

— Mais non, c'est très calme aussi..., murmura-t-il, ému de la sentir si proche.

Ses yeux plongèrent vers son corsage et il s'en voulut de la pensée qui le traversa brutalement, accélérant le rythme de son cœur et de sa respiration. Il tenta de chasser le souvenir, vieux de plus de dix-sept ans, de cette soirée où sa mère et sa grand-mère avaient parlé de Mathilde et de cette tache de naissance qu'elle portait sous le sein — lequel d'ailleurs ? le gauche ou le droit ? — une tache comme un petit croissant de lune. Il s'efforça d'effacer la vision qui le troublait.

Jadis, dans son imagination d'enfant, il s'était représenté cette marque, petite faucille brune sur le torse plat d'un bébé, mais aujourd'hui... Aujourd'hui, c'était juste sous ses yeux, là, à quelques centimètres, le doux sillon qui séparait les petits seins ronds, dont l'un — mais lequel, bon Dieu ! — s'ornait d'un grain de beauté...

Ce fut elle qui, sans même s'en douter, accrut encore son trouble.

— Pourtant, dit-elle en passant lentement un doigt sur sa joue, vous avez été blessé. Pardon, je veux dire... tu n'avais pas cette marque avant. On voit bien qu'elle est récente.

Il détourna un peu la tête, lui effleura le dos de la main du bout des lèvres, puis l'intérieur du poignet. Sa peau était douce, fraîche comme une eau de source. Il se ressaisit et l'écarta un peu.

— Tu sais, tu es plus redoutable qu'une batterie de 420 ! plaisanta-t-il d'un ton qu'il voulait détendu. Et puis, tu as de la chance d'être la petite sœur de Léon ! Tiens, regarde tes vaches, elles ont filé !

— Bah ! elles n'iront pas loin. D'ailleurs, elles ne sortent pas de chez nous.

— Comment ça, chez vous ? Elles sont dans les terres du château, oui !

Elle secoua la tête.

— Non, depuis qu'elle est veuve la fille du châtelain nous les laisse en location.

— Tu m'en diras tant ! Mais, j'y songe, qui s'occupe de tout le troupeau de Léon ? Il n'a pas que ces sept vaches ?

— Oh non ! Mais on a deux commis, des vieux, et puis ma mère et moi on fait ce qu'on peut. Voilà. Dis, tu ne repars pas tout de suite ?

— Tu veux dire ce matin ? Oh ! je peux t'aider à garder tes bêtes si tu veux, assura-t-il en souriant, mais que vont dire les gens s'ils nous voient ensemble ?

— Il n'y a personne, et puis on sait bien que je suis sérieuse !

— Sérieuse ? dit-il d'un ton faussement grave. Alors qu'est-ce que tu fais là, tout contre moi ?

— Avec toi je ne risque rien. Je te connais, tu sais... J'écrivais les lettres, mais je lisais les tiennes aussi. Parce que Léon, il ne sait pas beaucoup lire non plus...

— Ah, je comprends ! Attends que je le revoie, ton voyou de frère, il va prendre une de ces engueulées ! maugréa-t-il très gêné, car il venait de se souvenir d'avoir fait part à son camarade de quelques-unes de ses conquêtes. Il était même certain de lui avoir donné des prénoms et cité quelques qualités...

Elle le vit désemparé, en devina intuitivement la raison.

— Oh ! je parie que tu penses à toutes ces filles ! lança-t-elle gaiement, mais c'est vieux tout ça. Et puis, à l'époque, j'étais si petite ! D'ailleurs, tu sais, ça ne me dérange pas, ça ne m'empêche pas d'avoir confiance. Moi, je ne suis pas une fille, alors je ne risque rien !

Il en resta tout bête, tout gauche. Il était beaucoup plus troublé qu'il n'aurait voulu. Troublé comme jamais par ce petit bout de femme aux yeux sombres qui, en quelques instants, en quelques phrases, venait d'éveiller en lui un sentiment encore inconnu, d'une douceur insoupçonnée. Un sentiment qui était sans aucun rapport avec ceux qui l'avaient poussé dans les bras de Justine, la petite Parisienne qu'il avait connue pendant ses permissions, ou de Françoise, cette chaude garce de Saint-Mesmes.

— C'est vrai, murmura-t-il enfin en lui caressant lentement les sourcils du bout de l'index, tu as raison, tu ne risques rien.

Puis il lui posa un rapide baiser sur la joue, prit sa main :

— Allez, dit-il, viens, on va aller garder tes vaches, ça me rajeunira.

Le retour fut atroce, pire que tout ce qu'il avait redouté. Il savait bien, pourtant, que chaque fin de permission était un abominable déchirement, une torture morale à laquelle certains ne résistaient pas. C'étaient ces malheureux qui, au plus fort d'un bombardement, bondissaient en avant comme des fous pour recevoir enfin ce coup de fouet brûlant qui les libérait de ce cafard insurmontable, de ce cancer qui les minait.

Le train qui l'emportait n'était pas à cent mètres de Saint-Libéral que Pierre-Edouard sombra, lui aussi, dans le plus noir désespoir. La veille au soir, déjà, lorsqu'il avait fait ses adieux à la petite Mathilde, seule la certitude qu'elle était encore plus touchée que lui, plus vulnérable, l'avait soutenu, contraint, même, à afficher un détachement et un optimisme qu'il était à mille lieues d'éprouver.

Il avait presque réussi à plaisanter et lui avait fait les gros yeux lorsque, câline et toute brûlante, elle s'était allongée sous un grand buis du puy Blanc et l'avait attiré contre elle, sur elle, dans un enlacement plein de fougue, un don total. A cette seconde, il aurait pu tout faire, tout obtenir et tout détruire, sans doute, et rendre encore plus violents les reproches qu'il s'adressait.

Car si Mathilde était toujours la petite jeune fille aimée aussitôt que découverte quelques jours auparavant, il savait que, maintenant, pour elle comme pour lui, l'attente serait encore plus longue, plus terrible. La vie n'était-elle pas déjà assez dure sans y ajouter, comme à plaisir, les affres de la séparation ?

Au front, il avait mesuré à quel point ses camarades, mariés ou fiancés, étaient vulnérables à cette absence de l'épouse, des enfants, de l'amie, à ce vide. C'étaient eux qui guettaient fébrilement l'arrivée du vaguemestre, eux qui lisaient, relisaient les lettres d'où, parfois, glissaient des pétales de fleurs, des mèches de cheveux, des rubans, des photos. Eux qui, privés de nouvelles, étaient rongés par l'inquiétude et l'angoisse, parfois même par le doute.

Jusqu'à ce jour, il n'avait pas connu cette forme de supplice et Mathilde non plus, car, pour inquiète qu'elle ait été au sujet de son frère, elle n'attendait pas son retour comme elle allait désormais attendre le sien.

Et c'était cela qu'il se reprochait, de l'avoir entraînée dans cette folie. D'avoir oublié, avec elle, que la guerre était là, d'avoir feint de croire que l'avenir leur appartenait. Il aurait dû tout faire pour éviter que n'explose en eux cette flamme furieuse, cet embrasement qui, dès les premiers instants, les avaient poussés l'un vers l'autre, irrémédiablement.

Mais il était trop tard pour revenir en arrière, pour effacer de sa mémoire des souvenirs dont elle était le soleil. D'ailleurs, il ne le voulait pas ; tout son être s'opposait farouchement à cet oubli. Et, déjà, flottait devant ses yeux la petite silhouette de la jeune fille, son visage, ses mains. Et son rire chantait.

L'appel des classes 18 porta un nouveau coup à Saint-Libéral, et il fallut restreindre encore l'ensemble des cultures.

Peu à peu, les champs abandonnés depuis plusieurs années retournèrent à la friche, se couvrirent d'arbrisseaux, frênes, ormes, charmes. Ailleurs, la bruyère, les genêts et les fougères réinvestirent toutes les places gagnées jadis par les hommes, mangèrent peu à peu les jachères, envahirent les prairies que nul faucheur ne nettoyait plus.

A l'image du pays tout entier, les productions de la communes chutèrent considérablement. Mais, paradoxalement, et par le jeu d'une inflation galopante excitée par la pénurie, l'argent afflua comme jamais. Et si le début du conflit avait atteint l'économie, sa poursuite lui rendit son dynamisme. Tout se vendait, car tout manquait.

Dès 1916, cette situation avait incité Jean-Edouard à emblaver en blé toutes ses terres disponibles, celles, du moins, qu'il avait le temps de cultiver. Comme tout le reste, et bien qu'il fût théoriquement taxé à trente-trois francs le quintal, le prix du blé semblait atteint de folie, et de vingt-cinq francs les cent kilos en 1914, il grimpa, après les moissons de 1917, jusqu'à la somme fabuleuse de cinquante francs, et on disait déjà qu'il serait à soixante-quinze francs avant la fin de 1918 !

Mais pour les hommes de la génération de Jean-Edouard, plus habitués à compter en sous et en centimes qu'en milliers de francs, ce flot d'argent sentait la crise. D'ailleurs, à leurs yeux, les billets, pour gros qu'ils fussent, ne valaient pas toutes ces bonnes pièces d'or dont ils s'étaient peu à peu défaits au fil des souscriptions.

Bien sûr, Jean-Edouard n'avait pas tout donné. Bien sûr, il conservait précieusement un viatique en napoléons de vingt francs. Néanmoins, la certitude que le papier-monnaie ne représentait rien l'incita à se mettre en quête de nouvelles terres. Mais qui pensait vendre de la terre, en pleine guerre ! Il prévint malgré tout le notaire, et attendit.

Il patienta jusqu'en mai 1918. Vers le 15 de ce mois, la fille aînée du regretté Jean Duroux fit savoir à Mᵉ Lardy qu'elle désirait vendre, au plus vite, les deux métairies de sa dot, soit quatorze hectares, dont quatre et demi de très bonnes terres situées sur le plateau. On apprit, bien des années plus tard, que la malheureuse veuve avait réalisé tous ses biens avant d'épouser et de suivre dans son pays un officier américain.

Dès qu'il reçut sa lettre, Mᵉ Lardy alla prévenir Jean-Edouard.

— Vous dites qu'elle vend ses deux métairies ? demanda Jean-Edouard en rangeant distraitement les papiers et circulaires qui s'entassaient sur son bureau.

— Les deux, oui. Alors, puisque tu m'as dit que tu cherchais des terres...

— Oui, mais pas quatorze hectares ! Que voulez-vous que j'en fasse ? Déjà que je n'ai pas le temps de cultiver toutes mes parcelles !

— Pierre-Edouard va bien revenir. Cette guerre ne peut plus durer.

— Oh ! Pierre-Edouard, si je dois compter sur lui ! Et puis, quand bien même, je n'ai pas de quoi acheter quatorze hectares.

— Pourtant, c'est donné. Je ne comprends pas pourquoi elle vend ! C'est vraiment mal choisi comme moment, et si elle était venue, je le lui aurais dit. Mais elle veut faire vite, alors...

— Combien ?

— L'un dans l'autre, mille neuf cents francs l'hectare. Un cadeau, quoi !

Jean-Edouard joua avec son porte-plume, puis fit la grimace.

— C'est pas rien, dites ! Quand je pense que j'ai payé mille deux cent cinquante francs celles que vous m'avez vendues avant la guerre !

— Ne plaisante pas, tu sais très bien que tout a doublé ou

triplé depuis, sauf la terre. C'est normal : qui peut vouloir acheter en ce moment !

Jean-Edouard se décida très vite.

— Bon, je suis preneur des champs qui sont sur le plateau. Vous dites qu'il y a dans les quarante-cinq cartonnées ? Ça ira. Quant au reste, je n'en ai que faire.

— Tu as tort, je t'assure que c'est un cadeau.

— Peut-être, mais j'ai pas assez de sous.

— Allons donc... Je comprends que tu ne veuilles pas entamer tes réserves, mais dans ce cas, emprunte. Tu ne pourras pas faire un meilleur placement.

— Non, coupa sèchement Jean-Edouard, les Vialhe ne mangent pas de ce pain-là. Nous, quand on achète, c'est avec nos sous. Je ne suis pas à la veille de me lancer dans vos histoires d'emprunt, c'est comme ça qu'on ruine une maison. Moi, je préfère avoir moins, mais avec mon argent. Je ne veux rien devoir à personne.

— Dommage, je crois que tu fais une sottise. Enfin, ça te regarde. Bon, je prends acte de ta proposition et je vais voir qui peut être intéressé par le reste. De toute façon, je dois te prévenir honnêtement que, même pour les terres qui t'intéressent, elles iront au plus offrant.

— Bien sûr, acquiesça Jean-Edouard en souriant. A condition de le trouver !

L'obus de 150 tomba à moins de cinquante mètres de la batterie, un second projectile s'en approcha jusqu'à vingt mètres. « On est repérés, les prochains sont pour nous et on va en prendre plein la gueule..., songea Pierre-Edouard, accroupi derrière un abri sommaire.

C'était toujours la même chose : tout allait à peu près bien lorsqu'on pouvait soi-même tirer en dissimulant sa position, mais si par malheur un avion ou un observateur à terre apercevait la fumée de vos coups de départ, cela devenait l'enfer. Et là, l'ennemi avait beau jeu. Dans sa poussée vers Compiègne, il venait de s'infiltrer dans la vallée du Matz et s'installait maintenant sur le plateau de Lataule. De là-haut, il voyait tout...

« Maintenant, ils ont eu le temps de rectifier leur tir, songea Pierre-Edouard, ça ne va pas tarder à pleuvoir dru. »

Il toucha dans sa poche, contre son cœur, la petite photo que Mathilde lui avait envoyée. Ce fut son dernier geste, sa

312

dernière pensée avant qu'un énorme soleil n'explose devant lui. Il était 14 h 30.

Ce même jour, 9 juin, à la même heure, M<sup>e</sup> Lardy se présenta à la mairie pour faire part à Jean-Edouard du résultat de ses démarches. Depuis sa première visite, trois semaines plus tôt, tout avait évolué dans un sens absolument imprévisible ; la situation avait pris une tournure presque invraisemblable. En trente-cinq ans de métier, le notaire n'avait jamais vu un tel renversement. Jamais, non plus, il n'avait eu à discuter avec une interlocutrice aussi jeune. Il était encore stupéfait — et admiratif — de la façon dont la petite Mathilde avait mené l'affaire. Il pensa, une fois de plus, que la guerre avait changé bien des choses en donnant aux femmes la possibilité d'accéder à toutes les responsabilités.

— Alors ? demanda Jean-Edouard.

— Elle n'en démord pas, et telle que je la vois partie, elle est prête à surenchérir encore..

— Miladiou de miladiou, cette morveuse ! Cette petite garce ! Elle est pire que son frère ! Vous lui avez dit que j'irai jusqu'à deux mille cent cinquante francs l'hectare ?

— Bien entendu, mais elle a aussitôt annoncé qu'elle prenait à deux mille deux cents...

— Mais elle est folle ! Et puis, bon Dieu, d'où elle sort son argent ?

— Ce n'est pas le sien, tu sais bien, c'est celui de son frère Et lui, il en a, parce que la guerre n'a pas empêché son troupeau de grandir...

— Quel salaud ! Bon Dieu, quel voleur !

Depuis huit jours, Jean-Edouard ne décolérait plus. D'abord, lorsque le notaire lui avait annoncé que Mathilde s'était porté acquéreur, il avait cru à une farce.

— Vous plaisantez ? D'ailleurs, elle ne peut rien faire, elle n'est pas majeure.

— Sans doute, mais elle est émancipée depuis le départ de Léon.

— Et alors ?

— Alors, elle a parfaitement le droit de traiter au nom de son frère, et c'est ce qu'elle fait.

Il en était resté stupéfait. Stupéfait qu'une gamine, haute

comme trois queues de chèvres, ait l'audace ae vouloir conduire, seule, une telle opération.

— Mais bon sang ! s'était-il entêté, je n'y connais rien, moi, en droit, mais elle ne peut quand même pas signer ! Il faudra bien que ce soit Léon qui le fasse ! Or il n'est pas là, et vous m'avez dit que la vente pressait, alors... Tenez, si vous voulez, moi je signe tout de suite, là, et je paie !

— Ce n'est pas si simple. D'ailleurs, la signature n'est pas un problème. En partant, Léon a donné procuration à sa mère...

— Merde, alors ! Il a pensé à tout ce fumier !

Et cela aussi le rendait furieux. Léon avait effectivement tout prévu. Et maintenant, le notaire lui confirmait à quel point il avait sous-estimé son adversaire. A quel point, aussi, était redoutable ce petit bout de femme de Mathilde, peut-être même plus dangereuse que son frère, parce que plus instruite.

— Vois-tu, expliqua le notaire, Mathilde m'a tout raconté. A son départ, Léon lui a donné consigne de surveiller tout ce qui se vendrait sur la commune et d'acheter le meilleur. Alors, tu penses si elle a sauté sur l'affaire et si elle y tient !

— Une gamine dans cette affaire d'hommes ! C'est un scandale, grogna Jean-Edouard. Bon, décida-t-il soudain, allez dire à cette morveuse que je prends à deux mille deux cent cinquante. Moi je veux pas aller la voir, ni discuter avec elle, je la calotterais, juste pour lui apprendre à vivre ! Qu'est-ce que c'est que cette pisseuse qui se prend pour un homme ! Dites-lui deux mille deux cent cinquante, on verra qui gagnera pour finir ! Je les foutrai sur la paille qu'ils n'auraient jamais dû quitter.

— Ecoute, je vais te donner un conseil, laisse-lui ces terres. Non, ne t'énerve pas, laisse-moi parler. Je te l'ai dit, je sors de chez elle. Eh bien, crois-moi, la petite Mathilde ira jusqu'à deux mille cinq cents s'il le faut, davantage même, mais elle aura les terres...

— Alors j'irai plus haut !

— Elle égalisera au dernier moment et c'est à elle que la fille de ce pauvre Duroux donnera la préférence.

— Qu'est-ce que vous en savez ? Mon argent vaut bien le sien, non ?

— Oui... Oh ! je peux bien te l'avouer... Mathilde lui a écrit, à la veuve, elle me l'a dit. Elle m'a surtout dit que la

314

fille Duroux préférerait toujours vendre à elle, c'est son droit...

— Elle a osé faire ça! Elle a osé écrire! Ah, bon Dieu! souffla Jean-Edouard hors de lui.

— Eh oui! mon pauvre, ces femmes sont bien surprenantes, et lorsqu'il s'agit de s'entendre sur notre dos... Alors voilà. Libre à toi de persister, mais tu ne gagneras pas. Ah! au fait, elle accepte quand même de te laisser les cent trente-cinq ares qui sont encastrés entre tes pièces.

— Ah, bon! ironisa Jean-Edouard, maintenant, c'est elle qui fait les découpes! Nom de Dieu, pour qui me prend-elle? Mais, ma parole, je vais croire que c'est vous qui la conseillez! hurla-t-il soudain. Parfaitement! Qu'est-ce que vous croyez? Qu'on a oublié que votre femme est sa marraine! C'est pas vrai, hein? C'est pas la marraine de cette fille de pendu?

— Mon pauvre ami, tu déparles complètement, coupa sèchement le notaire. Alors, tu la prends cette pièce?

— Non! J'en veux pas de ses cadeaux à cette garce!

— Tu as tort, ce n'est pas un cadeau. Tu sais, elle sait lire un cadastre, la petite. Cette terre est prise entre les tiennes, alors ça ne l'intéresse pas beaucoup, surtout qu'il faut passer chez toi pour s'y rendre... Enfin, libre à toi de laisser Léon s'installer au milieu de ta propriété!

— Bon, ça va, trancha Jean-Edouard, vaincu mais blême de rage. J'achète ce bout puisqu'on veut bien me le laisser. Mais j'achète tout de suite! Et vous pourrez dire à cette petite salope et à son fumier de frère que je ne les oublierai pas. Un jour, je leur ferai regretter toutes ces malhonnêtetés...

L'acte fut signé le lendemain. Mathilde écrivit aussitôt à Pierre-Edouard pour lui annoncer que Léon venait de faire acheter, pour elle, pour sa dot, trois hectares de ces excellentes terres du plateau, celles qui s'étendaient au pied du puy Blanc, celles de leurs rendez-vous pendant sa permission, leurs terres... Puis elle écrivit à son frère pour lui rendre compte et le remercier encore de sa générosité.

Ni l'un ni l'autre ne purent prendre connaissance de ces nouvelles. Le 11 juin 1918, Léon, qui se trouvait sur le front d'Italie, fut fauché par une rafale de Maxim lors des combats de la Piave. Une première balle lui brisa le péroné droit, une seconde le tibia gauche, juste sous le genou, et la troisième lui arracha le poignet gauche.

## 23

MATHILDE reçut un choc terrible lorsqu'elle apprit que son frère venait de tomber sur le front d'Italie. Cependant le fait de le savoir vivant, quoique gravement atteint, la réconforta un peu. Bien sûr, il était blessé, mais désormais il était à l'abri, la guerre ne le tuerait plus.

Le lendemain, ce fut le facteur en conversation avec sa mère, qui lui porta un nouveau coup, horrible.

— Quelle hécatombe ! dit-il en déposant le journal. Hier, votre pauvre Léon. Aujourd'hui le gars de chez Vialhe...

— Il est... ? interrogea faiblement sa mère.

— Je sais pas, vous connaissez le père Vialhe, il est pas très causant. C'est cette pauvre Marguerite qui me l'a dit, paraît qu'il est quasi foutu. Enfin, c'est ce qu'elle m'a raconté...

Mathilde faillit courir chez les Vialhe, pour savoir, pour se débarrasser de ce poids qui l'écrasait. Mais elle avait la certitude qu'on la jetterait dehors, qu'on l'insulterait même, et qu'on ne lui dirait rien.

Alors, pour elle, commença une longue attente, une angoisse de chaque minute, rendue encore plus pénible par les réflexions de sa mère. La pauvre femme, avait découvert, dès les premiers jours, les fréquentations de sa fille avec Pierre-Edouard. Par la suite, les lettres — parfois quatre par semaine — lui avaient fait comprendre que l'affaire était sérieuse, solide, et elle s'en effrayait, s'affolait à l'idée des réactions du père Vialhe et de Marguerite.

— Je te l'avais bien dit qu'il n'était pas pour toi, gémit-elle dès que le facteur eut tourné les talons. Les gens comme les Vialhe n'épousent pas les filles de petits métayers ! Tu vois, même le bon Dieu ne le veut pas... Tu te souviens pas de tout, toi, mais eux, oui... Si tu savais comment on vivait avant... avant que Léon gagne des sous ! Et pour eux, on restera toujours des misérables. Tu verras, ils nous reparleront de ton pauvre père...

— Ça m'est égal ! Pierre-Edouard n'a pas besoin d'eux !

— On dit ça... Suppose que son père le déshérite ! Regarde ce qu'il a fait avec ses filles !

— Tant pis ! Léon nous aidera, lui, je le sais. Mais pourvu que... Comment savoir...

Elle dut patienter encore cinq jours et cinq nuits, affreux, désespérants. Elle guettait chaque matin le facteur, courait vers lui dès qu'il sortait de la poste, puis revenait en somnambule subir chez elle cette attente qui n'en finissait pas, et qui se transformait en certitude de la mort de son fiancé. Alors, elle se répétait que cela au moins, elle le saurait. Les Vialhe le diraient ! A moins que, fous d'orgueil comme ils étaient, ils gardent leur douleur pour eux seuls...

Enfin, au sixième matin, la lettre arriva. Quelques mots, presque rien, l'essentiel.

Elle courut jusqu'à l'église, alluma dix gros cierges devant la statue de la Sainte Vierge, dix devant saint Joseph, et dix devant saint Eutrope. Et là, assise au milieu de toutes ces flammes, folle de bonheur, transfigurée par la chaude et palpitante lueur des cierges, pour la première fois depuis six jours, enfin, elle se laissa aller et pleura.


De ses premières journées à l'hôpital, Pierre-Edouard conserva un souvenir nébuleux, parfois traversé par de lointaines conversations qu'il enregistrait sans savoir qui les tenait, ni où, ni même quel était le blessé grave dont on parlait à son chevet. Ce ne fut que plus tard qu'il comprit que la première conversation avait eu lieu le jour de son arrivée. Curieux débat...

— Je vous assure qu'il faut trancher, voyez ce gâchis...

— Trancher, trancher, vous ne savez faire que ça ! Il n'est pas question de trancher !

— Mais voyons, mon cher confrère...

— Confrère ? Vous rigolez, non ? Je ne suis pas garçon boucher, moi !

— Je vous interdis ! J'en référerai à qui de droit !

— Foutez-moi la paix ou j'écris à Clemenceau !

— Vous le connaissez ?

— Naturellement ! Il m'a encore parlé ce matin et il m'a dit : « Fernand, je compte sur toi pour ne pas transformer tous nos blessés en culs-de-jatte ou en manchots ! N'écoute pas les médecins militaires, ils arrondissent leur solde grâce au pourcentage que leur concèdent tous les prothésistes de France... »

— Vous et vos stupides plaisanteries ! Vous croyez que c'est le moment ? Ce garçon va nous faire une gangrène, il faut trancher et vite, même...

— Pas question, je prends tout sur moi.

— Vous êtes témoin, ma sœur ? Et vous aussi, ma petite ?

— Mais oui, elles sont témoins, et si vous voulez un papier signé, dites-le, je vous tournerai ça en vers... Allez, ma sœur, préparez-moi ce gaillard, je m'en charge.

— Bien, je m'en lave les mains.

— Excellente résolution, il y a deux mois que j'attends cette hygiénique décision ! Allez, à nous deux, mon garçon...

Et, plus tard, cet étrange réveil, cette espèce de renaissance au son d'une voix chaude.

— Alors, résumons-nous. Nous disons : une fracture ouverte du tibia droit, aucun problème. Une double fracture ouverte du fémur gauche avec large déchirure du droit antérieur et du vaste externe, et une perforation du vaste interne. Légère déchirure du grand couturier. C'est tout. Tu sais, mon garçon, que tu as une chance fabuleuse ? Un tout petit peu plus haut, tu te retrouvais chapon, avec une voix de pucelle !

Pierre-Edouard ouvrit les yeux, regarda l'homme qui, assis à ses côtés, lui caressait doucement le front. Il fut tout de suite rassuré par les yeux gris-bleu qui lui souriaient derrière les lorgnons, par la bouche amusée, tapie sous la petite moustache, par le son de la voix qui poursuivait son monologue.

— Figure-toi qu'on voulait te couper la jambe ! Tu te rends compte ! Quelle stupidité, une belle jambe comme ça, avec des os si solides ! Non, non, rassure-toi, elle est bien là, réparée aux petits oignons, une merveille ! Et dans quelques mois, tu pourras galoper, et sans boiter, j'en ai fait le pari avec mon éminent confrère, le tripier du coin... A propos, est-ce qu'il y a toujours autant d'écrevisses et de truites dans le Diamond ?

— Chez nous?... Vous connaissez? balbutia Pierre-Edouard dans un souffle.

— Bien sûr que je connais. Et aussi ce bon docteur Fraysse. C'est lui qui m'a fait découvrir le Diamond; quel beau ruisseau! Et je connais aussi très bien son confrère, mon ami le docteur Delpy. Il m'envoyait des clients, dans le temps, pour les passer à la radio. Non, ne parle pas. Plus tard, tu me diras où tu as perdu ton L. Non, pas ton aile, insita le docteur en voyant que Pierre-Edouard regardait anxieusement son bras. Le L de ton nom. Eh oui! moi aussi, je m'appelle Vialle, mais avec deux L, Fernand Vialle, de Brive, en villégiature dans la région d'Amiens, pour cause de guerre...

Une bouffée de chaleur inonda Pierre-Edouard, le submergea, lui emplit les yeux de larmes de joie et de gratitude. Il sut, avec certitude, que le docteur n'avait pas menti et qu'un jour, bientôt, comme il le lui avait dit, il pourrait galoper sur les puys.

Qui n'avait pas entendu parler du docteur Vialle, en Limousin! Cet homme qui n'avait pas encore cinquante ans et dont la réputation débordait largement le département. Cet homme qui avait su mettre ses prodigieux dons de rebouteux au service de la médecine et pour qui nulle fracture, aussi compliquée soit-elle, n'avait de secret!

— Allez, ne t'excite pas, je reviendrai te voir demain. Et puis, on parlera patois, ça me fera plaisir. *Ora, chaut durmir*...

Pierre-Edouard fit oui de la tête, sourit et ferma les yeux. Vingt-cinq ans plus tôt, presque chaque soir, sa mère aussi lui disait : *Ora, chaut durmir*...

Saint-Libéral, saigné à blanc par quatre ans de massacres dut subir, dès juillet, la pernicieuse attaque d'un mal qui frappait déjà l'Europe entière. Le vieil Antoine Gigoux fut la première victime. Il fut emporté en trois jours; il venait d'entrer dans sa quatre-vingt-unième année.

Mais ce décès, pour subit qu'il fût, n'alerta pas le docteur Fraysse, et s'il fut très affligé par le départ de son vieux partenaire, du moins se consola-t-il en songeant qu'Antoine Gigoux venait enfin de retrouver son fils. Le docteur avait pu mesurer à quel point la perte de ce fils unique, tué en 1917 sur le front d'Orient, avait touché l'ancien maire. Rongé par une douleur que rien ni personne ne pouvait soulager, il s'était, au fil des mois, enfoncé dans une sorte de torpeur comateuse. Aussi le docteur ne prêta-t-il point trop d'attention aux causes du décès.

En revanche, celui du meunier l'alarma, lui fit comprendre que l'épidémie était là. Cet homme, de soixante-trois ans, encore solide, plein de santé et fort comme un Turc, fut terrassé en moins de huit jours par ce mal que l'on baptisait la grippe espagnole mais qui était, en fait, une sorte de peste.

— Il ne nous manquait plus que ça! s'exclama Jean-Edouard lorsque le docteur l'eut mis au courant. Qu'est-ce qu'il faut faire?

— Comment savoir? La peste, tu sais..., murmura le docteur en hochant la tête.

Il était las et découragé comme chaque fois qu'il venait de fermer les yeux d'un de ses clients. De plus, bien qu'il fût en excellente santé, les ans lui pesaient; il venait d'avoir quatre-vingt-trois ans.

— Qu'est-ce que tu veux que je te dise, marmonna-t-il enfin. Des épidémies, tu penses si j'en ai vu! Mais de là à savoir les arrêter...

— Enfin! On ne va pas rester comme ça! Il faut prévenir les gens, il y a sûrement des précautions à prendre!

— Tu es vraiment un sacré lutteur, admira sincèrement le docteur, et tu as raison. Au fait, comment va Pierre-Edouard?

— Ça va, il s'en sortira mieux que nous ne l'avions craint.

— Une sacrée chance qu'il a eue de tomber sur mon ami le docteur Vialle, tu sais!

— Je sais, coupa Jean-Edouard. Alors, qu'est-ce qu'on fait pour cette peste?

— Bon, décida le docteur, tu vas faire proclamer un avis. Il faut que tout le monde le lise ou l'entende. Allez, écris... Tu mets le début que tu veux, mais n'affole pas la population. Moi, je te donne le traitement, enfin, si l'on peut dire... Eviter les chauds et froids, surtout au retour des gros travaux. Boire de l'eau légèrement désinfectée au permanganate, ou à l'eau-de-vie — eh oui, on prend ce qu'on a! Tous les matins au réveil, après chaque repas, et le soir en se couchant, se rincer la bouche avec un demi-verre d'eau tiédie additionnée de cinq à six gouttes de Thymol Doré, je vais en faire venir plusieurs flacons. Le matin, en se levant, mettre dans chaque narine gros comme un petit pois de vaseline au Goménol, je vais m'en procurer. Enfin, se purger légèrement tous les quinze jours. Voilà. Tout à fait entre nous, je n'y crois guère, mais comme tu dis, il faut bien faire quelque chose...

Dès le soir, l'avis fut proclamé et nombreuses furent les femmes qui vinrent à la mairie pour relire l'ordonnance. Puis elles allèrent chez le docteur y acquérir les drogues prescrites.

Mais, dans les mois suivants, la grippe espagnole fit encore quatre nouvelles victimes, dont un enfant de six ans.

Pris entre cette peste et la guerre qui ne finissait toujours pas, la commune de Saint-Libéral sombra dans l'apathie et le désespoir. Partout, la friche et les broussailles gagnèrent du terrain.

Comme la fin de la paix avait vu le départ en masse de tous les jeunes de la commune, la fin de la guerre s'annonça par le retour au bercail des blessés, du moins de ceux qui étaient en état de rejoindre leur foyer.

Dès la mi-octobre, un par un, venant de tous les hôpitaux, réapparurent ceux que la mort avait dédaignés, mais dont l'armée ne voulait plus tant ils étaient éclopés, broyés, gazés, inutilisables...

Léon descendit en gare de Saint-Libéral un soir de la fin octobre. Il n'avait pas annoncé son retour et c'est en claudiquant un peu qu'il se dirigea, seul, vers chez lui.

Il s'arrêta plusieurs fois en chemin pour souffler un peu et soulager son bras droit du poids de la valise ; il lui était impossible de changer de main, il n'en avait plus qu'une.

Enfin la paix arriva, mais elle avait été si longue à venir et elle avait coûté si cher, qu'elle ne leva pas, au bourg, toute l'allégresse qu'elle déclencha dans les villes. A Saint-Libéral, dans cette communauté où tout le monde se connaissait, se côtoyait, il y avait trop d'absents, trop de vides, trop de familles en deuil pour que les épargnés, pussent, décemment, donner libre cours à leur bonheur.

Certes, il y eut de la gaieté, des chants, des embrassades, et le vin coula à flots ; mais la joie, la vraie joie avec sa chaleur et ses cascades de rires, non.

Elle était recouverte par l'ombre des quarante-trois hommes que la guerre avait fauchés, étouffée par les jupes et les châles noirs des vingt-sept veuves, interdite par le regard sévère de quarante-neuf orphelins.

Pierre-Edouard dut patienter jusqu'au 22 novembre 1918 avant de recevoir enfin l'autorisation de partir. En convalescence depuis deux mois à l'hôpital de Treignac, il avait lentement réappris à marcher, et s'il boitait encore un peu, du moins était-il certain que le temps ferait disparaître, sinon les larges et profondes cicatrices de ses jambes, du moins cette légère claudication. Le docteur Vialle le lui avait assuré et il le croyait.

A Treignac, il avait reçu la visite de ses parents. Curieux moment entre un père qui ne savait que dire et une mère qui se lamentait toujours. Son père n'avait même pas osé parler de l'avenir, si ce n'est à travers de vagues allusions : « Si tu reviens à la maison, on ne manquera pas de travail... Si tu es là, on va pouvoir se mettre au défrichage ; c'est fou ce que les ronces ont gagné... »

Quant à sa mère, elle avait passé son temps à lui énumérer tous les morts de la commune, à lui parler des veuves et des orphelins, de la tristesse des temps présents.

Lui, il n'avait rien dit. A quoi bon... Il s'était tu, n'avait parlé d'aucun de ses projets ni cherché à faire comprendre que, s'il revenait sur la ferme, ce serait pour la gérer à son idée, et que tout portait à croire qu'il serait, dès les premiers jours, en complet désaccord avec son père.

Il n'avait pas non plus parlé de Mathilde ; elle était son secret. De plus, il devinait trop bien la réaction de ses parents et leur opposition à l'entrée dans la famille Vialhe de la fille d'un moins que rien, de la sœur d'un voyou, pour avoir envie d'entamer un débat qu'il savait vain. Au sujet de Mathilde, il avait son plan et il s'y tiendrait.

Ses parents ne vinrent le voir qu'une fois et il dut s'avouer que c'était mieux ainsi ; ils lui étaient devenus étrangers.

Il débarqua en gare de Brive vers 15 heures et, comme il était toujours en uniforme, que ses décorations avaient belle allure, les voyageurs l'aidèrent gentiment à descendre du compartiment. Il remercia et partit, tout boitillant, vers le quai de sa correspondance pour Saint-Libéral.

Alors, soudain, il la vit. Elle, Mathilde. Elle était là, à dix pas, toute menue, toute belle, merveilleuse, Mathilde qui court vers lui et se jette dans ses bras. Et lui, tout bête, bouleversé de bonheur, qui répète inlassablement :

— Tu es venue, tu es venue...

Et les réponses qui fusent, se bousculent, se mêlent aux questions, car il y a tant à dire, à raconter, à écouter !...

— Tu es venue...

— Je voulais être la première à t'accueillir.

— Mais comment es-tu arrivée jusque-là, il n'y a pas de train à cette heure !

— Avec la carriole, Léon me l'a laissée...

Ils sortirent enfin de la gare, grimpèrent dans le véhicule, mais sans cesser de se parler, de se toucher, de s'étreindre.

— Laisse-moi les rênes, demanda-t-il.

Elle sourit, se pelotonna contre lui et se laissa guider.

Il faisait nuit lorsqu'ils atteignirent enfin Saint-Libéral.

— Si tes parents t'attendaient au train, ils doivent s'inquiéter ; il y a au moins une heure qu'il est passé ! dit Mathilde.

— Aucune importance, je ne les ai pas prévenus de mon retour pour aujourd'hui.

— Mais moi, tu m'as prévenue.

— Bien sûr. Si tu n'étais pas venue à Brive, je voulais que ma première visite soit pour toi. Voilà pourquoi je n'ai rien dit aux parents.

Il engagea la carriole dans la grand-rue, la lança au petit trot.

— Où vas-tu ? demanda-t-elle soudain inquiète.

— Chez moi.

— Mais... et moi ?

— Tu viens avec moi.

— Mais tes parents, ils vont...

— Rien du tout, la rassura-t-il. Je rentre chez moi avec qui bon me semble.

Il poussa le cheval jusque devant le perron, descendit en grimaçant un peu, car ses cicatrices le tiraillaient.

— Donne-moi la main, dit-il.

Il sentit qu'elle tremblait, alors il lui passa le bras autour des épaules, poussa la porte et entra. Comme il l'avait pensé, son père et sa mère étaient à table.

— Me voilà de retour, dit-il. Pas besoin de vous présenter Mathilde, vous la connaissez, mais je l'amène ce soir pour vous annoncer que nous serons mariés avant la Noël...

Rien de ce qui suivit ne le surprit, il avait tout prévu. L'accueil glacial de ses parents, leur mutisme tant que Mathilde avait été là. Et aussi que son père serait à l'attendre au coin du feu lorsque, passé minuit, après avoir reconduit la jeune fille chez elle et trinqué joyeusement avec Léon, il était revenu, seul, à la maison.

— Tu n'as quand même pas cru que nous serions d'accord ? lança Jean-Edouard dès qu'il entra.

Pierre-Edouard bourra minutieusement sa pipe, l'alluma à un tison.

— Non, dit-il enfin, j'ai toujours su que vous vous opposeriez à Mathilde. Mais je m'en fous.

— Tu t'en fous ? Non, mais sans blague ! La guerre et tes blessures ne te donnent quand même pas tous les droits !

— Le droit de me foutre de votre opinion ? Si ! dit-il calmement en s'asseyant dans le cantou.

— Miladiou ! Tu te trompes de famille !

— Mais non, c'est vous qui vous trompez de fils, et de filles aussi d'ailleurs ! A propos, Louise m'a écrit, elle va bien, et Félix aussi...

— Bon Dieu ! N'essaie pas de m'énerver avec cette histoire ! Il ne s'agit pas de ça, mais de cette fille que tu veux amener sous mon toit, cette fille de...

— Faites très attention à ce que vous allez dire, coupa Pierre-Edouard d'un ton grave. Une seule insulte, une seule, et cette fois, c'est moi qui cogne... Et prévenez aussi la mère...

— Tu n'oserais pas ! tenta Jean-Edouard en se levant.

Pierre-Edouard soupira, poussa quelques brindilles dans le feu.

— Mais si, j'oserais, dit-il avec lassitude. Qu'est-ce que vous croyez ? D'où croyez-vous que je reviens, de ma première communion peut-être ? Pour sûr que j'oserais claquer le museau au premier qui ne respectera pas ma femme !

— Ta femme ? Déjà ? Eh bien, mon salaud, vous n'avez pas perdu de temps !

— Pensez ce que vous voulez, de ça aussi je m'en fous. Complètement.

— D'accord, trancha Jean-Edouard, tu te fous de tout ! Eh bien, épouse-là ta gamine, je te souhaite bien du plaisir ! Epouse-là, mais ne compte pas sur mon toit pour l'abriter. Ça, il n'en est pas question. Jamais je ne la laisserai s'installer chez moi ! Jamais, c'est compris ? Et ne te trompe pas, ta mère est d'accord avec moi ! Qu'est-ce que tu croyais, qu'on allait laisser une Dupeuch faire la loi ici, chez nous ?

— Portez pas peine, je ne l'ai jamais cru. Je vous connais trop bien.

— Alors, c'est bien clair, épouse-la demain si tu veux, mais ne passe jamais le seuil avec elle, ou alors je la foutrai dehors !

— Bien, dit Pierre-Edouard en se levant, je voulais vous l'entendre dire. Comme ça au moins, on sait où on va... Bonsoir.

Il reprit sa valise, partit en boitant vers la porte et plongea dans la nuit.

Léon l'attendait lui aussi au coin du feu.

— Et voilà, c'est réglé, n'en parlons plus, annonça Pierre-Edouard. Au fait, c'était quoi, ça ? dit-il en tendant un doigt vers le moignon qu'il apercevait sous la manche gauche de son ami.

— Ça ? Une putain de Maxim. Et toi, c'était quoi ?

— Un de ces enfoirés de 150 !

Ils discutaient encore lorsque, au petit matin, la mère de Léon se leva comme chaque jour pour allumer le feu...

Le retour des rescapés apporta un regain d'activité et de travail dont toute la commune avait le plus grand besoin. Ce furent d'abord les hommes des classes 92 à 97 qui revinrent pour la fin de l'année, puis, dans les mois suivants, les plus jeunes.

La vie reprit, Saint-Libéral émergea enfin de sa dangereuse torpeur. Mais si tout sembla retrouver un cours normal, si l'on s'efforça même d'en revenir aux vieilles habitudes d'avant-guerre, nul ne fut dupe. Tout le monde savait que les mœurs, les mentalités, le climat général avaient changé dans de telles proportions qu'il était rigoureusement impossible de reprendre la vie telle qu'on l'avait laissée au 1er août 1914...

Avec la guerre, ce n'étaient pas seulement un million trois cent mille hommes qui étaient morts, c'était toute une époque, un siècle même. Cela se décelait à mille détails flagrants, et chaque jour qui passait apportait la preuve qu'une ère nouvelle était en train de naître.

C'était d'abord, chez tous les jeunes combattants, un état d'esprit désormais dépouillé de tout ce qui, jadis, avait fait la force de la civilisation rurale ; cette civilisation établie — figée même — dans un patriarcat dont bien rares étaient ceux qui en contestaient la légitimité. Or, presque partout, éclataient maintenant des conflits entre les anciens, pour qui l'autorité dont ils étaient dépositaires était presque de droit divin, et les jeunes qui, non seulement remettaient cette autocratie en question, mais la bafouaient sans respect, la tournaient en dérision et, faute de pouvoir la vaincre, la fuyaient.

Car, pendant la guerre, cette guerre qui, pour la première fois, les avait fait sortir de leur petit univers, les jeunes n'avaient pas seulement appris à tuer ; ils avaient également découvert qu'au-delà des limites de leur commune ou de leur canton, il y avait le monde, avec d'autres possibilités de travail, de vie.

Aussi, nombreux furent ceux qui, refusant de se plier au despotisme du chef de famille, refirent leur baluchon et partirent. La fréquentation et la fraternité qui les avaient liés, pendant des années, avec tout l'éventail des classes citadines, leur avaient aussi enseigné qu'il était possible de gagner son pain autrement qu'en labourant car, outre le pinard et le tabac, ils avaient également échangé des idées, comparé leurs modes d'existence, leurs travaux, leurs salaires.

Quant aux soldats plus âgés, ceux qui, avant-guerre, étaient déjà maîtres chez eux, ils durent eux aussi s'adapter à d'autres habitudes, se faire à l'idée que les femmes étaient capables de les remplacer en tout et de gérer la ferme aussi bien qu'eux. Là encore, naquit un nouvel état d'esprit, une autre mentalité et si beaucoup d'épouses s'effacèrent, reprirent la place qu'elles occupaient quatre ans plus tôt, personne ne s'y trompa, car personne n'oublia qu'elles pouvaient, au besoin, occuper le poste que les hommes se croyaient seuls capables de tenir ; les nombreuses veuves étaient là pour leur rappeler, chaque jour, qu'il n'en était rien.

Enfin, dans tout le village, s'instaurèrent entre les anciens combattants des rapports que seules avaient pu forger des années de misère commune. Tout le monde fut stupéfait de voir avec quelle chaleur tous ceux qui avaient vécu au front traitèrent dorénavant l'abbé Verlhac. Même l'instituteur ne dissimula pas qu'il avait de l'admiration, de la reconnaissance et aussi de l'amitié pour lui. Tous savaient que l'abbé avait été brancardier pendant quatre ans, mais seuls les anciens combattants étaient capables de mesurer toute la grandeur, l'abnégation et le courage des brancardiers.

Bien qu'il se sentît un peu débordé, isolé même au milieu de tous ces hommes liés par le feu, Jean-Edouard n'en poursuivit pas moins son travail de maire. Personne ne lui contesta l'écharpe léguée par Jean Duroux, on savait qu'il en avait fait bon usage.

Personne non plus ne critiqua son attitude envers son fils. Cette querelle n'avait plus aucun intérêt ; ce n'était plus celle d'un gamin contre son père, mais un simple différend entre deux hommes. Et cette brouille ne concernait que les intéressés, exactement comme un banal conflit entre deux voisins, dans lequel la sagesse recommande de ne pas prendre parti.

La jeune femme se serra frileusement contre l'épaule de son compagnon et releva le col de son manteau de fourrure. Le vent très vif du grand large fouettait la passerelle du grand paquebot blanc, et rares étaient les passagers assez courageux pour affronter la basse température de ces régions voisines du pôle.

Seule l'annonce d'un bel iceberg dérivant à quelques milles du navire pouvait, pour un instant, extraire les curieux des salons bien chauffés ; ils se précipitaient alors jusqu'aux rambardes, admiraient l'étincelante montagne de glace puis repartaient, transis, vers les tables de bridge ou de whist, les conversations, les tasses de thé ou les coupes de champagne.

La jeune femme et son compagnon atteignirent la dunette, contemplèrent en silence le long fleuve argenté, sans cesse régénéré par l'étrave, qui filait jusqu'à l'horizon.

L'homme caressa le visage de la jeune femme, écarta les mèches folles que le vent lui poussait dans les yeux.

— Alors, c'est sûr, tu ne veux pas m'épouser ?
— Non.
— Mais pourquoi ?
— Je te l'ai dit mille fois !
— Je finirai par croire que tu détestes les hommes !
— Idiot ! murmura-t-elle, tu n'as pas toujours dit ça, mais tu me le paieras de l'avoir dit ! Non, je ne déteste pas les hommes, mais ce qu'ils peuvent devenir. Des maris justement...
— Et si je te faisais un joli petit baby, tout beau, mignon comme moi ?

327

— A plus forte raison! Après le mari, le père! Merci beaucoup! Rentrons maintenant, j'ai froid.

Ce n'était qu'un prétexte, mais elle n'allait quand même pas tout lui dire, tout lui expliquer à ce gentil médecin canadien qu'elle connaissait depuis six mois.

D'ailleurs, la croirait-il seulement? Sans doute pas. Qui pouvait imaginer que la jeune modiste qui tenait magasin rue du Bac, employait huit ouvrières, coiffait tout Paris et qui était à présent en route pour présenter ses modèles à l'Amérique, était la petite Berthe Vialhe?

Que restait-il de la paysanne corrézienne qui avait passé toute son enfance et son adolescence à garder les troupeaux, à nettoyer les étables, à faire la lessive, à travailler comme une brute?

Il n'en restait rien. Berthe Vialhe n'existait plus, engloutie par la griffe déjà célèbre qui signait ses chapeaux. Une griffe qui avait un chic fou, qui sonnait bien, qui chantait comme un ruisseau de montagne : Claire Diamond.

Louise borda délicatement l'enfant qui venait de s'endormir, l'embrassa et sortit de la chambre.

Légère, elle se faufila dans les couloirs qui serpentaient sous les combles du château, descendit par l'escalier de service jusqu'au second. Une fois là, elle emprunta le grand escalier jusqu'au premier étage et s'engagea dans le long couloir au beau parquet qui fleurait bon l'encaustique et aux lourdes boiseries, riches de multiples massacres de cerfs et de chevreuils, de hures de sangliers, de têtes de loups et de renards.

Ce décor ne l'impressionnait pas, elle y était habituée. Habituée aussi aux fastes de l'hôtel particulier de la rue de Passy, aux palaces de Biarritz, de Deauville ou de Nice. Depuis trois ans qu'elle était devenue la dame de compagnie de la vieille baronne, le luxe ne l'étonnait plus.

C'est à Jean qu'elle devait cette place, ou plutôt à sa disparition. A sa mort, folle de chagrin, elle avait voulu partir, quitter le château, tirer une fois de plus un trait sur le passé. Et puis la jeune baronne s'était inquiétée de son avenir. Peut-être s'en était-elle souciée parce que Jean était le premier mort parmi le personnel; peut-être aussi pour se donner bonne conscience, pour se racheter aux yeux des domestiques; leur prouver que, malgré la réforme de son époux et le fait qu'il n'avait pas changé un iota de ses habitudes et de son existence d'avant-guerre, il ne se désintéressait pas pour autant du sort de ses gens...

C'est donc la jeune baronne qui lui avait proposé de devenir la dame de compagnie de sa belle-mère. Une vieille dame pas trop exigeante, qui ne réclamait pas beaucoup, si ce n'est de pouvoir parler à quelqu'un, de se faire servir, à heures fixes, sa tasse de verveine ou de tilleul, de se faire lire, chaque soir, quelques pages de l'*Imitation de Jésus-Christ*.

Louise avait accepté. Depuis, la vie coulait, sans heurts, sans bruit, sans grande joie, mais sans grande peine. Une vie dont elle n'attendait plus rien, mais qu'elle acceptait sans aigreur, à cause de Félix.

Félix qui se moquait bien, lui, des vêtements de deuil de sa mère, ne s'étonnait pas de ses premiers cheveux blancs, et ne savait pas qu'elle n'avait que vingt-sept ans. Félix qui, seul, savait encore la faire rire.

de quelque le fils qu'il n'avait pas changé, qu'on lui disait les
habitudes et de son attitude à d'autre guerre, il aurait dit que
c'était des égards autant au port de leur beauté.

"...est donc, lui pliait Barreby, qui lui avait proposé au
le meilleur enfin communiquer de si ... elle ... au bout ... une seule
... donne peut-être elle dirait qu'il ne voulait plus beaucoup, si ce
n'est ... toujours rien à appréhender, loge se tenir servir ...
heureuse l'avait à casser de toujours de de cillons de de faire ...
chaque fait quelques repos de l'émuline de Louis Quinze,
écrite revue à réchler, bientôt ... à ... encore ... sans heures
souhait, rassurance bien, mais sans toute peine. Une vie
dont elle n'attendait plus rien mais qu'elle pourrait sans
aucune raison de l'oublier.

Pour que se produisît dans l'une des théories de doit de sa
saison, ... savait pas de ses premiers joyeux heureux, plaisir, et ne
... à ... de que elle ... ... elle était ... ... cela y... leur
... voulait compter la joue ...

# SIXIÈME PARTIE

# COSTE-ROCHE

# 24

IL neigeait dru lorsqu'ils atteignirent enfin la masure, en cette nuit du samedi 21 décembre. C'était une chaumière de deux pièces, située à trois kilomètres du village, bien après la tranchée des vieilles mines, juste à la limite de la commune, sur le versant sud du plateau, au lieu dit Coste-Roche.

Elle faisait partie de la minuscule métairie que Pierre-Edouard avait louée au notaire, pour une somme de principe — cinquante francs par an. Cinq ans plus tôt, ces cinquante francs auraient représenté le prix de trois agneaux mais, depuis la guerre, on les gagnait en vendant quatre poulets ! Pierre-Edouard avait pourtant dû insister pour que Mᵉ Lardy accepte le marché ; le notaire, tout heureux de savoir de nouveau entretenus la chaumière et les deux hectares qui l'entouraient, était prêt à la laisser pour rien, comme cadeau de noce à la filleule de sa femme.

Il était même un peu gêné car, vraiment, la maison, inhabitée depuis 1914, avait piètre allure ; et, mis à part un demi-hectare de terre labourable attenant au bâtiment, le reste du terrain n'était que friches, broussailles et bois.

Mais en trois semaines de travail, Pierre-Edouard, aidé par Léon et ses deux commis, avait retapé le logis. Désormais, il ne pleuvait plus à travers le chaume de seigle de la toiture, les portes et volets fermaient bien et les deux pièces lessivées à grande eau puis blanchies au lait de chaux étaient propres, nettes, suffisantes pour abriter un jeune couple.

Pierre-Edouard remercia Léon, qui faisait déjà faire demi-tour à sa carriole, poussa la porte et entra. L'énorme souche de chêne qu'il avait mise dans la cheminée au début de l'après-midi n'était qu'à moitié consumée. Le feu la rongeait lentement, par toutes petites flammes qui ouvraient, dans le cœur du bois, de grandes cavités de braises écarlates d'où sortait une bonne chaleur persistante.

Il suspendit la lampe à pétrole, en diminua l'intensité, car la lueur du feu, se reflétant sur les murs blancs, était presque suffisante. Il regarda Mathilde qui se dépouillait de sa lourde limousine noire où, déjà, fondaient les flocons.

La neige avait commencé à tomber lorsqu'ils étaient entrés à la mairie, vers 16 heures. Gaston, l'adjoint au maire, les attendait, un peu confus, un peu gêné d'avoir à remplacer Jean-Edouard, que personne n'avait vu depuis la veille au soir.

Malgré son embarras, et tout partagé qu'il était entre l'amitié pour son voisin et sa sympathie pour Pierre-Edouard et Mathilde, Gaston s'en tira très bien. Il ne commit aucun impair, embrassa même la mariée et assura à Pierre-Edouard que tout finirait par s'arranger.

A l'église, la cérémonie fut sobre mais joyeuse, animée par l'abbé Verlhac qui, manifestement, approuvait l'attitude des jeunes époux et se réjouissait de les voir si heureux. Il accepta même de venir boire un verre à l'auberge, à la santé des mariés, et leur souhaita, une fois encore, beaucoup de joie et de bonheur.

Ils dînèrent ensuite à l'auberge, où Pierre-Edouard et Léon avaient convié quelques camarades. Le repas fut simple, gai, mais sans exubérance, sans plaisanteries graveleuses, sans ces gros rires qui, jadis, fusaient des banquets de noce. Ce soir encore, il y avait trop d'absents et, dans son cadre crêpé de noir, André Chanlat les regardait.

— Tu n'as pas froid, au moins ? s'inquiéta Pierre-Edouard.

— Non, pas du tout, il fait très bon ici, dit-elle en tendant les mains vers le feu.

Il s'approcha d'elle, lui posa les mains sur les hanches, l'embrassa dans le cou, juste sous l'oreille.

— Tu es contente ?

Elle acquiesça puis demanda :

— Tu ne veux pas t'asseoir un peu avec moi dans le cantou ?

— Si, bien sûr, assura-t-il en s'installant en face d'elle dans la profonde cheminée.

334

— Alors, voilà…, dit-elle en remuant un peu la grosse souche qui crépita.

Il la vit tendue, un peu oppressée, presque inquiète.

— Tu es intimidée ? plaisanta-t-il.

Elle secoua négativement la tête, rougit un peu.

— Non, c'est pas ça, c'est comment dire ? Ça me fait tout drôle de savoir qu'on est enfin mariés. Et puis… je voudrais que tu saches, si… enfin, si tu avais voulu, je veux dire… enfin tu aurais pu, avant ce soir, quoi… Je n'aurais rien dit, j'aurais compris, quoi…

— Je sais.

— Alors pourquoi tu n'as pas voulu ? Moi, j'aurais fait comme tu aurais voulu…

— Sans doute.

— Alors c'est bien ce que je pense, c'est ma faute si… enfin, si je t'ai privé, parce que je n'ai pas osé te le demander. Et maintenant, tu m'en veux un peu de t'avoir fait attendre… Et moi, là, je ne sais plus quoi faire, voilà…

Elle était toute dépitée, énervée, au bord des larmes.

— Tu sais, fit-il, tu es un sacré bout de femme ! Mais tu trompes. Bien sûr qu'on aurait pu, depuis que je suis de retour, et crois-moi, j'ai trouvé le temps long à te regarder… Mais un jour, sur le puy Blanc, tu te souviens, tu m'as dit : « Moi je ne suis pas une fille, je te fais confiance. » Tu as eu raison de me le dire.

Il remua la souche, poussa dans les braises quelques morceaux d'écorce.

— Voilà, reprit-il, c'est tout. Je suis comme ça, moi. Si… enfin, si on avait récolté avant l'heure de la moisson, ça m'aurait plu, bien sûr, juste à ce moment-là, mais après je m'en serais voulu. Et toi aussi, tu aurais été un peu déçue que je ne puisse pas attendre un mois de plus. Et puis, aujourd'hui, toi et moi, on aurait su que ta robe blanche n'était pas aussi blanche que ça… Tandis que maintenant, c'est différent, on est mariés, on ne met pas la charrue avant les bœufs, tout est en ordre, comme ça doit l'être. Tu comprends ? Et puis, comme ça, on se rappellera toujours qu'il y a eu avant ce soir et après ce soir.

Elle le fixa intensément, lui sourit, et ses yeux brillaient de joie.

— Je savais que tu me dirais ça. Enfin, je l'espérais, et je suis contente que tu l'aies dit. Et contente aussi qu'on ait attendu jusqu'à ce soir, et contente de tout.

Elle se leva, hésita à poursuivre, puis se décida.

— Il faut que je t'avoue aussi, j'ai une tache, oh, pas bien grosse, mais une tache quoi, sur... enfin sur la poitrine. Voilà, c'est pas beau et je voulais te le dire pour que tu sois prévenu... Mais c'est pas drôle ! C'est vrai ! Il n'y a pas de quoi rire comme un âne ! insista-t-elle en le voyant secoué par un énorme fou rire.

— Ah, toi alors, tu es un phénomène ! balbutia-t-il en essuyant les larmes que le rire avait poussées sous ses paupières. Mais je le sais que tu as une tache ! Je le sais depuis ta naissance ! D'ailleurs, tout le monde le sait au village ! Une tache comme un croissant de lune ! Mais, pour être franc, je ne me souviens plus de quel côté elle est !

Elle demeura un instant stupéfaite, un peu vexée ; puis elle sourit et plissa malicieusement les yeux.

— Ah, c'est comme ça ! Alors, tout le monde est au courant ! Alors, puisque c'est comme ça, il est temps que tu la voies, que tu saches de quel côté elle se trouve...

La neige tomba toute la nuit. Au matin, lorsque Pierre-Edouard entrebâilla la porte, il vit que la couche atteignait plus de quinze centimètres. Il referma sans bruit le vantail, ranima le feu en jetant dans les braises encore palpitantes un gros fagot de genêts qui s'embrasa d'un coup, comme une torche. Alors, il chargea le foyer de plusieurs grosses bûches et s'approcha du lit.

Mathilde dormait toujours. Emu, il écouta sa respiration paisible, admira son fin visage, si jeune encore, si frais, l'arc délicieux de sa petite bouche entrouverte, l'espièglerie de son nez gentiment retroussé, le voile délicat de ses longs cils. Puis il songea à la petite marque en croissant de lune, qui était là, sous le sein gauche, à deux doigts de l'aréole d'un brun très clair.

Alors, parce qu'on était dimanche, qu'il faisait un temps à ne pas mettre un chien dehors, qu'il était heureux comme jamais, que la vie était belle, il se coula doucement dans le lit tiède.

Mathilde ne s'éveilla pas, mais, instinctivement, comme déjà habituée, son bras se détendit vers lui, se posa sur sa

336

poitrine, tandis que son corps vint se blottir, confiant, contre le sien.

La neige tint pendant quinze jours, rendant tous travaux impossibles et confinant les gens au coin du feu. Pierre-Edouard et Mathilde, complètement isolés dans leur masure, coulèrent les plus merveilleux moments de leur existence.

Malgré le froid, très vif, ils grimpèrent souvent sur le plateau, pour le plaisir, pour contempler cette belle étendue et arpenter leurs terres, celles que Mathilde avait soufflées à Jean-Edouard et que Léon lui avait données, devant notaire, le jour même de son mariage. Trois hectares, en friche depuis des années, mais qui ne demandaient qu'un sérieux labour et des soins pour redevenir une bonne et riche terre.

— Et là-bas, indiqua Pierre-Edouard, ce sont nos champs. Enfin ceux de mon père...

— La pièce Longue et ses vingt-huit noyers...

— Non, trente et un ! Je le sais, je les ai plantés avec mon père en 1901 !

— Vingt-huit, redit-elle, il en a crevé trois en février 1917. Le gel... Ensuite, poursuivit-elle en désignant du doigt les autres terres, voilà le Peuch, les Malides, le Perrier, la Grande Terre ! Je les connais toutes, tu sais ! Léon me les faisait surveiller lorsque tu écrivais pour avoir des nouvelles...

— Mais alors, il ne foutait vraiment rien, ce goujat ! Moi qui croyais que tous les renseignements venaient de lui !

— Penses-tu ! dit-elle en riant, il n'avait pas le temps. Oui, je les connais les terres de ton père. Et je peux même te dire qu'il emblave en céréales trois ans sur quatre.

— Ça, je sais, se renfrogna Pierre-Edouard. C'est complètement idiot, ça les épuise. Enfin, ça le regarde... Dis, si je me souviens bien, tes parcelles, là, elles s'appellent « à Monteboeuf », « à la Combille » et « au Bourdelet » ?

— Oui, c'est leur nom au cadastre.

— Eh bien, on va les rebaptiser, juste pour nous, en souvenir. Celle-là, on la dira « aux Lettres de Léon », celle-ci, « chez Mathilde », et l'autre là-bas, au pied du puy Blanc, « la Terre de la Rencontre », tu veux ?

— Bien sûr, dit-elle en riant, et un jour nos petits-enfants diront qu'on était complètement fous de baptiser les terres avec des noms qui ne veulent rien dire. Ce sera drôle !

Il sourit, l'embrassa sur le nez et l'entraîna sur l'immense nappe blanche du plateau.

Il allait à grands pas ; mais sans hâte, sans à-coups, d'une démarche parfaitement rectiligne, fidèle aux jalons de paille qui découpaient le labour.

Il semait, en de vastes gestes réguliers qui faisaient naître devant lui, jaillissant de ses mains larges ouvertes, de fines dentelles blondes qui se croisaient, se tordaient en volutes, crépitaient en se nichant au sol et paraissaient pourtant reprendre leur envol dans l'ample mouvement des bras qui tournoyaient inlassablement dans le ciel.

Mars était là, bien avancé, doux, humide, propice aux semailles de printemps. Depuis dix jours qu'il avait emprunté la charrue et les bœufs de Léon, Pierre-Edouard n'avait pas perdu son temps. Déjà, la Terre de la Rencontre avait belle allure avec sa houle de sillons bruns, où, maintenant, pleuvaient les grains d'orge.

C'est avec une véritable jouissance qu'il avait retrouvé, tout de suite, sans hésiter, ses gestes, ses habitudes, sa technique de laboureur. Avec un plaisir immense qu'il avait réentendu le chant, un peu gras et parfois crissant, de la terre qui se fend, s'ouvre, se love en sifflant contre le versoir. Avec une joie complète qu'il avait apprécié l'étalement luisant des sillons qu'il créait, qu'il accolait un à un, nets, droits, bien découpés.

Bien sûr, il avait dû réhabituer son œil et sa démarche à la dimension des champs et au pas des bœufs, tellement plus lents que les chevaux de la ferme du Moureau. La terre était moins douce, moins passive, plus réticente et plus fougueuse que celle, si riche et généreuse, du père Ponthier. Cela, il le savait depuis longtemps.

Mais ici, tout était bien meilleur, car il était chez lui, dans sa terre, dans son horizon, et l'orge qu'il récolterait serait la sienne.

Et ce soir, au lieu de la tablée de vingt-cinq hommes, pétrifiés dans l'attente, attentifs aux gestes du maître, prêts à se lever sur un claquement de couteau qu'on referme, au lieu de la potée graillonneuse de la mère Ponthier — cette vieille garce — au lieu de la baraque immonde, aux châlits répugnants d'où, parfois, se levait, déjà nu, un des clients de la souillon, au lieu de tout cela, il aurait les retrouvailles avec Mathilde.

Il aurait la soupe mitonnée par elle, l'intimité d'un repas pris à deux et puis, porte et volets clos, feu rechargé pour la nuit, il aurait enfin, frais et tendre comme un brin de muguet, passionné et enlaçant comme une liane de chèvrefeuille, l'accueil spontané d'un corps chaud, si connu déjà, et chaque fois redécouvert.

Il fallait bien tout cela, cette totale entente, cette complicité et aussi ce goût au travail pour surmonter, ensemble, les soucis quotidiens. Ils ne manquaient pas !

C'était d'abord, au fil des jours et malgré mille prouesses, la fonte de la petite cagnotte — fruit de quatre ans de solde — qui leur avait permis de monter leur ménage et de vivre depuis trois mois.

L'argent s'évaporait, dans l'achat de quinze poules : cent cinquante francs ; d'un nourrain de deux mois : cent trente-cinq francs ; dans le son et le grain que réclamaient ces bêtes : cent francs ; dans l'orge et les pommes de terre de semence : deux cent cinquante francs. Dans tout. Dans ces sacs d'engrais qui, pour cette année, suppléeraient le fumier inexistant, dans les modestes frais du ménage, le pain à deux francs vingt le kilo et le lait à zéro franc quatre-vingts le litre, les légumes, la viande, parfois.

Désormais, mille francs, ce n'était plus cette somme énorme qui, quinze ou vingt ans plus tôt, permettait l'achat de trois belles vaches ; maintenant, pour la même somme, on pouvait tout au plus acquérir trois cochons de huit mois ! Quelle folie !

Parfois, lorsqu'elle le voyait trop soucieux, Mathilde lui rappelait l'existence de son livret de caisse d'épargne.

— Tu sais, j'ai eu soixante-quinze francs pour ma naissance !

— Je m'en souviens, ça avait fait parler dans le pays. C'était une belle somme, alors...

— Attends ! D'abord, sur mon livret, il y a les intérêts, et puis Léon me l'a entretenu jusqu'à la guerre. Maintenant, je dois avoir trois cent quarante-cinq francs. On les prend, et on pourra acheter deux vêles d'un mois et demi, on les gardera dix-huit mois et on les revendra prêtes à saillir, et..

— Et tu es bien la sœur d'un marchand de bestiaux ! Non, garde tes sous, on ne sait jamais...

— Et puis, insistait-elle, je suis sûre que Léon nous prêterait. Tu veux que je le lui demande ?

— Non, il a déjà assez fait pour toi. Pense aux terres de ta dot ! Je ne veux pas lui emprunter, ni à lui ni à personne. D'ailleurs, c'est moi qui dois te nourrir, pas ton frère.

Outre ces soucis d'argent, ce qui le rendait aussi ombrageux, c'était de savoir, qu'à portée de main, là, s'étalaient les terres des Vialhe, ses terres ; tous ces beaux champs que son père ne pouvait même plus entretenir comme ils le méritaient, qu'il épuisait par un assolement mal conduit. Mais ces terres des Vialhe lui étaient interdites. Tout au plus pouvait-il espérer qu'un jour, dans dix ou quinze ans peut-être... A moins que, d'ici là, son père n'ait tout vendu.

Malgré la reprise du cours normal de la vie, Saint-Libéral avait de la peine à sortir du marasme. Jean-Edouard, en tant que maire, le constatait presque chaque jour.

D'abord, il n'avait pas été le seul à voir son fils partir en claquant la porte. Bien d'autres jeunes avaient imité Pierre-Edouard, mais au lieu de rester comme lui sur la commune, ils avaient émigré vers les villes, et définitivement, sans doute...

A cet exode, s'ajoutait le vieillissement de toute la population, son engourdissement et sa diminution. En 1900, il y avait mille quatre-vingt-douze habitants ; en 1914, neuf cent soixante-dix-neuf et maintenant sept cent un...

Déjà, un des deux épiciers venait de fermer boutique. Sur les quatre charpentiers d'avant-guerre, il n'en restait plus que deux, qui avaient d'ailleurs autant de mal à vivre que les trois derniers maçons et l'ultime couvreur. Personne n'était venu remplacer le meunier et, déjà, on savait que le vieux notaire fermerait son étude avant la fin de l'année.

Partout, disparaissaient les petits métayers, désormais incapables de survivre sur les trois ou quatre hectares de leur ferme. La friche et les taillis les remplaçaient.

Le syndicat d'achat végétait. Quant aux foires, rouvertes grâce à la ténacité de Léon, elles n'attiraient pas la moitié des participants qui, avant-guerre, déferlaient tous les quinze jours à Saint-Libéral. Aussi avait-il fallu supprimer les foires supplémentaires et tout laissait penser qu'il faudrait, sous peu, se contenter d'une seule foire par mois...

Tout allait mal partout, d'ailleurs ! Les journaux ne parlaient que de grèves, de manifestations, de ces bolcheviques qui inquiétaient tout le monde. Et, pour comble, on avait tenté d'assassiner Clemenceau ! Quelle honte, quelle décadence !

Là-dessus, venait se greffer chez Jean-Edouard une lassitude, une fatigue, tant morale que physique. C'était d'abord Marguerite, qui devenait de plus en plus acariâtre et grincheuse. Vraiment, elle vieillissait mal et avait de plus en plus de difficulté à supporter sa solitude. Aussi, faute de pouvoir s'en prendre à ses filles, définitivement perdues de vue, déversait-elle sa rancœur sur sa bru. Cette petite gueuse de Mathilde qui, sous son air d'enfant de Marie, devait sûrement être une belle salope pour avoir réussi à tourner la tête de son fils, ce benêt qui, au lieu d'être là à travailler la ferme, préférait vivre en sauvage, là-haut, à Coste-Roche. Ah, ils devaient en faire de belles, tous les deux !...

Si Jean-Edouard partageait, en gros, le point de vue de sa femme, la répétition quasi journalière de ses criailleries finissait par l'excéder. Bien sûr que Mathilde ne valait rien, elle avait de qui tenir, non ? Bien sûr qu'elle avait fait tout ce qu'il fallait pour se faire épouser par ce grand couillon de Pierre-Edouard ; elle visait les terres, c'était évident, limpide comme le Diamond !

Cela, il le savait, il en était persuadé mais, à l'inverse de Marguerite, il ne le remâchait pas sans cesse. A quoi bon d'ailleurs ? Le mal était fait, la rupture consommée, alors, pourquoi y revenir, attiser une colère et une rancune qui n'en avaient nul besoin puisqu'elles se régénéraient chaque fois qu'il apercevait son fils ou sa belle-fille — cette gamine qui, huit jours plus tôt, en plein milieu de la grand-rue, devant tout le monde, lui avait lancé comme un défi, un retentissant : « Bonjour, monsieur le maire ! » puis s'en était allée, consciente de sa jeunesse, de son minois effronté, de sa démarche d'allumeuse. Il avait failli la calotter !

A cette attitude provocante, il préférait presque celle de son fils. Lui, au moins, il ne parlait pas. Il ne disait rien, sauf quand il avait le culot de venir s'approvisionner au syndicat où, là encore, il trouvait le moyen de lui donner des leçons, à lui, son père, critiquant les variétés de semences qu'on lui proposait, faisant la fine bouche sur les scories de déphosphoration, réclamant on ne savait jamais trop quel engrais inconnu, des produits aux noms barbares, bref, se comportant comme si, à lui seul, il en savait plus que tous les agriculteurs de la commune, plus que son père, surtout !

C'était odieux. Aussi, désormais, Jean-Edouard laissait à l'employé le soin de le servir et de lui répondre !

Mais tout cela était fatigant, déprimant ; et les travaux de la ferme, eux aussi, devenaient de plus en plus pénibles et astreignants. Il les faisait sans grand plaisir, presque sans goût.

Il était dans sa soixantième année et sentait fuir son entrain, ses forces, et même cette envie et ce besoin de lutter qui l'avaient soutenu jusque-là.

Même son écharpe de maire lui pesait et il était souvent tenté de la déposer, une fois pour toutes, à l'occasion des prochaines municipales qui auraient lieu à la fin de l'année.

Absorbé par le buttage des pommes de terre qu'il avait plantées un mois et demi plus tôt dans le champ attenant à la chaumière, Pierre-Edouard n'en aperçut pas moins Mathilde.

Elle venait d'attaquer la dernière côte qui serpentait jusqu'à Coste-Roche et serait là avant cinq minutes. Il constata soudain qu'elle était chargée comme une mule car, outre les deux grosses tourtes de pain et l'épicerie de la semaine, elle s'était encombrée des vingt-cinq kilos de blé noir de semence qu'il lui avait commandés. Alors il planta là son outil et dévala à sa rencontre.

Elle le vit qui dégringolait en zigzaguant à travers les genévriers ; soulagée, elle se déchargea du barda qu'elle portait depuis presque trois kilomètres et s'assit en l'attendant ; elle était rendue, et en sueur car le soleil de juin tapait dur.

— Bon sang ! lança-t-il en arrivant, je ne t'ai pas dit de rapporter le sarrasin, je t'ai dit de le commander. Je l'aurais pris, moi ! T'es un peu folle, tu sais, et avec cette chaleur !

— Bah, ça t'évitera d'aller au village ! Et puis quoi, j'en ai porté d'autres, des charges !

— Contente-toi de le porter, lui, dit-il en lui posant doucement la main sur le ventre.

Depuis que le docteur Delpy, quinze jours plus tôt, leur avait confirmé que l'enfant naîtrait en janvier, Pierre-Edouard multipliait les attentions, veillait à ce qu'elle évitât les trop gros travaux — ce qui n'était pas facile, car ils ne manquaient pas.

— Quoi de neuf, en bas ? demanda-t-il en s'asseyant à ses côtés.

— J'ai vu ton père.

— Et naturellement, comme d'habitude, tu lui as dit
« Bonjour, monsieur le maire ! »

— Bien sûr, pouffa-t-elle, sauf que j'ai failli lui dire
« Bonjour, monsieur le grand-père ! » Après tout, c'est vrai
qu'il va être grand-père ? Peut-être qu'il va être content.

Il bourra sa pipe, l'alluma.

— J'en doute... N'oublie pas qu'il l'est déjà depuis longtemps, et je ne vois pas que ça ait changé grand-chose !

— J'ai vu Léon, aussi. Tu ne devineras pas ce qu'il m'a
appris...

Il tira sur sa bouffarde, haussa les épaules.

— Tu te souviens des Treilhe ? Ceux d'Ayen ? demanda-t-
elle.

— Oui, les expéditeurs.

— Ils vendent la ferme. Depuis qu'elle est veuve, la pauvre
Marie ne peut plus tenir leur terre en métayage. Pense, douze
hectares... Tu sais ce qu'il faut qu'on fasse ? demanda-t-elle
d'un trait. Il faut qu'on achète les deux hectares qui sont sur
le plateau, pas loin de nos terres...

— T'es pas folle, non ? Tu sais bien qu'on n'a pas de sous !

— Il faut en trouver, insista-t-elle, et il faut acheter
Comme ça, on aura cinq hectares, une belle ferme !

— Non, dit-il sèchement. Et puis, parle-moi d'une belle
ferme, oui ! Sans maison, sans étable, sans cheptel, sans
même un outil à nous pour travailler ! Avec ça, on serait
gâtés. Allez, oublie cette idée.

Il avait conscience de gâcher sa joie, et il s'en voulait, mais
les faits étaient là : il n'avait pour ainsi dire plus d'argent. Mis
à part les trois cent quarante-cinq francs du livret de
Mathilde, et le napoléon de son grand-père, l'infime somme
dont il pouvait disposer lui permettrait tout juste d'attendre la
petite rentrée d'argent de la vente de l'orge, du maïs et des
légumes qu'ils cultivaient. A cela s'ajouteraient les poulets et
les lapins que Mathilde élevait, et aussi sa petite pension de
blessé de guere, mais elle n'était pas épaisse, et l'addition de
tout cela ne ferait jamais une grosse somme.

— Pourtant, s'entêta-t-elle, il faut acheter. Léon me l'a
dit.

— De quoi il se mêle, celui-là ! Non, écoute, au lieu de
rêver, je vais plutôt accepter ce qu'il m'a proposé.

— Tu veux lui emprunter ?

— Non pas ! Mais il y a deux mois, il m'a dit de venir l'aider les jours de foire. Alors, je vais y aller. Comme ça je gagnerai quelques sous, on économisera et un jour on pourra acheter.

— Et les terres du plateau seront vendues depuis long-temps, dit-elle amèrement. Et puis, tu ne m'as jamais dit que Léon t'avait proposé du travail ! Pourquoi tu ne m'as rien dit ?

— Parce que ça me fait dépit, dit-il. Parfaitement, ça m'emmerde ! J'ai rien d'un marchand de bestiaux, moi. J'ai pas envie d'estamper la clientèle ! Et pourtant, il va bien falloir que je m'y mette. On va bientôt être trois, tu y penses ? Et j'ai beau me crever comme un couillon, jamais on ne tiendra avec nos trente malheureuses cartonnées ! Quand je pense qu'à côté de ça mon père laisse la moitié de ses terres en friche, merde alors !

Elle le vit abattu, découragé ; elle se nicha contre lui.

— Eh bien, justement, c'est pour ça qu'il faut acheter ! Moi, je ne veux pas que tu ailles courir les foires quatre ou cinq fois par semaine ! Je ne veux pas, tu entends ? Il faut acheter ces deux hectares et on les achètera !

— Et combien ils en veulent des terres ? gouailla-t-il.

— Un peu cher, murmura-t-elle. Les prix grimpent vite...

— Combien ?

— Trois mille cinq cents l'hectare, mais peut-être qu'en discutant...

— Bon, n'en parlons plus. Viens, il est midi passé et j'ai faim.

Mathilde était couchée depuis plus d'une heure lorsqu'il revint enfin à la maison. Il avait profité de cette soirée de juin qui n'en finissait pas de mourir pour travailler au potager.

Il était tard et, déjà, le couchant virait aux étoiles, effaçant les ultimes rutilances qui s'accrochaient encore à l'horizon, tirant à lui le bleu sombre de la nuit.

Avant d'entrer dans la maison, il puisa un plein seau d'eau, se dévêtit et se lava. L'eau ruissela sur son torse ; elle était fraîche, délicieuse, après cette journée étouffante. Il remplit un autre seau, se le retourna sur la tête, s'ébroua. Alors, enfin lavé de la poussière et de la sueur accumulées par plus de douze heures de labeur, il entra chez lui et ferma la porte.

Malgré l'obscurité, il n'alluma pas, se dirigea sans bruit vers la chambre et se glissa dans le lit. A cause de la chaleur, Mathilde avait rejeté toutes les couvertures et seul l'épais et rêche drap de lin la recouvrait en partie. Il sentit ses épaules et son dos nus, craignit qu'elle ne prît froid lorsque, avec le serein, viendrait la fraîcheur. Délicatement, il remonta le drap.

— Laisse, il fait trop chaud !

— Tu ne dors pas ! Et moi qui faisais attention pour ne pas te réveiller...

— Tu es gentil. Dis, j'ai soif...

— Ah, c'est maintenant que tu t'en aperçois !

Il soupira, mais se releva et marcha jusqu'à l'évier. Elle l'entendit qui tâtonnait à la recherche d'un verre.

— Tu aurais quand même pu allumer...

— Pour qu'on se fasse bouffer par les moustiques ? D'ailleurs, j'y vois, dit-il en revenant.

Il heurta brutalement un tabouret, jura comme un charretier.

— Tu t'es fait mal ? demanda-t-elle dans un fou rire.

— Penses-tu, j'adore m'écraser les orteils, tu sais bien ! Tiens, bois. Bon, je peux me mettre au lit, cette fois ? Tu n'as plus besoin de rien ? Tu es sûre que tu ne veux pas manger quelques cerises ? Je pourrais aller t'en chercher là-haut, sur le plateau, ça ne fait jamais que deux kilomètres...

— Sois pas vilain ! Allez, viens te coucher.

Il l'embrassa, s'allongea à ses côtés. Dehors, l'effraie qui nichait dans le grenier de l'étable, chuinta longuement.

— Pourquoi elle fait ça ? demanda Mathilde.

— Ça doit être le mâle, expliqua-t-il très sérieusement. Pour moi, sa femelle l'a envoyé chercher un verre d'eau et il s'est cogné en revenant...

Elle lui pinça sournoisement la peau des côtes, puis s'assit.

— Où vas-tu ?

— Nulle part, dit-elle en repliant ses jambes contre elle et en les enlaçant de ses bras. Tu sais, j'ai réfléchi à ce que m'a dit Léon, ce matin...

— Ah non ! Pas à cette heure ! J'aime bien ton frère, mais j'en veux pas dans mon lit !

— Ecoute-moi, insista-t-elle, et regarde un peu ce qu'il a fait, lui...

— Quoi encore ? Il a vendu une vache laitière sans pis en jurant qu'elle ferait quand même ses douze litres par jour ?

— Non, s'entêta-t-elle, je parle sérieusement. Ecoute, avant la guerre, quand il a acheté tout ce qu'il a pu comme pacages et quand il a fait bâtir la maison, tu sais ce qu'il a fait ? Il a emprunté. Il me l'a dit ce matin...

345

— Ton frère a emprunté? Ça alors! moi qui croyais qu'il gagnait assez de sous pour payer de sa poche! Ah, le voyou, ça lui allait bien de jouer les richards avec l'argent des autres!

— Sois pas bête! Tu parles comme un vieux, on dirait ton père! C'est pas un péché d'emprunter, non? Et puis, il rembourse!

— Encore heureux! Mais avec l'argent qui ne vaut plus rien, il n'a pas perdu son temps ce forban!

— C'est vrai, reconnut-elle candidement, mais il m'a dit que ça risquait de durer...

— Quoi?

— Que l'argent perde chaque année... Il m'a dit que ce n'était pas bon signe de ne plus voir circuler les pièces d'or. Alors, d'après lui, c'est encore le bon moment pour emprunter, et si tu veux, il te cautionnera au Crédit agricole. Il connaît les gens de Tulle...

— Miladiou! Tu as comploté tout ça avec lui ce matin, hein? grogna-t-il d'un ton qui se voulait coléreux, mais où perçait l'admiration.

— Et pourquoi pas? C'est mon frère, non? Il a bien le droit de me parler!

— Bon sang, vous faites une sacrée paire! Ma parole, si je ne t'avais pas tirée de là, tu serais devenue pire que lui!

— Mais non. Et puis, tu ne vas pas me reprocher de m'occuper de l'argent du ménage, il faut bien que quelqu'un le fasse...

— De quoi? Dis tout de suite que je suis un panier percé!

— C'est pas ça, mais Léon m'a dit que tu ne t'intéressais pas à l'argent...

— Il commence à m'emmerder, ton frère! D'abord, qu'est-ce qu'il en sait? Il est venu vérifier mon porte-monnaie?

— Non, mais il m'a dit qu'un jour tu lui as fait jeter pour plus de cinq francs de grives, et pour rien encore! Et ça, il ne l'a pas oublié. Pour lui, c'est une preuve!

Il éclata de rire, se hissa à sa hauteur et la pressa contre lui.

— Cinq francs! dit-il dans un hoquet, cinq francs! Et pour rien qu'il dit, cet âne! Ah! je pense bien, on avait les loups au cul, oui. Si tu l'avais vu courir, ton frère! Tiens, il aurait bien donné deux pistoles pour être ailleurs!

— Ne ris pas! dit-elle en se débattant entre ses bras et en le

346

bourrant de coups de poing, c'est sérieux ce que je dis. Allume !

— Dis, il est tard ; j'ai sommeil, moi. Je suis debout depuis quatre heures !

— Tu dormiras après, allume !

Il soupira, tâtonna à la recherche des allumettes, en craqua une. Presque aussitôt, la flamme de la lampe à pétrole jeta sa lueur vacillante dans la pièce.

Mathilde se leva, empoigna la lampe ; son ombre gracile dansa sur les murs blancs.

— Ferme la fenêtre, à cause des moustiques ! recommanda-t-il.

Il sourit en la voyant trottiner dans la chambre et admira son corps que la grossesse, toute récente, était en train d'embellir. Plus tard, viendraient les déformations, les disproportions, mais, pour l'instant, de jour en jour, les formes changeaient, s'affirmaient et sous les délicates grâces de la jeune fille se modelait l'harmonie, la plénitude de la femme. Cela se décelait à la légère turgescence des seins, à la courbure plus enveloppante, plus protectrice des hanches, à certains gestes même, à cet instinct qui poussait déjà la jeune femme à poser, comme un rempart, sa main sur son ventre encore plat. Ce ventre lisse et doux comme un jabot de tourterelle, où croissait leur fils, ou leur fille, ce bébé qui allait naître pour les vingt ans de sa mère.

Elle alla jusqu'au buffet, l'ouvrit, prit une feuille de papier, un crayon et s'assit devant la table.

— Eh ! j'ai sommeil !

— Attends, tu n'es pas à une minute près, dit-elle en se mettant à écrire.

Elle revint vers le lit.

— Voilà, expliqua-t-elle. Voilà ce qu'il faut qu'on emprunte, et voilà ce que ça nous coûtera de remboursement par an...

Il prit le papier, lut et suffoqua.

— Onze mille francs ! Tu es malade, ma parole ! Et d'abord, pourquoi onze mille ? Tu m'as dit qu'ils vendaient à trois mille cinq cents l'hectare, il y en a deux hectares, ça fait sept mille ! Qu'est-ce que c'est que ce supplément ?

— C'est tout simple : pour acheter deux truies et huit brebis, et aussi pour le matériel ; Léon continuera à nous prêter ses bœufs.

— Mais tu te rends compte de ce qu'il va falloir rembourser par an !

— Bah ! dit-elle en lui passant les bras autour du cou, on a vingt ans pour ça ! Et puis quand même, quoi, le remboursement, ça ne représente jamais que quatre beaux cochons par an ! Alors, comme on va avoir deux truies, ça nous fera bien une douzaine de cochons à vendre !

— Arrête Perrette ! dit-il sérieusement, on n'en est pas encore là. Parce que, tu sais, moi, tes calculs...

Il reprit la feuille, l'étudia. Elle le vit hésitant, peu convaincu, alors elle se fit plus câline, lui prit la main, la posa sur son ventre.

— Dis, tu penses à lui un peu ?

— Justement ! Je ne voudrais pas qu'il ait un jour un père qui soit en prison pour dettes !

— Aucun rique. S'il le faut, je vendrai mes terres ! Alors, tu te décides ? C'est oui ? On ne va quand même pas laisser passer cette affaire !... Alors, c'est oui ? chuchota-t-elle en penchant son visage vers le sien.

Il la regarda longuement, songea aux deux hectares que, grâce à elle, ils allaient peut-être pouvoir acquérir. Ces deux hectares qui étaient leur chance, leur planche de salut, il les lui devrait. Elle avait tout fait, tout conduit, avec cette opiniâtreté, cette volonté qu'elle mettait dans toutes ses entreprises. Et loin de se sentir manœuvré, vaincu par elle, son charme et ses armes délicieusement persuasives, il savait que c'était grâce à elle, à tout ce qui la rendait si précieuse, qu'il allait atteindre à la plénitude de ses moyens, de ses capacités, de sa force.

— Je suis très fier de toi, dit-il enfin.

— C'est oui ? lui demanda-t-elle en l'embrassant.

— J'aimerais connaître celui qui pourrait te dire non, surtout en ce moment. Moi, je ne peux pas...

# 25

LA mise en vente et le dépecage de la ferme des Treilhe souleva peu d'animation. Il est vrai que l'affaire traîna, car l'été avec ses gros travaux se prêtait mal aux discussions et aux calculs qui sont les garants de toute bonne transaction.

Puis, avec l'automne, vint la préparation des élections législatives et municipales, et ces événements, mobilisant l'attention générale, permirent aux différents acquéreurs d'acheter, sans avoir trop à s'entre-déchirer, toutes les parcelles situées dans les abords immédiats du bourg.

Ainsi le fils de Jeantout — Maurice — qui, lui, n'était pas brouillé avec son père, put-il mettre la main sur les quelques lopins enclavés dans les terres de famille. Léon acheta huit cartonnées de prairie ; d'autres agriculteurs se partagèrent le reste.

Nul ne renchérit sur les deux hectares que voulaient Pierre-Edouard et Mathilde ; les terres étaient loin, en friche depuis des années, et coincées entre la propriété du père Vialhe et celle de sa bru, c'est-à-dire propices au rebondissement d'un conflit familial dans lequel personne n'avait envie d'intervenir.

Tout le monde savait que Jean-Edouard avait largement les moyens de faire grimper les enchères ; mais personne n'avait oublié non plus de quelle façon magistrale Mathilde avait gagné la première manche, dix-huit mois plus tôt. On se prépara donc à assister à une belle empoignade.

Marguerite épluchait la pomme de terre en un tournemain, l'expédia sans précaution dans la bassine d'eau, saisit un nouveau tubercule et le pela nerveusement. Jean-Edouard nota à quel point elle était brusque, excitée même, et sentit venir un nouvel assaut.

Mais autant sa femme paraissait énervée, autant il était calme. Il tronçonna méticuleusement, en toutes petites languettes, la grosse tranche de pain au-dessus de son bol, puis y versa la chicorée, un peu de lait et touilla.

— Alors tu vas encore te laisser faire ! grinça Marguerite.

Il versa une cuillerée de sucre dans son bol, remua.

— Me laisser faire ? Mais personne ne m'attaque ! dit-il sans élever le ton.

— Ah, tu trouves ça, toi ! Tu vas les laisser s'installer au milieu de chez nous ! Comme ça, chaque fois qu'ils iront travailler leurs terres, l'autre petite garce pourra se moquer de nous, faire la fiérote. Il faut que tu achètes ces terres, tu entends !

— Non, dit-il en aspirant bruyamment une grosse cuillerée, lourde de pain trempé.

— Et pourquoi ?

— Parce qu'on n'arrive même plus à cultiver toutes nos terres, ça me fait déjà assez honte !

— T'as qu'à retrouver un commis, même deux s'il le faut !

— Sûrement pas, je suis bien trop tranquille depuis que ce couillon d'Abel est parti se faire pendre ailleurs !

— Je te dis qu'il faut acheter quand même ! cria-t-elle soudain en cognant la table avec le manche de son couteau.

— T'as pas assez de terres, encore ? Dis, tu ne crois pas qu'on en a assez pour trouver une place où nous enterrer ? Miladiou ! Qu'est-ce que tu veux que j'en foute de ces deux hectares de plus ! Au lieu d'acheter, je ferais mieux de vendre, oui !

— Faut les prendre, tu entends, insista-t-elle.

Depuis quelques années, c'était sa lubie, amasser. N'importe quoi, des terres, des sous, mais amasser, pour le seul plaisir de pouvoir se dire riches, plus riches que les voisins, donc plus respectables.

Lui aussi, dans le temps, avait partagé ce goût, mais lui, au moins, lorsqu'il achetait des terres, c'était pour agrandir celles des Vialhe, pour l'honneur ds Vialhe et pour transmettre un jour à ses descendants un patrimoine plus solide, plus important que celui qu'il avait reçu de son père. Mais Louise était partie, Pierre-Edouard était parti, Berthe était partie, alors à quoi bon acheter des terres dont il n'avait désormais nul besoin! Pour que son fils les récupère à sa mort? Merci bien, c'était trop facile, immoral même! Pierre-Edouard voulait les deux hectares? Qu'il les prenne, mais au moins qu'il les paie de sa poche!

— Si tu les prends pas, tout le monde va dire que cette petite garce t'a encore roulé, et personne ne croira que tu n'étais pas acquéreur! Ou alors, on va dire que tu t'es laissé brider par Pierre-Edouard!

— Eh bien, qu'on le dise! Je m'en fous! assura-t-il en avalant une nouvelle portion de pain.

Et c'était vrai, qu'il s'en moquait. Il s'en moquait parce que, à ses yeux, tout cela n'avait plus d'importance. Parce que les manières, les idées, les principes mêmes, tout ce qui avait cours depuis la guerre, n'avaient plus rien de commun avec ce qu'il avait connu, honoré pendant soixante ans. Et ce monde nouveau, dans lequel les enfants n'avaient plus de respect, ni pour les traditions, ni pour l'autorité ni pour le devoir filial, ce monde dans lequel l'argent, le bon argent en belles pièces d'or, avait été remplacé par du papier sans valeur, ce monde fou, plein de menaces de révolution, de luttes sociales et politiques, ce monde bouleversé de toutes parts ne l'intéressait plus. Il s'y sentait étranger, perdu.

Et Marguerite pouvait toujours braire, geindre, tempêter autant qu'elle le voulait, il ne l'écouterait pas. Pas plus qu'il n'écouterait — et ils étaient pourtant nombreux — tous ceux qui, dans la commune, le réclamaient pour un nouveau mandat à la tête de la mairie.

Les élections législatives de novembre 1919 et les municipales qui suivirent ne déchaînèrent pas de très grandes passions à Saint-Libéral. On était loin des empoignades, des calculs et des luttes de jadis.

Là encore, le climat avait changé, à tel point, même, que l'abbé Verlhac, sans toutefois recommander de voter pour tel ou tel, ne cacha nullement ses préférences; on le vit même discuter politique avec l'instituteur, et sans se battre! On ne s'en offusqua pas. Pourquoi un curé aurait-il dû se taire, puisqu'il s'en était fallu d'un rien pour qu'on donne la parole aux femmes, qu'on leur accorde le droit de vote!

D'ailleurs, et bien que cette idée ait été rejetée par le Sénat, qui redoutait que l'Eglise ne profitât de l'aubaine pour influencer, à son avantage, toutes les dévotes de France — les femmes ne se privèrent pas d'afficher leurs opinions, de défendre leur candidat.

Et ce furent elles qui, à Saint-Libéral, firent placer Jean-Edouard Vialhe en tête de tous les élus municipaux. Elles l'avaient vu à l'œuvre pendant la guerre, savaient à quel point il s'était donné à sa tâche de maire et poussèrent les hommes à voter massivement pour lui.

Avec Jean-Edouard, furent réélus deux anciens, Léon et Jeantout, auxquels vinrent s'ajouter une majorité de jeunes combattants, comme Maurice, le fils de Jeantout, Jacques, le fils de l'épicier, d'autres encore; et même le docteur Delpy fut élu. Tous savaient pourtant qu'il était peu décidé à remplir un mandat de conseiller, mais on savait surtout qu'il avait fait une très belle guerre.

Jean-Edouard, quant à lui, fut surpris de se voir ainsi plébiscité, surpris, mais profondément touché. Ainsi, alors qu'il se croyait — qu'il se sentait même — dépassé et bousculé par une époque où il ne se reconnaissait plus, c'était néanmoins lui qu'on choisissait, qu'on désirait, à la tête de la commune, lui, le vieux, l'ancêtre.

Il vit, dans le choix de ses concitoyens, comme l'approbation de toute sa vie, de toutes ses décisions; il en fut bouleversé, mais ragaillardi aussi, et sentit renaître en lui des forces qu'il croyait à jamais éteintes. Il fut surtout repris par ce goût de la lutte et ce besoin de prouver à tous qu'ils avaient eu raison de le choisir.

Il n'eut qu'un remords, que nul ne devina mais que Marguerite ne se priva point d'aviver, celui d'avoir, un temps, baissé les bras; d'avoir renoncé à la bataille jusqu'à négliger d'affirmer ses prérogatives de chef de famille en laissant son fils acquérir ces deux hectares qu'il avait dédaignés, par lassitude, par faiblesse.

Mais il était trop tard pour revenir en arrière, pour effacer ce qu'il ressentait maintenant comme une humiliation. Pierre-Edouard et Mathilde étaient déjà propriétaires. Ils avaient signé l'acte d'achat depuis plus d'un mois et cela avait été une des dernières transactions établie par M$^e$ Lardy. Depuis, l'étude était fermée, et Saint-Libéral n'avait plus de notaire.

Une nouvelle fois, la houle de douleur lui cisailla l'abdomen, se répandit en ondée brûlante jusque dans le bas-ventre, lui scia les reins, la laissa le souffle court, attentive à la prochaine vague qui allait lui fouailler les entrailles.

Malgré cela, Mathilde ne réveilla pas Pierre-Edouard. Il dormait d'un épais sommeil d'homme rompu par la fatigue de toute une journée de défriche, cette défriche qu'il effectuait là-haut, sur le plateau, dans leurs nouvelles terres.

Déjà, la nuit précédente, de violents tiraillements à la hauteur des lombes l'avaient conduite à secouer son mari ; mais ce n'avait été qu'une fausse alerte, un simple avertissement et elle s'en était voulue d'avoir interrompu son repos. Mais cette nuit...

Puis elle songea qu'elle avait peut-être trop abusé de ses forces tout au cours de la journée. Prise d'une sorte de frénésie et un peu vexée d'avoir cru, quelques heures plus tôt, à l'imminence de sa délivrance, elle s'était lancée dans le nettoyage de leur petite maison, s'acharnant à faire briller leurs quelques meubles, encaustiquant le berceau, prêt depuis quinze jours, balayant avec un soin rageur le sol de terre battue, allant jusqu'à traquer les toiles d'araignée qui la narguaient, là-haut, entre les grosses poutres noircies par un siècle de fumée. Oui, elle en avait peut-être trop fait.

Elle calcula aussi qu'on était dans la nuit du 6 janvier et que, de toute façon, si ce n'était pas pour cette nuit, le bébé viendrait quand même sous peu. Demain, peut-être...

Elle posa les mains sur son ventre et nota aussitôt le changement qui venait d'intervenir. La chaude boule vivante qui lui distendait les chairs et remontait, une heure plus tôt, très haut vers sa poitrine, était descendue. Et elle n'avait plus sa forme parfaitement ovoïde, lisse et régulière, elle était bossuée en son centre, comme déformée par un énorme poing, dur et noueux.

Une nouvelle douleur l'électrisa, des pieds jusqu'à la nuque ; alors elle secoua doucement Pierre-Edouard. Il s'éveilla aussitôt, tout de suite lucide.

— C'est pour de bon, cette fois ? demanda-t-il en allumant la lampe à pétrole.

— Je crois, oui. J'aimerais que tu ailles chercher le docteur Delpy.

Elle se hissa péniblement sur ses coudes, s'assit, le dos contre le bois du lit. Ils entendirent alors nettement comme un froissement de papier de soie déchiré, suivi du bruit d'un œuf qui s'écrase sur un coin de table et coule jusqu'à terre.

— Ça y est, la poche des eaux vient de s'ouvrir, je le sens. Dépêche-toi, va chercher le docteur.

— Bon Dieu, dit-il en s'habillant en toute hâte, tu aurais dû me réveiller plus tôt !

Il ne s'affolait pas, mais une méchante inquiétude le gagnait, l'oppressait un peu.

— Et dire qu'il faut que je te laisse seule ici, sans personne à trois kilomètres à la ronde ? Tu es sûre que tu ne préfères pas que je reste ? demanda-t-il, conscient de poser une question stupide.

Ils en avaient assez discuté de cette naissance, et lui-même était le premier à reconnaître qu'il ne se sentait pas de taille à la conduire. Cette fois, il ne s'agissait pas de délivrer une vache, ou une brebis. Il s'agissait de Mathilde, de son intimité, de cette douceur qui, déjà, se transformait sous le travail, s'ouvrait pour la libération. Et là, vraiment, il ne savait que faire pour lui venir en aide.

Il se couvrit soigneusement, car dehors le gel pinçait.

— Allonge-toi, recommanda-t-il en essayant de la recouvrir.

— Laisse-moi, je suis bien comme ça, va vite !

— Ça m'embête de te laisser seule...

— Dépêche-toi, ça ira.

Il chargea le feu de quatre énormes bûches de chêne, puis alluma sa grosse lampe-tempête et s'élança dans la nuit.

La brûlure qui lui dévorait le ventre lui coupa le souffle et lui inonda le visage et la poitrine de sueur ; elle s'éloigna, revint, plus précise, plus dévorante.

Instinctivement, ou peut-être parce qu'elle avait vu mettre bas bien des brebis, Mathilde chercha sa respiration, l'ordonna, puis, volontairement, la transforma en petits halètements saccadés, rapides, de plus en plus rapides, jusqu'à ce que la douleur s'estompe, se tapisse, là, au creux d'elle, comme une bête qui feint d'être domptée. Elle regarda anxieusement la pendule qui, inlassablement, fauchait les minutes à grands coups de son balancier de cuivre.

Pierre-Edouard était parti depuis vingt minutes, il avait dû courir tout au long du chemin et devait déjà frapper à la porte du docteur ; peut-être même était-il avec lui sur le chemin du retour, bientôt elle entendrait le bruit du moteur. Merveilleuse voiture qui allait venir jusqu'ici et d'où descendrait celui qui la délivrerait de ce terrible tison qui l'éventrait, la déchirait !

Une nouvelle pointe de feu fusa dans ses reins. Elle se mordit le poing pour ne pas hurler et elle ne hurla pas ; mais elle sentit sous ses dents le goût fade de son propre sang.

Et la douleur revint, s'installa, ne la quitta plus. Alors elle appela Pierre-Edouard, inlassablement, d'une voix plaintive de petite fille perdue qui réclame du secours, qui s'entête à appeler, qui tente de chasser sa peur par le son de sa propre voix, qui parle, qui parle encore, comme pour tenir à distance la mort qu'elle sent rôder tout près.

Pierre-Edouard courait comme un fou, ou du moins essayait de courir. Deux cents mètres à peine après avoir quitté la maison, une méchante plaque de glace l'avait envoyé rouler dans le fossé et les ronces, cul par-dessus tête. Il ne s'était pas fait trop de mal, mais le verre de la lampe avait explosé comme une petite grenade, le laissant dans une complète obscurité.

Pas de lune, pas d'étoiles, rien qui permît de dévaler jusqu'au bourg à toutes jambes. Pourtant, il trottinait quand même, maintenant fou d'inquiétude et peu à peu envahi par la terrible certitude que Mathilde, là-haut, toute seule, toute perdue, avait plus que jamais besoin de lui, et besoin d'aide.

Il trébucha sur une aspérité, s'étala une nouvelle fois et glissa sur trois mètres. Il se releva d'un bond, sans s'occuper des cicatrices de ses jambes d'où provenaient maintenant de sourdes douleurs. Il reprit sa course en essuyant contre sa veste ses paumes déchirées par la glace et les cailloux du chemin.

Il atteignit enfin les premières maisons du village. Tout dormait, mais les chiens donnèrent soudain de la voix, alertés par le bruit de ses pas qui résonnaient dans les ruelles. Il arriva sur la grand-place, accéléra sa course, se jeta contre la porte du docteur, la martela de coups de poing, jusqu'à ce qu'on fît de la lumière.

— C'est qui ? demanda la vieille bonne sans ouvrir l'huis.

— Ouvrez, nom de Dieu ! C'est moi, Vialhe, ma femme est en train d'avoir notre petit ! Faut le docteur, vite !

— Ah ! mon pauvre, il te faudra attendre. L'est parti y'a pas une heure pour accoucher la femme Bonny, là-bas, pas loin de Perpezac...

— Mais, miladiou ! qu'est-ce que je vais faire alors ? cria-t-il.

Et soudain, il se vit veuf, il se vit revenant à la chaumière pour y trouver, exsangue, celle pour qui il aurait donné sa propre vie. Mais quatre ans de guerre l'avaient forgé à la lutte et à la décision. Il serra les dents et courut chez le docteur Fraysse.

On lui ouvrit presque tout de suite.

— Qu'est-ce qui te prend ? demanda le vieux docteur en s'emmitouflant dans sa robe de chambre, c'est toi qui gueulait tout à l'heure ?

— Oui, Delpy n'est pas là et Mathilde accouche là-haut, toute seule !

— Ah non, commenta le vieillard. Eh bien, va chercher la mère Traversat, c'est une bonne accoucheuse.

— Non, j'en veux pas ! C'est elle qui a déchiré la fille de Gaston, et qui a même déboîté l'épaule du petit, j'en veux pas de cette bouchère ! Il faut venir, vous. Vous ne pouvez pas refuser !

Le docteur, soupira, protesta un peu.

— Dis, j'ai quatre-vingt-cinq ans, c'est plus de mon âge de courir les chemins à deux heures du matin, surtout par ce froid !

— Il faut venir ! On ne va pas la laisser comme ça !

— Bien sûr que non... Et puis... ça me rajeunira d'accoucher une femme que j'ai fait naître il y a vingt ans. D'ailleurs, murmura le vieil homme comme pour lui-même, je le lui dois bien. Non, tu ne peux pas comprendre, une vieille histoire, du temps de son père... Allons, trouve au moins une carriole pendant que je m'habille. Et puis ne t'inquiète pas, va, une première naissance, c'est toujours très long.

Pierre-Edouard s'élança dans la nuit, courut chez son beau-frère, tambourina à la porte, mena un bruit d'enfer.

— Quel est le couillon qui cherche un coup de flingue ? lança soudain Léon, abrité derrière ses volets.

— Ta gueule ! C'est moi, Pierre, j'ai besoin de ton cheval. Dépêche-toi, c'est pour Mathilde ! hurla-t-il en courant vers l'écurie.

Malgré l'obscurité, il trouva le cheval et le sortit. Il lui passait déjà le collier lorsque Léon arriva enfin avec une lampe.

— Mais qu'est-ce qui se passe ?

— Le bordel ! Mathilde est en train d'accoucher et Delpy est au diable ! Il m'avait pourtant promis d'être là, ce méchant con ! Alors, j'ai réveillé le docteur Fraysse. Lève les brancards ! Et toi, recule ! ordonna-t-il au cheval. Allez, recule !

— Tu veux que je te suive ? Tu veux que je dise à ma mère de venir ?

— Non pas ! Pour quoi faire ? Et puis ta mère est malade, qu'est-ce qu'elle pourrait faire ! Allez, salut ! lança-t-il en sautant dans la carriole.

Il fouetta la monture et la jeta à plein galop jusque chez le docteur Fraysse.

Celui-ci l'attendait, emmitouflé jusqu'aux oreilles. Il tenait sa petite trousse noire serrée contre lui comme un bien précieux, et cette vision réconforta un peu Pierre-Edouard. Le vieux docteur se hissa péniblement dans le char à bancs, rabattit la couverture sur ses genoux.

— Vas-y, mon petit, je suis prêt, je me cramponne.

Pierre-Edouard cingla les flancs du cheval, le lança dans une charge folle. Et le bruit ferraillant des roues qui rebondissaient sur les pavés gronda dans tout le bourg. Mais il dut ralentir un peu lorsqu'ils atteignirent le mauvais chemin qui grimpait jusqu'à Coste-Roche.

— Va pas nous foutre en l'air ! recommanda le vieillard, on ne gagnerait rien. Et puis calme-toi, va !

— Me calmer ? Miladiou ! Il y a près de deux heures que je l'ai quittée ! Dites, vous croyez que... Elle ne risque rien, hein ?

— Mais non, ta petite Mathilde est bien faite, juste assez large, l'enfant viendra très bien, j'en suis sûr. Mais dis, pourquoi n'avez-vous pas demandé à sa mère de venir s'installer chez vous ? Ça se fait, d'habitude.

— Je sais bien ! Mais ma belle-mère a une mauvaise angine depuis huit jours, elle est au lit !

— Ah bon, je ne savais pas. Ralentis, je te dis, on a le temps.

— Bon Dieu, non ! Mathilde est seule là-haut ! Toute seule, vous vous rendez compte ?

— Bien sûr. Mais tu sais, dans de pareils moments, on est toujours seul, même si la pièce est pleine de monde... Enfin, c'est ce que je crois. Fais attention, ce tournant est sournois comme tout... Au fait, qu'est-ce que tu préfères, un gars ou une fille ?

— Ah ça, je m'en fous bien ! Tout ce que je veux, c'est qu'on aide Mathilde ! Bon Dieu, si vous saviez… Ah ! vous ne pouvez pas comprendre !

— Si, je sais ce qu'elle est pour toi, et aussi ce que tu es pour elle. Tu n'as pas besoin de le dire, va. Vous deux, rien qu'à vous regarder, on sait que vous êtes comme les doigts d'une main ; mieux même, comme les yeux d'un visage, l'un ne tourne pas sans l'autre. Va pas si vite, on va verser…

— J'ai peur, avoua Pierre-Edouard sans retenir le cheval, peur d'arriver trop tard. Peur comme à la guerre, je crève de peur comme sous les bombardements, et j'ai pas honte de le dire.

— J'espère bien, il n'y a que les imbéciles qui n'ont pas peur, mais tu as tort de t'affoler.

— Je ne m'affole pas, c'est pas mon genre ! Mais de la savoir seule là-haut… Dites, vous croyez qu'elle souffre beaucoup ?

— Ma foi… Mais elle est courageuse, ta Mathilde.

— Je sais, mais c'est pas une raison. Ah, Seigneur, pourvu qu'on arrive à temps !

— Mais oui. Et tu vas voir, elle va même nous faire passer toute la nuit !

Ouverte à la douleur, tourmentée par cette présence qu'elle sentait là, en elle, par cette boule qui l'écartelait et que rien ne semblait pouvoir expulser, Mathilde appela une nouvelle fois Pierre-Edouard. Mais il était parti depuis plus d'une heure et, déjà, l'angoisse lui susurrait que quelque chose d'anormal était arrivé. Peut-être avait-il roulé dans le ravin, peut-être s'était-il recassé la jambe…

Alors, elle allait être seule toute la nuit. Personne ne lui porterait secours, personne ne l'aiderait à surmonter les affres de cette déchirure qui était en train de la fendre ; elle se sentait ouverte comme un melon trop mûr qui éclate au soleil.

Haletante, en sueur, brisée, elle réitéra ses appels ; mais ils étaient de plus en plus faibles.

Pierre-Edouard encouragea le cheval, le poussa dans la dernière côte.

— On arrive, on arrive, on est là, dit-il doucement, comme s'il parlait à sa femme.

— Tu as pensé à faire chauffer de l'eau ? demanda le

docteur. Non, bien sûr ! Alors tu vas le faire dès qu'on sera arrivé. Bon sang, quelle idée d'habiter si loin de tout ! Quand je pense...

— Je sais, on devrait être au village, chez mon père ! Eh bien, on n'y est pas, voilà tout !

— Je ne te fais pas de reproches, ce n'est pas mon affaire. Ah, on est quand même arrivés ! constata le vieillard en distinguant la masse trapue de la chaumière.

Pierre-Edouard sauta à terre, empoigna la couverture qui les protégeait et la jeta sur le dos du cheval ; la pauvre bête était en sueur. Il aurait fallu la dételer, la bouchonner, mais le temps manquait ; il espéra que la couverture lui éviterait un mortel coup de froid et se précipita vers la masure en entraînant le docteur.

Ils entrèrent. La maison était chaude, calme, mais d'un silence inquiétant que troublait à peine le cliquetis de la pendule et le chant du feu. Là-bas, dans la chambre, dans la lueur mouvante de la lampe, ils virent la petite silhouette immobile au milieu du lit, tapie sous les couvertures.

Pierre-Edouard courut jusqu'à elle, resta pétrifié devant le visage blafard, aux yeux clos cernés par la fatigue, au nez pincé, aux lèvres blanches. Il n'osa même pas tendre la main pour toucher le front où, éparses, collées par la sueur, étaient plaquées des mèches de cheveux.

— Pousse-toi, ordonna le docteur.

Il effleura la joue de Mathilde puis retira la couverture.

— Ah nom de Dieu ! s'exclama-t-il sourdement.

Le bébé était là, tout potelé, encore luisant et humide, bien étalé à plat ventre sur sa mère, quiet. Sa tête, toute poisseuse, était nichée presque entre les seins et c'est par cet étroit passage que le petit nez retroussé aspirait paisiblement la vie. Pourtant, le cordon rougeâtre qui serpentait entre ses jambes le reliait encore à sa mère.

Le docteur empoigna le bébé par les pieds, vit le mouchoir lacéré que la jeune femme avait eu le temps de lier à ras de l'abdomen ; alors, il reposa le petit être entre les jambes de Mathilde et s'occupa d'elle.

— Elle est... ? demanda faiblement Pierre-Edouard.

Il était aussi pâle qu'elle, paralysé.

— Mais non ! Qu'est-ce que tu crois ! Elle dort. Enfin, presque. Mais il faut quand même que je la ranime, expliqua le docteur en préparant sa seringue. Allez, va faire chauffer de l'eau, prépare des draps propres, fais du café. Remue-toi, quoi !

— Vous êtes certain...

— Ne t'inquiète pas, fais ce que je te dis. Et prépare aussi le berceau pour ton fils.

— Ah, c'est un gars, murmura-t-il en reprenant peu à peu conscience.

Pétrifié par l'immobilité et la pâleur de son épouse, il n'avait même pas pensé à observer l'enfant lorsque le docteur l'avait saisi.

— Remue-toi, tout va bien. Tiens, regarde, elle bouge déjà.

Le poids qui l'oppressait, qui l'écrasait depuis deux heures le quitta enfin, s'évanouit. Il s'accroupit à la tête du lit, nicha son visage dans le cou de sa femme, lui parla à l'oreille, l'apaisa par mille douceurs chuchotées, qu'elle seule pouvait entendre. Et sa main lui caressait le front, réchauffait les joues glacées.

Mathilde s'agita, ses mains vinrent se poser sur son ventre, tâtonnèrent, cherchèrent, s'affolèrent même. Alors, elle s'éveilla d'un coup.

— Où est-il ? cria-t-elle en se redressant un peu.

Elle vit les deux hommes qui lui souriaient, sentit les caresses de Pierre-Edouard. Alors, épuisée, elle se laissa aller sur l'oreiller.

— Il est beau, hein ? souffla-t-elle.

— Très beau !

— Je veux le voir.

— Tiens, le voilà, dit le docteur en lui posant l'enfant sur la poitrine.

Il l'avait définitivement retranché de sa mère et une bande Velpeau le ceinturait. Dérangé, bousculé, l'enfant hurla rageusement et ses poings minuscules se serrèrent et martelèrent gauchement les seins de sa mère.

— Il a déjà crié tout à l'heure, expliqua-t-elle d'une voix faible. C'est toi que j'appelais et c'est lui qui a répondu. Ça m'a redonné du courage. Il est né à deux heures un quart. Dis, tu m'en veux pas de ne pas t'avoir attendu ?

— Tu es folle, non ? C'est ma faute, s'excusa-t-il.

— J'ai pas pu le retenir, il voulait venir, il poussait. J'ai senti sa tête sous mes mains, j'ai essayé de l'aider. Il est venu et il s'est mis en colère, tout de suite. Je me suis souvenue qu'il fallait attacher le cordon, j'ai pris ce que j'avais sous la main, et puis je l'ai posé sur moi et il s'est calmé. Ensuite, je ne sais plus.

— Tu as travaillé comme une championne, lui assura le vieux docteur, je te félicite. Pierre-Edouard peut être fier de toi.

— Pourtant, j'ai eu un peu peur, avoua-t-elle, j'ai cru que tu avais eu un accident. Alors en me voyant toute seule... Mais tu sais, la prochaine fois, il faudra que tu sois là, hein ? Tu promets ?

— Promis, je serai là. Parce que moi aussi j'ai eu trop peur.

Malgré sa nuit blanche et ses jambes douloureuses, c'est d'un pas allègre et en sifflotant la marche des artilleurs que Pierre-Edouard descendit vers le bourg.

Il était fou de joie, prêt à arrêter le premier venu pour lui narrer toute sa nuit, pour lui parler du courage de sa femme, lui dépeindre les qualités de son fils, ce solide gaillard de presque six livres ! Pour établir son poids, le docteur Fraysse l'avait plié dans une serviette et suspendu au crochet de la balance romaine dont Mathilde se servait pour peser les lapins et les poulets.

Oui, il était prêt à embrasser tout le monde ! Et pourtant, quelles heures cauchemardesques, quelle peur ! Mais tout cela était fini, terminé, il n'y avait plus que la joie.

Vers sept heures, le docteur Delpy était arrivé et s'était excusé auprès de son confrère et de Pierre-Edouard. Mais celui-ci ne lui tenait plus rancune de son absence de la nuit, tout cela était oublié, envolé avec les petits cris qui s'élevaient du berceau et le sourire de Mathilde. Après avoir accepté une tasse de café, le docteur Delpy avait redescendu en voiture le docteur Fraysse que Pierre-Edouard n'avait su comment remercier et qui était reparti après avoir embrassé Mathilde, comme l'eût fait un ancêtre plein de reconnaissance.

— C'est moi qui vous remercie, les enfants. C'est sûrement mon dernier accouchement, et encore, je n'ai rien fait ! Mais je suis content d'être venu recueillir ce poupon. Vous m'avez fait le plus beau des cadeaux. Je suis très, très content.

Peu après leur départ, Léon était arrivé, inquiet, ne sachant ce qu'il allait découvrir. Et c'est discrètement qu'il avait choqué le vantail avec la pince métallique qui, depuis six mois, remplaçait sa main gauche.

Quel bonheur de lui ouvrir, de l'entraîner jusqu'à la chambre et là, de l'inviter à admirer la mère et le bébé ! Cet enfant dont il allait être le parrain ; car, de même que Louise avait jadis choisi Pierre-Edouard pour remplacer le grand-père — Jean-Edouard se serait sans aucun doute récusé —, Pierre-Edouard et Mathilde avaient demandé à Léon et à sa mère d'assumer le parrainage de leur fils.

Puis, Léon était redescendu avec son cheval que, dès les transes terminées, Pierre-Edouard était venu dételer, avait conduit jusqu'à l'étable et frictionné d'une poigne vigoureuse, pour lui réchauffer le sang et le sécher de toute cette écume glacée qui lui durcissait les poils.

Pierre-Edouard arriva au village vers les onze heures et comprit tout de suite que Léon avait proclamé la nouvelle. Il remercia tous ceux qui le congratulèrent, offrit même une tournée à trois ou quatre camarades, puis marcha vers la mairie.

Bien qu'il s'en défendît, Jean-Edouard était ému, très fier aussi. Dix ans plus tôt, la naissance du fils de Louise l'avait fugitivement attendri, contenté même. Mais ce premier petit-fils était loin, il ne l'appelait pas Vialhe, et il était le fruit d'une union qu'il désapprouvait.

Maintenant, c'était tout différent. C'était vraiment un Vialhe qui venait de naître, un fils de son fils, et qu'importait la mère ! C'était d'abord un Vialhe de Saint-Libéral.

Mais il n'avait rien dit de tout cela au docteur Delpy qui lui avait annoncé la naissance et s'était contenté de le remercier d'un vague bougonnement ; nul n'avait besoin de savoir qu'il était heureux, et il en serait ainsi tant que subsisterait le différend qui l'opposait à son fils. Et cette affaire n'était pas à la veille d'être réglée.

Même Marguerite était partagée entre la joie et la rancune. Elle qui avait tant critiqué sa bru, qui l'avait chargée de tous les défauts de la terre, ne lui pardonnait plus, maintenant, de ne pas l'avoir appelée pour son accouchement ! C'était sa place, pourtant, elle y avait droit, elle devait y être, puisque la mère Dupeuch était malade ! Mais on l'avait volontairement écartée, et Pierre-Edouard n'avait même pas daigné l'appeler lorsqu'il était venu réclamer l'aide du docteur.

Car tout le bourg était au courant de sa course nocturne, de ses jurons, du tapage qu'il avait mené ; mais tout le monde savait aussi qu'il n'était pas venu demander secours à sa propre mère. C'était difficilement pardonnable, et bien la preuve qu'il était toujours aussi irrespectueux, et buté, que rien n'avait changé.

Jean-Edouard aperçut son fils qui venait vers la mairie. Alors, il ouvrit le registre d'état civil, dévissa la bouteille d'encre, nettoya la plume de son porte-plume, plaça soigneusement un buvard sous sa main et attendit.

# 26

Pierre-Edouard n'avait pas adressé la parole à son
père depuis plusieurs mois. Ce n'était ni par méchanceté ni
par rancune ; simplement, il n'avait rien à lui dire. Mais cette
coupure ne le gênait pas et il était même tout prêt à l'oublier
pour peu que son père reconnaisse, une fois pour toutes, qu'il
n'était plus un petit garçon...

De toute façon, plus le temps passait, plus il était enclin à
sourire de l'attitude de son père et de l'idée qu'il se faisait de
son rôle de chef de famille. Tout cela était si périmé, si
condamné par les chemins suivis par ses propres enfants, que
c'en était presque risible.

Une seule chose empêchait encore Pierre-Edouard de
renouer les contacts : l'hostilité de ses parents envers
Mathilde. Cela, il ne l'admettait pas, ne le pardonnait pas et
rien ne serait possible tant que son père et sa mère feindraient
de ne pas la reconnaître comme un véritable membre de la
famille Vialhe.

Mais ces considérations ne l'assombrissaient pas en ce
matin du 6 janvier, et c'est en sifflotant toujours qu'il entra
dans la mairie.

— Tiens, vous êtes déjà là ? dit-il un peu surpris de voir
son père.

Il avait pensé trouver le secrétaire, puis il se souvint qu'on
était un mardi et que l'instituteur était occupé avec les
enfants.

— Ça t'étonne ? Je suis le maire, non ?

— Je sais. Eh bien, voilà, vous êtes au courant je suppose.
Vous savez pourquoi je suis là ?

— On me l'a dit. D'ailleurs, il paraît que tu as fait assez de bruit cette nuit pour que tout le village soit au courant... Tout le village, sauf nous...

— C'est pas ma faute si vous habitez loin de la grand-place !

— N'empêche, tu aurais pu au moins venir chercher ta mère...

— Je n'y ai pas pensé, avoua-t-il.

Et c'était vrai, cette idée ne lui était même pas venue. Il sortit sa pipe, la bourra, tout en espérant que son père n'allait pas lui faire une scène pour un détail aussi insignifiant. De plus, qu'aurait-il gagné à amener sa mère au chevet de Mathilde ? Rien, sauf vraisemblablement une litanie de jérémiades et de réflexions acerbes.

— C'est bien ce qu'on pourrait te reprocher...

— Faites-le si ça doit vous soulager, dit-il entre deux bouffées.

Son père haussa les épaules, contempla le registre, saisit son porte-plume et le trempa délicatement dans l'encrier.

— Allons, vas-y, déclare-le, ce petit, dit-il en commençant à écrire : « Ce jour, 6 janvier 1920, à... » A quelle heure ?

— Deux heures un quart, dit Pierre-Edouard qui poursuivit : Est né Jacques, Pierre, Léon Vialhe.

— Miladiou ! dit son père.

Il reposa sèchement le porte-plume, repoussa le registre.

— Miladiou de miladiou ! Tu renies tes ancêtres, maintenant ? Hein ?

— Quels ancêtres ?

— Merde, quoi ! Ton arrière-arrière-grand-père s'appelait Edouard-Benjamin, ton arrière-grand-père Mathieu-Edouard, ton grand-père Edouard, ton père Jean-Edouard, toi tu t'appelles Pierre-Edouard et lui tu le baptises Jacques, Pierre, Léon ! T'as honte des Edouard ? Ah, de Dieu, j'aurai tout vu avec toi ! Et en plus, tu l'appelles Léon, comme les Dupeuch !

— Et alors ? Vous ne voulez pas que je l'appelle Mathilde, non ? D'ailleurs, il est autant Dupeuch que Vialhe ! Et tant pis si ça ne vous plaît pas !

— Non, ça ne me plaît pas ! Un petit-fils Vialhe doit s'appeler Edouard !

— Vous commencez à m'échauffer les oreilles avec vos Edouard. Il s'appellera Jacques, Pierre, Léon, un point c'est

365

tout, merde, à la fin ! Et si vous ne voulez pas écrire, j'attendrai que le secrétaire soit là !

Il trouvait la scène grotesque, et d'autant plus qu'il n'avait en rien prémédité ce qui venait de la déclencher. Il n'avait pas pensé à baptiser son fils Edouard, tout simplement parce que ce deuxième prénom tombait en désuétude — Mathilde l'appelait simplement Pierre — et aussi, peut-être insconsciemment, parce que, pour lui, Edouard c'était d'abord son père, son caractère impossible, ses colères, sa dureté.

— Miladiou, s'entêta Jean-Edouard, ça ne te coûte rien d'ajouter Edouard !

— Et pourquoi le ferais-je, hein ? Pour quelle raison ? Les Edouard, tous les Edouard Vialhe sont nés là-bas, chez vous, dans la maison où moi aussi je suis né ! Ils sont nés chez eux, sous leur toit, dans leurs biens ! Mais lui, mon fils, à cause de votre connerie, parfaitement, votre connerie, lui, il est né tout seul au fond de la commune ! Et si sa mère n'en est pas morte, ce n'est pas votre faute ! Alors, ne m'emmerdez pas avec vos Edouard Vialhe qui sont juste bons à vider les enfants de la maison et qui, après, ne sont même pas foutus d'entretenir leurs terres ! C'est terminé les Edouard ! Alors écrivez : Jacques, Pierre, Léon !

— Petit salaud, gronda son père, tu enlèves Edouard et tu mets Pierre à sa place, hein, c'est bien ça ?

— Exactement ! approuva Pierre-Edouard sans penser un mot de ce qu'il disait, vous avez vu juste ! Je fais ça pour que tous mes descendants aient un point de repère, pour qu'ils sachent un jour qu'il a fallu attendre l'arrivée d'un Pierre pour que les choses changent enfin dans cette putain de famille !

— Très bien, murmura Jean-Edouard en reprenant son porte-plume, continue à jouer au couillon, mais joue tout seul. Moi, je t'ai assez entendu...

Pierre-Edouard le regarda, nota à quel point il avait vieilli, s'était tassé, et sa main tremblait en traçant les lettres.

— Et puis merde ! dit-il en retrouvant soudain sa bonne humeur et en se mettant à rire, ajoutez Edouard si ça vous fait plaisir. Tout ça, c'est de la bêtise ! Attendez ! Après Léon, rajoutez d'abord Libéral, et puis Edouard en dernier. L'un calmera peut-être l'autre. Voilà, Jacques, Pierre, Léon, Libéral, Edouard Vialhe, et si avec tout ça les Edouard lèvent encore la tête, ça m'étonnera !

— Fais pas le fier, va, dit son père en appliquant délicatement le buvard sur la page du registre, fais pas trop le fier, ni le malin. On verra ce que tu feras, toi, de tes gamins... On en reparlera, va... Et s'ils sont aussi emmerdants que toi et tes sœurs, t'as pas fini d'en voir. Et moi, moi, ce jour-là, crois-moi, je rigolerai !

Pierre-Edouard poussa adroitement avec sa houe la petite butte de terre contre une nouvelle tige verte ; puis il regarda derrière lui et pensa, une fois de plus, qu'il avait entrepris une tâche impossible, vu trop grand, présumé de ses forces et de celles de Mathilde.

Pour courageuse et vaillante qu'elle fût, la jeune femme ne pouvait travailler au même rythme que lui. Mais elle s'entêtait, s'appliquait et avait toujours l'air de s'excuser de ne pouvoir avancer au même pas que lui. Et lui, comme il était soucieux et peiné de la voir s'éreinter, s'épuiser, il essayait de la soulager en accélérant sa progression, en buttant le plus vite possible le plus grand nombre de pieds de tabac, en fournissant à lui seul le rendement de deux hommes.

Malgré cela le buttage du champ s'éternisait, mangeait tout leur temps, les contraignait à des journées de quinze heures. Car le tabac n'était pas la seule culture qui réclamait leur travail ; il y avait aussi le maïs, les pommes de terre, les betteraves et tous les légumes.

Là-dessus venait se greffer la corvée des bêtes, la nourriture de leurs deux truies, des poules, des canards, des lapins, la surveillance des huit brebis et de leurs agneaux et, pour Mathilde, les soins qu'exigeait le bébé, ses tétées, la lessive de ses langes, le raccommodage, la préparation des repas. Aussi, Pierre-Edouard regrettait-il maintenant de s'être lancé dans cette culture du tabac.

Son titre d'ancien combattant et blessé de guerre lui avait permis d'obtenir l'autorisation de planter les trois mille huit cents pieds qu'il pensait pouvoir cultiver. Heureux d'améliorer ainsi l'état de leurs finances et d'atténuer les soucis que leur donnaient le manque d'argent et l'invraisemblable escalade des prix, ils s'étaient engagés dans cette production. La culture du tabac était de bon rapport, mais quel esclavage !

Il leur avait d'abord fallu disposer au pied de la grange, bien exposée au soleil du printemps, une couche de bon et riche terreau, finement tamisé, doucement chauffé au fumier de cheval. Cela fait, Pierre-Edouard avait semé les graines fournies par l'administration du service spécial des tabacs. Des graines tellement minuscules — il y en avait, paraît-il, douze mille au gramme ! — qu'il avait dû les mélanger à de la cendre pour pouvoir les épandre à la bonne densité.

Ensuite étaient venus la surveillance du semis, son arrosage, sa protection contre le gel nocturne, son premier éclaircissage. Plus tard, après avoir méticuleusement quadrillé le champ et tracé les lignes au cordeau, ils avaient repiqué les trois mille huit cents pieds, pas un de plus, pas un de moins, car l'inspecteur du service des tabacs ne plaisantait pas et vérifiait scrupuleusement la plantation. Le barème officiel était de trente-huit mille plants à l'hectare ; ils cultivaient mille mètres carrés — il devait donc y avoir trois mille huit cents pieds.

Et maintenant que les tiges atteignaient quinze centimètres, il fallait les butter, pour les rendre plus vigoureuses et favoriser le développement des racines adventives.

Ce qui inquiétait Pierre-Edouard, c'étaient tous les autres travaux qu'allait encore nécessiter la plantation. Ce serait d'abord, et il était grand temps de s'y mettre, la première taille, celle qui retrancherait les petites feuilles sans valeur qui affaiblissaient le pied. A ce premier nettoyage succéderait l'épamprage, au cours duquel il faudrait choisir les sept plus belles feuilles et abattre toutes les autres. Puis viendrait l'écimage qui, lui, sectionnerait la tige terminale, celle qui porte la fleur. Enfin, et lorsque les feuilles auraient vingt centimètres, il serait nécessaire d'ébourgeonner, une nouvelle fois, tout le pied. Et tous ces gestes méticuleux devraient être répétés sur les trois mille huit cents plants...

Ensuite, au cours de l'hiver, lorsque le tabac serait bien sec, viendraient d'autres tâches, physiquement moins pénibles car elles s'effectueraient au coin du feu, mais lentes, astreignantes. Il faudrait assembler les feuilles par ordre de grandeur, de couleur et de qualité, les lier ensuite en manoques de vingt-cinq unités et, pour finir, en ballots de cent manoques.

Alors, et alors seulement, Mathilde et lui toucheraient le salaire de leur peine, seraient enfin payés pour leurs reins moulus, leur dos brisé, leurs mains jaunies et empuanties au contact des vingt-six mille six cents feuilles sélectionnées...

Il se retourna une nouvelle fois pour regarder Mathilde.

Elle était loin derrière lui, maintenant, mais s'acharnait, pliée vers le sol, écrasée par la fatigue et la chaleur. Alors, et bien que le soleil démente absolument ce qu'il allait dire, il l'appela :

— Eh ! C'est l'heure !

Elle se redressa et il eut pitié de la voir si rouge, si ruisselante de sueur. Comme lui, elle observa le soleil, puis remua négativement la tête.

— Non, dit-elle en s'essuyant le front, j'ai encore le temps. D'ailleurs, il ne pleure pas.

— C'est l'heure, insista-t-il en venant vers elle, allez, va t'asseoir là-bas, va le faire téter. Va te reposer.

— Mais je t'assure !

— Ne discute pas, dit-il en lui prenant son outil, tu travailles trop et tu vas perdre ton lait.

— Tu me prends pour une mauviette ! J'en ai du lait, et ton goulu de fils le sait bien ! Qu'est-ce que tu crois ? Qu'il profite autant rien qu'en tétant de l'air ? Tout le monde dit qu'on lui donnerait dix mois, et il n'en a que six !

Il lui prit le bras, l'entraîna vers l'extrémité du champ, vers l'énorme châtaignier qui abritait le bébé. Son couffin était suspendu aux branches basses de l'arbre et là, gazouillant au frémissement des feuilles, ravi de les voir s'agiter sous la brise, heureux du balancement que ses coups de reins donnaient à sa légère nacelle, leur fils les attendait.

— Tu vois bien qu'il est sage ! dit-elle en se penchant vers lui.

Content de revoir sa mère, le nourrisson se trémoussa, gigota de joie, s'appliqua à fabriquer quelques grosses bulles de salive.

— Maintenant que tu es là, restes-y, dit-il. Il faut que tu te reposes, tu en fais trop, et au diable le tabac !

— Tu ne diras pas ça quand on touchera notre argent !

— Oh, l'argent !... Non, je m'en veux d'avoir vu trop grand pour nous deux. Dans le temps, mon père aussi en cultivait du tabac, mais on était au moins cinq ou six pour s'en occuper ! Tout le monde s'y mettait et le travail avançait ! Tandis que là...

— C'est pour ça que tu veux me faire asseoir !

Il la regarda, se réjouit de la voir de nouveau si mignonne, si jeune, nullement vieillie ni déformée par sa grossesse, belle à croquer, comme un bouquet de cerises.

— Discute pas, dit-il en désignant le bébé. Lui, il a besoin de toi et de ton lait, et il passe avant le tabac, et avant tous les autres travaux !

— Je ne suis pas en sucre ! Dans le temps, ma mère devait travailler comme un homme et...

— Oui, je sais, la mienne aussi, dans le temps. Mais on n'est plus dans le temps, et puis, je ne veux pas que tu ressembles à ta mère. Ni à la mienne, d'ailleurs. Allez, repose-toi, et si je te vois dans le champ avant une demi-heure, ça ira mal.

— Tu me battras, peut-être ? pouffa-t-elle.

— Bien sûr, assura-t-il en s'éloignant, c'est la seule tradition qui vaille d'être conservée !

Pierre-Edouard recompta les sept cent vingt-cinq francs que venait de lui rapporter la vente de six agneaux. Il s'était assez bien débrouillé pour écouler son lot ; il est vrai que les bêtes n'étaient pas vilaines.

Sans doute aurait-il gagné à les pousser trois semaines ou un mois de plus, mais depuis que septembre était là et que les glands tombaient, il n'y avait plus moyen de tenir les brebis et les agneaux. Sitôt l'étable ouverte, les bêtes cherchaient à filer aux bois pour s'empiffrer de glands ; elles multipliaient les ruses pour échapper à la garde de Mathilde, galoper jusqu'à la chênaie et là, se saouler. Mais si une petite quantité de glands ne leur nuisait pas, une absorption trop massive pouvait les empoisonner aussi sûrement qu'une poignée d'arsenic. C'est pourquoi il venait de vendre six des dix agneaux que leur avaient donnés leurs brebis ; les quatre autres jeunes étaient des agnelles qu'il voulait conserver pour agrandir le troupeau.

Il ressortit du bistrot où l'acheteur réglait ses clients et chercha Mathilde des yeux. Elle devait être à l'autre bout de la place, avec les femmes qui vendaient leurs volailles et leurs légumes. Ce matin, Mathilde n'avait rien à vendre, mais il était prêt à parier qu'elle était quand même là-bas, en train de faire admirer leur fils à toute une assemblée de commères attendries.

Il remonta entre les cordes où meuglaient les veaux, remarqua leur faible abondance. Vraiment, les foires n'étaient plus celles de jadis ! Côté vaches, c'était pareil. Seul Léon et un de ses confrères avaient amené quelques génisses, mais les acheteurs n'étaient pas légion.

Saluant et discutant avec tous les hommes qu'il connaissait,

Pierre-Edouard arriva jusqu'au lot de bêtes que proposait son beau-frère.

— Alors, vieille crapule, toujours à l'affût des pigeons ?

— M'en parle pas, lui rétorqua Léon en lui expédiant une bourrade amicale, c'est la vraie misère. Plus personne n'achète !

— Et ça t'étonne ? Avec les prix que tu réclames !

— C'est pas ça, c'est tout le pays qui ne va pas. A croire que tout le monde est aussi fou que ce pauvre Deschanel.

— C'est vrai qu'il a démissionné ? s'enquit Pierre-Edouard.

Il descendait très rarement au bourg, ne recevait pas le journal...

— Tu retardes plutôt ! Ça fait plus de huit jours ! Attends, c'était le jour de la foire à Seilhac, le 21, c'est ça. Oh ! mais ça leur apprendra à ces feignants, ils n'avaient qu'à élire Clemenceau ! Miladiou, quand je pense qu'ils lui ont préféré ce simplet ! C'est pas Dieu possible ! Ça t'étonne après, que tout aille mal ?

Pierre-Edouard acquiesça. Il s'intéressait peu à la politique, mais partageait l'indignation de son beau-frère. Clemenceau, Foch, Joffre, Pétain, ça c'étaient des hommes. Mais les autres, tous les autres, quel ramassis de bons à rien et de profiteurs !

— Tu as vu ton filleul ? demanda-t-il en tendant sa blague à tabac.

— Ouais, sourit Léon, il est beau hein ? Costaud ! Tiens, mon collègue, là, il m'a dit qu'il me ressemblait ! ajouta-t-il en rougissant de fierté.

— Alors là, ça me ferait mal ! s'exclama Pierre-Edouard en riant, manquerait plus que ça ! Allez va, un comme toi, ça suffit pour le département !

Riant encore, il se retourna soudain, car on venait de le tirer par la manche.

— Tiens, dit-il, Jeantout ! Qu'est-ce qui vous amène ?

— Ton père veut te voir.

— Mon père ? murmura-t-il. Qu'est-ce qu'il veut, mon père ?... Mais répondez, quoi ! insista-t-il en voyant la mine défaite du vieil homme. Qu'est-ce qui se passe ?

— C'est ta mère...

— Quoi, ma mère ?

— Va chez toi, va.

— Allez, ordonna Pierre-Edouard soudain inquiet, expliquez, j'en ai entendu d'autres. Qu'est-ce qu'elle a, ma mère ?

— Elle est morte...

— Nom de Dieu !... s'écria-t-il assommé par la nouvelle. Mais comment ça ? Mathilde l'a aperçue cette semaine encore !

— Il a fallu la descendre à Brive hier soir ; elle a fait une périmonite...

— Péritonite. Et alors ?

— Alors, c'était trop tard... Elle est morte cette nuit. Ils viennent juste de la ramener chez vous...

Il fit oui de la tête. Il se sentait infiniment triste, triste à pleurer ; mais ses larmes étaient restées quelque part sur le front, taries par la mort de trop de camarades.

En un instant, il revit sa mère. Non point la vieille femme aigrie des dernières années, mais celle d'avant, celle de la belle époque, quand toute la famille, chaque soir, s'assemblait autour de la grande table, avec Louise qui chahutait, Berthe qui cafardait et lui qui riait dans son coin. Il la revit jeune, douce, attentive, et il regretta de ne pas avoir eu le temps de lui dire que, malgré tout, il l'aimait beaucoup, et que Louise et Berthe aussi l'aimaient beaucoup. Et que s'ils avaient tous les trois quitté la maison, ce n'était pas sa faute à elle, qu'elle n'y était pour rien, qu'elle n'était pas responsable de ce caractère des Vialhe que, par son intermédiaire, mais pas plus, leur père avait transmis.

— J'y vais. Mais il faut que je prévienne Mathilde.

Il s'avança dans la foule et les gens s'écartèrent silencieusement car, déjà, la nouvelle avait volé de bouche en bouche. Déjà, tous savaient que Jean-Edouard Vialhe était désormais veuf, et seul...

Ils confièrent le petit Jacques à son parrain et remontèrent la grand-rue, marchant vers cette maison où ils allaient entrer pour la première fois depuis qu'ils étaient mariés. Non dans la joie et le bonheur, mais dans la tristesse et l'affliction.


— Voilà, dit Jean-Edouard en ouvrant la porte de la chambre.

Il pleurait, sans bruit, discrètement, presque honteux.

Marguerite avait rajeuni, ses mauvaises rides s'étaient effacées et seuls demeuraient les fins sillons jadis creusés par son sourire.

Elle n'était vêtue que d'une mauvaise chemise de nuit enfilée à la hâte par quelque infirmière. Posée sur le lit défait, bras écartés, pieds nus, elle était pitoyable.

— Laissez-nous, père, dit Mathilde après s'être recueillie. Laissez-nous, on va s'en occuper. Je vais m'en occuper, se reprit-elle, c'est mon travail.

Et elle le poussa vers la porte, doucement, le conduisit jusqu'au cantou où elle le fit asseoir.

— Vous n'avez pas froid, au moins ? Vous voulez que je vous fasse chauffer un peu de café ?

Il secoua la tête, s'absorba dans la contemplation du feu éteint. Il ne bougea pas lorsque, furtivement, elle essuya de son mouchoir les larmes qui perlaient au bout de la moustache blanche. Puis, légère, silencieuse, elle revint dans la chambre.

— Pierre, va chercher la mère Jeantout, elle m'aidera. Et puis, après, si tu veux, tu iras avec ton père.

— Non, pas besoin de la femme de Jeantout. Des morts, j'en ai vu plus que tu n'en verras jamais. Allez, aide-moi, on va l'habiller avec ses affaires du dimanche. Elles étaient là, dans le temps, dit-il en ouvrant la grande armoire.

Elles y étaient toujours.

Pendant quatre jours, Pierre-Edouard et Mathilde assurèrent toutes les charges de la maison et des bêtes, reçurent les voisins et les lointains cousins, assurèrent la veillée mortuaire.

Le premier matin, dès qu'ils eurent habillé la morte, apprêté la chambre, voilé les miroirs et rangé la maison, Pierre-Edouard courut jusqu'à la poste et expédia un télégramme à Louise.

Il ne put prévenir Berthe car il ignorait son adresse.

Louise arriva par le train du lendemain matin. Etreinte par une émotion qui lui coupait presque le souffle, elle traversa le bourg, tout attendrie de retrouver à chaque pas l'univers de son enfance : cette place de l'église qui avait si peu changé, l'auberge où, jadis, Octave... ; la grand-rue où, comme toujours, picoraient les volailles et où les canards barbotaient encore dans les flaques de purin qui suintaient des tas de fumier.

Elle revit quelques femmes sur qui elle put mettre un nom,

ou un prénom. Mais elle ne s'arrêta pas. Qui pouvait la reconnaître ? Elle était partie depuis douze ans ! Et pourtant, dans son dos, fusaient les chuchotements, les exclamations étouffées :

— La Louise est revenue ! Si si, on l'a bien reconnue ! C'est une dame, maintenant, elle est bien habillée, et tout quoi, ça se voit, mais c'est bien la Louise Vialhe ! Voyez, c'est quand même pas une mauvaise fille...

— Tu aurais dû amener Félix, lui reprocha un peu Pierre-Edouard.

— Non, il a déjà eu assez de morts pour son âge. Et puis, il ne la connaissait pas, chuchota Louise.

Ils étaient tous les deux au chevet de leur mère, mais discutaient quand même à voix basse. Ils avaient tant à se dire !

— Il va bien, mon Félix ?

— Très bien, et ton fils ?

— Oh, lui, tout ça ne le dérange pas ! Tu le verras, c'est un vrai Vialhe, il est chez ma belle-mère ; je t'y conduirai.

— Et ta femme ?

— Elle se repose aussi chez elle, elle a voulu veiller toute la nuit.

— Quand je pense que c'est la petite Mathilde ! C'était une gamine quand je suis partie...

— Eh oui !...

— Au fait, tu t'étais... arrangé avec le père ?

— Non, tu sais comme il est. Il ne voulait pas voir Mathilde, alors !

— Le pauvre vieux, il est tout perdu maintenant, je ne sais même pas s'il m'a reconnue quand je l'ai embrassé, tout à l'heure...

— Si si, ne t'inquiète pas pour ça. Et même je suis sûr qu'il est très touché que tu sois revenue. Mais il ne le dira pas... Et je suis sûr aussi qu'il aurait aimé revoir Berthe, mais ça... Je n'ai pas pu le prévenir, je ne sais pas où elle est, cette coureuse ! J'aurais pourtant bien voulu qu'elle soit là et qu'on se retrouve tous les trois...

— Je l'ai prévenue, moi.

— Tu sais où elle se trouve ? Comment diable ?

— On s'écrit quelquefois. C'est elle qui a commencé, pendant la guerre.

— Ah oui, se souvint-il, je lui avais donné ton adresse quand je suis parti d'ici... Tu crois qu'elle viendra ?

— Je ne sais pas, mais au moins elle est prévenue. Elle sait que la mère nous a quittés.

Nul ne reconnut Berthe lorsque, le soir même, peu après le passage du train, elle poussa la porte de la maison Vialhe et entra.

Même Pierre-Edouard se demanda un instant qui était cette belle jeune femme, habillée à la dernière mode de la ville, à l'élégant chapeau tout emplumé d'où s'échappaient des cheveux blonds et courts, au visage délicatement fardé et aux mains fines, qui allait sans hésiter jusqu'au vieil homme prostré au coin du feu et se penchait vers lui.

Jean-Edouard eut un réflexe de recul, hésita, la dévisagea longuement, plissa ses yeux rougis.

— Eh bien, fit-il, si ta mère te voyait !...

Mais il se laissa embrasser et tous virent qu'il étreignait les épaules de sa fille.

— Voilà, dit Pierre-Edouard au lendemain de l'enterrement, tout est en ordre, tout est rangé. J'ai demandé à la mère Coste : si vous voulez, elle viendra une fois par jour pour faire votre soupe et le ménage.

Il serra Mathilde contre lui ; le petit Jacques, qu'elle portait dans ses bras, chantonna et tendit ses menottes vers le feu.

— Alors, tu repars, toi aussi, comme tes sœurs..., murmura Jean-Edouard.

Il dit cela sans acrimonie, et le ton de sa voix n'était même pas chargé de reproches. Il constatait. Comme il avait dû constater et admettre que Louise et Berthe étaient désormais libres d'agir à leur guise, de vivre comme il leur plaisait, où bon leur semblait, avec qui elles voulaient. Et même de se teindre les cheveux comme Berthe, et de faire tout cela sans lui demander son autorisation, pas même son avis.

— Les temps ont changé, dit-il en suivant son idée. Alors tu repars là-haut, à Coste-Roche ?... Bon...

Il hésita, se racla la gorge :

— Je voulais te dire, ta femme, je le sais maintenant, c'est une bonne bru...

Il n'arrivait toujours pas à adresser la parole à Mathilde, sa voix se bloquait. Il s'était trop longtemps répété que sa belle-fille était une moins que rien pour pouvoir, du jour au lendemain, s'adresser à elle sans contrainte. De même, il ne pouvait encore dire à son fils tout ce qu'il avait à lui dire. Il tenta pourtant d'amorcer le débat, mais sans y croire, en sachant qu'il tournerait court.

— Si tu voulais, reprit-il, si tu voulais... Maintenant, tu pourrais rester ici, à la maison, sur nos terres...

— Je sais, mais nous ne le ferons pas.

— Je m'en doute...

— Mais n'allez pas croire que je vous en veuille encore, ce n'est pas ça du tout. Ces vieilles histoires n'ont plus d'importance. Pour moi, du moins. Et pour Mathilde non plus.

— Mais tu repars quand même...

— Oui, nous repartons.

Pierre-Edouard sentait que son père était à deux doigts d'abdiquer, qu'il était atteint, presque brisé et qu'il suffisait d'un rien pour l'achever, pour lui extorquer toutes les concessions désirées et l'engloutir en même temps dans ce néant qu'il côtoyait déjà. Mais ç'aurait été l'humilier, piétiner sa fierté. Cette fierté qui le retenait encore, qui l'empêchait de dire : « J'aimerais que tu restes, je te le demande, j'ai besoin de toi, de ta femme, de votre petit aussi, reste. Désormais, c'est toi le chef de famille... » Il aurait été facile, en cet instant, d'écraser à jamais ce vieil homme aux yeux larmoyants...

Pierre-Edouard regarda son père, le vit abattu, misérable, il eut pitié et tenta de s'expliquer.

— Comprenez, je sais bien que nous pourrions nous installer ici, dès maintenant, tout de suite. Mais si nous le faisions, un jour ou l'autre, peut-être que vous penseriez que nous avons profité de la... enfin du départ de notre mère, de la situation, quoi. Qu'on s'est imposés, qu'on a abusé de votre... de votre peine...

Jean-Edouard hocha lentement la tête, cracha dans le feu.

— Oui, tu me connais bien maintenant, avoua-t-il enfin. Peut-être bien que je le penserais... Tu as raison de vouloir repartir. Mais si un jour tu veux, enfin.. On verra, quoi...

— C'est ça, murmura Pierre-Edouard en entraînant doucement Mathilde. Un jour peut-être, plus tard... Il faut laisser travailler le temps, c'est lui qui décide, toujours...

Jean-Edouard ne broncha pas lorsque la porte se referma sur eux.

*Marcillac, janvier 1978-janvier 1979.*

# TABLE DES MATIÈRES

Imprimé en France par

C P I
Bussière

à Saint-Amand-Montrond (Cher)
en février 2010

POCKET - 12, avenue d'Italie - 75627 Paris Cedex 13

N° d'impression : 100167
Dépôt légal : mars 1982
Suite du premier tirage : février 2010
S 17236/04

ouailles (nfpl) flock
mécréant → heathen